Lisa Kleypas

Elle est née en 1964 aux États-Unis. Après des études de sciences politiques, elle publie son premier roman à 21 ans. Elle a reçu les plus hautes récompenses, et notamment le prix de la meilleure romance historique pour *L'amant de lady Sophia*. Ses livres sont traduits en quatorze langues.

Son ton, la légèreté de son style, ses héros souvent issus d'un milieu social défavorisé caractérisent son œuvre.

Depuis peu, elle s'est lancée dans la romance contemporaine avec *La saga des Travis*.

Les ailes de la nuit

Lisa KLEYPAS

LES HATHAWAY — 1

Les ailes de la nuit

ROMAN

*Traduit de l'américain
par Edwige Hennebelle*

Titre original
MINE TILL MIDNIGHT

Éditeur original
St. Martin's.Paperbacks are published
by St. Martin's Press, New York

© Lisa Kleypas, 2007

Pour la traduction française
© Éditions J'ai lu, 2011

*À Cindy Blewett,
une merveilleuse web designer,
en plus d'être une amie pleine
de sagesse et d'esprit.*

1

Londres, automne 1848

Retrouver une personne dans une ville de près de deux millions d'habitants, c'était comme chercher une aiguille dans une botte de foin. Certes, le comportement de l'individu en question étant prévisible, on pouvait imaginer qu'il se trouvait dans une taverne ou dans un tripot. Il n'empêche que la tâche s'annonçait ardue.

« Leo, où donc es-tu ? » s'interrogea Amelia Hathaway avec désespoir, alors que les roues du véhicule tressautaient sur les pavés de la chaussée. Pauvre Leo, égaré par le chagrin… Confrontées à des situations intolérables, certaines personnes s'effondraient, tout simplement. C'était le cas de son frère, autrefois si fringant et si sérieux. Au point où il en était, il ne se relèverait probablement pas.

— Nous le retrouverons, déclara Amelia avec une assurance feinte.

Elle jeta un regard au bohémien assis en face d'elle. Comme d'habitude, Merripen offrait un visage impassible.

On aurait pu croire qu'il n'éprouvait que des émotions très limitées. Il était si réservé, en fait, que les Hathaway ne connaissaient toujours pas son prénom alors qu'il vivait avec eux depuis quinze ans.

On l'appelait simplement Merripen depuis le jour où il avait été découvert, blessé et inconscient, au bord du ruisseau qui traversait leur propriété.

Lorsqu'il était revenu à lui et s'était retrouvé entouré de plusieurs Hathaway curieux, il avait réagi avec violence. Ils avaient dû user de persuasion pour l'obliger à rester couché, lui expliquant avec force exclamations qu'il risquait d'aggraver ses blessures s'il se levait. Le père d'Amelia en avait déduit qu'il avait été victime d'une chasse aux bohémiens, une méthode brutale employée par les hobereaux locaux, à cheval et armés de fusils et de gourdins, pour débarrasser leur propriété des campements indésirables.

— Ce gamin a probablement été laissé pour mort, avait déclaré M. Hathaway avec gravité.

En homme érudit, ouvert aux idées progressistes, il désapprouvait toute forme de violence.

— J'ai bien peur qu'il ne nous soit difficile d'entrer en contact avec sa tribu. Ils sont sans doute bien loin, à présent.

— On peut le garder, papa ? s'était écriée Poppy, la petite sœur d'Amelia, qui imaginait sans doute faire de ce jeune sauvage (il montrait les dents comme un louveteau pris au piège) un animal de compagnie divertissant.

— Il peut rester aussi longtemps qu'il le souhaite, lui avait répondu M. Hathaway en souriant. Mais je doute qu'il s'attarde plus d'une semaine. Les Roms – c'est ainsi qu'ils se désignent eux-mêmes – sont un peuple nomade. Ils détestent vivre trop longtemps sous un toit. Ils ont l'impression d'être prisonniers.

Toutefois, Merripen était resté. À son arrivée, c'était un jeune garçon de petite taille, plutôt frêle ; bien soigné et nourri, il avait grandi à une vitesse presque alarmante, pour devenir un homme robuste, d'une stature impressionnante. Il était difficile de lui attribuer une place exacte dans la famille : ni vraiment membre de celle-ci ni domestique. Même s'il travaillait pour les Hathaway, jouant le rôle de cocher aussi bien que de factotum, il mangeait à leur table quand il en avait envie et occupait une chambre au même étage que les autres.

Puisque Leo avait disparu et était peut-être en danger, il allait de soi que Merripen participerait aux recherches.

Il n'était guère convenable qu'Amelia sorte seule avec un homme comme Merripen. Mais à vingt-six ans, elle considérait qu'elle n'avait plus besoin de chaperon.

— Commençons par éliminer les endroits où Leo ne risque pas de se rendre, dit-elle. Les églises, les musées, les lieux de savoir et les salons distingués sont naturellement exclus.

— Ce qui laisse quand même la plus grande partie de la ville, maugréa Merripen.

Il n'aimait guère Londres. À ses yeux, le fonctionnement de la société prétendument civilisée était infiniment plus barbare que tout ce que l'on pouvait trouver dans la nature. Si on lui donnait le choix entre passer une heure enfermé dans un enclos avec des sangliers, ou dans un salon en élégante compagnie, il choisirait les sangliers sans hésitation.

— Nous devrions sans doute commencer par les tavernes, continua Amelia.

Merripen lui jeta un regard sombre.

— Tu sais combien il y a de tavernes dans Londres ?

— Non. Mais je suis certaine que je le saurai à la fin de la nuit.

— Nous ne commencerons pas par les tavernes. Allons directement là où Leo est le plus susceptible d'avoir des ennuis.

— C'est-à-dire ?

— Chez *Jenner's*.

11

Jenner's était un club de jeu tristement célèbre où se pressaient les gentlemen désireux de s'encanailler. Fondé à l'origine par un ancien boxeur du nom d'Ivo Jenner, le club avait changé de mains à sa mort et appartenait désormais à son beau-fils, lord Saint-Vincent. Le parfum de scandale attaché au nom de celui-ci n'avait fait que renforcer la réputation de l'établissement.

Devenir membre de *Jenner's* coûtait une fortune. Naturellement, Leo s'était précipité pour s'inscrire dès qu'il avait hérité de son titre, trois mois auparavant.

— Si tu as l'intention de te tuer à force de boisson, lui avait fait remarquer Amelia avec calme, je préférerais que tu le fasses dans un endroit moins onéreux.

— Mais je suis vicomte, à présent, avait rétorqué Leo avec nonchalance. Je suis obligé de le faire avec style, sinon que diront les gens ?

— Que tu étais un imbécile et un gaspilleur, et que le titre aurait tout aussi bien pu passer à un singe ?

Son frère s'était contenté de lui adresser un large sourire.

— Je suis sûr que cette comparaison est assez injuste pour le singe.

Son inquiétude grandissante fit courir un frisson glacé dans le dos d'Amelia. Elle pressa ses doigts gantés sur son front douloureux. Ce n'était pas la première disparition de Leo, mais c'était incontestablement la plus longue.

— Je ne suis jamais entrée dans un club de jeu. Ce sera une nouvelle expérience.

— Ils ne te laisseront pas entrer. Tu es une jeune fille de la bonne société. Et même s'ils t'y autorisaient, je ne te le permettrais pas.

Laissant retomber sa main sur ses genoux, Amelia lui adressa un regard surpris. Il était rare que Merripen lui interdise quelque chose. Peut-être même était-ce la première fois. Elle en fut contrariée. La vie de son frère était peut-être en jeu, elle n'était pas d'humeur à ergoter sur des détails relatifs aux convenances. De plus, elle était curieuse de voir à quoi ressemblait l'intérieur de cette retraite masculine privilégiée. Quitte à être condamnée à l'état de vieille fille, autant profiter des menus avantages qui l'accompagnaient.

— Toi non plus, ils ne te laisseront pas entrer, souligna-t-elle. Tu es un Rom.

— Il se trouve que le directeur du club est aussi un Rom.

Une situation inhabituelle. Extraordinaire, même. Les bohémiens avaient une réputation de voleurs et de filous. Que l'on confie à l'un des leurs la responsabilité de tenir la banque d'un club de jeu et d'accorder des crédits, sans parler d'arbitrer les contestations autour des tables, était vraiment étonnant.

— Ce doit être un individu assez remarquable pour avoir atteint une telle position, observa-t-elle. Très bien, je t'autoriserai à m'accompagner chez *Jenner's*. Il est possible que ta présence incite ce monsieur à se montrer plus complaisant.

— Merci, répondit Merripen d'une voix si sèche qu'on aurait pu y enflammer une allumette.

Amelia garda un silence circonspect tandis qu'il guidait le petit coupé à travers les rues bordées de théâtres, de boutiques et de lieux de plaisir en tout genre. Le véhicule mal suspendu cahotait le long des avenues et des places élégantes, passait devant des maisons à colonnes, des jardinets bien ordonnés et des bâtiments de style géorgien. Au fur et à mesure que les rues s'élargissaient, le stuc remplaçait la brique, avant de finalement céder la place à la pierre.

Le West End n'était pas familier à Amelia. Leur village avait beau être proche de Londres, les

Hathaway s'aventuraient rarement en ville, et certainement pas dans ce quartier. Même avec leur héritage récent, il n'y avait là pratiquement rien qu'ils auraient pu s'offrir.

Amelia jeta un nouveau coup d'œil à Merripen. Qu'il sache exactement quel chemin prendre alors qu'il ne connaissait pas mieux la ville qu'elle était un mystère. Cela dit, il possédait un instinct qui lui permettait de trouver son chemin n'importe où.

Ils tournèrent dans King Street, étincelante à la lumière des becs de gaz, bruyante et animée, encombrée de voitures et de piétons en quête de divertissements. Le ciel rougeoyait encore faiblement derrière une brume de fumée. À l'horizon, les silhouettes sombres et déchiquetées des hauts bâtiments ressemblaient à des dents de sorcières.

Merripen guida le cheval dans une ruelle bordée d'écuries, à l'arrière d'un grand bâtiment à la façade de pierre. *Jenner's*. L'estomac d'Amelia se serra. Ce serait sans doute trop demander que de trouver son frère ici, dans le premier endroit qu'ils visitaient.

— Merripen ? dit-elle d'une voix tendue.

— Oui ?

— Je préfère t'avertir : si mon frère n'a pas déjà mis fin à ses jours, j'ai l'intention de l'abattre quand nous l'aurons trouvé.

— Je te tendrai le pistolet.

Amelia sourit et redressa son bonnet.

— Entrons. Et rappelle-toi : c'est *moi* qui parle.

Il régnait dans la ruelle une odeur nauséabonde, mélange de fumier, d'ordures et de poussière de charbon. En l'absence d'une bonne pluie, la saleté s'accumulait rapidement dans les rues et les cours de la capitale. À peine eut-elle esquissé un pas sur le sol souillé qu'Amelia dut faire un petit saut de côté pour éviter des rats qui détalèrent en piaillant.

14

Tandis que Merripen confiait les guides à un garçon d'écurie, le regard d'Amelia fut attiré vers l'extrémité de la ruelle.

Deux gamins, accroupis autour d'un petit feu, faisaient rôtir quelque chose sur une baguette. Amelia préféra ne pas s'appesantir sur la nature de la chose en question. Elle repéra plus loin trois hommes et une femme qu'éclairait la lueur vacillante des flammes. Deux des hommes étaient apparemment en train de se battre, mais ils étaient tellement ivres qu'on aurait dit deux ours en train de danser. Le troisième s'efforçait de les séparer.

La femme, qui portait une robe aux couleurs criardes dont le corsage très décolleté révélait une poitrine plantureuse, lança avec un fort accent cockney :

— Allons, mes mignons, j'vous ai dit que j'vous prenais tous les deux... Pas la peine d'vous mettre sur la figure !

— Reste à l'écart, Amelia, murmura Merripen.

Feignant de ne pas entendre, elle s'approcha. Ce n'était pas l'altercation à proprement parler qui l'intéressait – même leur petit village paisible de Primrose Place avait sa part de bagarres. Il arrivait à tous les hommes, indépendamment de leur condition sociale, de succomber à leurs bas instincts. Non, ce qui avait attiré l'attention d'Amelia, c'était le troisième homme, le pacificateur, qui venait de se jeter entre les deux imbéciles avinés et tentait de les raisonner.

Tout aussi bien vêtu que les deux gentlemen, il était pourtant évident que cet homme n'était pas un gentleman. Très brun, il avait le teint basané et une allure exotique. Il se déplaçait avec la grâce et la rapidité d'un chat, évitant aisément les coups de ses adversaires.

— Messieurs, dit-il d'un ton posé, bloquant un coup de poing de l'avant-bras sans perdre son flegme, je crains qu'il ne vous faille arrêter immédiatement ou je serai obligé...

Il s'interrompit pour sauter de côté comme l'homme derrière lui bondissait.

La prostituée se mit à caqueter :

— Y t'donnent du fil à r'tordre ce soir, pas vrai, Cam ?

Revenant dans la mêlée, le dénommé Cam Rohan tenta de s'interposer de nouveau.

— Messieurs, vous avez certainement conscience que...

Il plongea pour éviter un poing

— ... la violence ne résout rien.

— Va te faire foutre ! lâcha l'un des hommes avant de charger, tête baissée.

Rohan s'écarta, et son assaillant fonça droit dans le mur, au pied duquel il s'affala avec un gémissement.

Son adversaire se montra singulièrement peu reconnaissant. Au lieu de remercier l'homme brun d'avoir mis un terme à la bagarre, il gronda :

— Bon sang, Rohan, de quoi je me mêle ? Je lui aurais fait cracher ses tripes !

À son tour, il se précipita sur le jeune homme en dessinant de grands moulinets avec ses poings.

Évitant un direct du gauche, Rohan le fit basculer au sol d'un petit coup adroit. Puis il s'essuya le front de sa manche, les yeux rivés sur la silhouette allongée à ses pieds.

— Vous avez eu votre compte ? s'enquit-il d'un ton affable. Oui ? Bien. Permettez-moi de vous aider à vous relever, milord.

Tout en redressant l'homme en position verticale, Rohan jeta un coup d'œil vers une porte sur le seuil de laquelle un employé attendait.

— Dawson, accompagnez lord Latimer jusqu'à sa voiture. Je m'occupe de lord Selway.

— Inutile, haleta l'aristocrate qui venait de se remettre debout à grand-peine. Je peux marcher jusqu'à ma voiture, que diable !

Après avoir rajusté ses vêtements sur son corps replet, il adressa un regard inquiet à l'homme aux cheveux noirs.

— Rohan, il faut que vous me donniez votre parole… Si jamais cette histoire se répandait… si lady Selway venait à apprendre que je me suis battu pour obtenir les faveurs d'une fille… ma vie deviendrait un enfer.

— Elle n'en saura jamais rien, milord, assura Rohan avec calme.

— Elle sait tout, répliqua Selway. Elle est de connivence avec le diable. Si jamais on vous interroge sur cette petite altercation…

— Elle a été causée par une partie de whist particulièrement animée.

— Oui, oui, c'est cela. Vous êtes un brave homme, déclara Selway en tapotant l'épaule du jeune homme. Et pour sceller votre silence…

Il plongea la main dans son gilet et en sortit une petite bourse.

— Non, milord, fit Rohan en reculant, mon silence ne s'achète pas.

— Prenez-le, insista l'aristocrate.

— Je ne peux pas, milord.

— Il est à vous.

Il jeta la bourse qui heurta le sol aux pieds de Rohan avec un bruit métallique.

— Voilà. À vous de choisir si vous préférez la laisser dans la rue ou pas.

Sur ce, l'homme tourna les talons. Rohan fixait la bourse comme s'il s'agissait d'un rat crevé.

— Je n'en veux pas, marmonna-t-il sans s'adresser à quelqu'un en particulier.

— Moi, j'la prends, déclara la prostituée en le rejoignant.

Elle ramassa la bourse et, après l'avoir soupesée dans sa paume, adressa un sourire railleur à Rohan.

— Seigneur, j'ai jamais vu un bohémien qu'avait peur du pognon.

— Je n'en ai pas peur, répliqua Rohan d'un ton aigre. C'est juste que je n'en ai pas besoin.

Avec un soupir, il se frotta la nuque du plat de la main.

La fille lui rit au nez, puis détailla son corps élancé d'un œil ouvertement appréciateur.

— J'déteste avoir quequ'chose pour rien. Ça t'dit, une p'tite gâterie dans la ruelle avant que j'retourne chez Bradshaw ?

— J'apprécie cette proposition, dit-il poliment, mais, non, merci.

Elle haussa légèrement une épaule, l'air amusé.

— Moins d'turbin pour moi, alors. Bien l'bonsoir.

Rohan répondit d'un bref hochement de tête. Il semblait perdu dans la contemplation d'un point sur le sol. Après être resté parfaitement immobile, comme s'il écoutait quelque son presque inaudible, il porta de nouveau la main à sa nuque. Il la frotta, puis se retourna lentement et fixa Amelia droit dans les yeux.

Elle éprouva un léger choc quand leurs regards se croisèrent. Même s'ils se tenaient à plusieurs mètres l'un de l'autre, elle ressentit avec force le poids de ce regard. Aucune chaleur, aucune gentillesse n'adoucissait son expression. Il paraissait sans pitié, comme s'il avait découvert longtemps auparavant que le monde était un endroit implacable et qu'il avait décidé de s'en accommoder.

Comme il la détailla d'un air détaché, Amelia sut exactement ce qu'il voyait : une femme à la peau claire et aux cheveux bruns, de taille moyenne, portant des vêtements pratiques et des chaussures solides. Ses joues roses trahissaient sa bonne santé, de même que sa silhouette aux formes voluptueuses, alors que la mode exigeait d'être mince, gracile, évanescente.

Sans la moindre vanité, Amelia savait que, même si elle n'était pas une grande beauté, elle aurait été suffisamment séduisante pour se trouver un mari. Mais elle avait risqué son cœur une fois, avec des conséquences désastreuses. Elle n'avait pas envie de recommencer. Et Dieu sait qu'elle était suffisamment occupée à essayer de contrôler le reste des Hathaway.

Rohan détourna les yeux. Sans un mot, sans même un hochement de tête, il se dirigea vers l'entrée de service du club. Il marchait sans hâte, comme s'il se donnait le temps de penser à quelque chose. Ses mouvements étaient d'une remarquable fluidité, et il semblait moins fouler le sol que glisser dessus.

Amelia atteignit le seuil en même temps que lui.

— Monsieur... monsieur Rohan... Je présume que vous êtes le directeur du club.

Il s'arrêta, pivota pour lui faire face. Ils se tenaient suffisamment près l'un de l'autre pour qu'Amelia perçoive une odeur de peau masculine échauffée. Son gilet de luxueux brocart gris était déboutonné, révélant une fine chemise de lin blanc. Quand il entreprit de le reboutonner, Amelia nota que ses doigts s'ornaient de nombreux anneaux d'or. Un frisson nerveux la parcourut, laissant dans son sillage une chaleur inconnue. Tout à coup, elle avait l'impression que son corset était trop serré et que son haut col l'étranglait.

Consciente de rougir, elle s'obligea néanmoins à le regarder dans les yeux. Jeune – pas encore trente ans –, il évoquait un ange exotique. Bouche à l'arc maussade, mâchoire anguleuse, yeux noisette ombrés de cils épais, son visage paraissait avoir été créé pour le péché. Ses cheveux auraient eu besoin d'être raccourcis – les lourdes mèches noires lui frôlaient le col. Amelia tressaillit en remarquant le scintillement d'un diamant à l'une de ses oreilles.

Il s'inclina devant elle.

— À votre service, mademoiselle...

— Hathaway. Et voici mon compagnon, Merri-pen, ajouta-t-elle en indiquant ce dernier, qui l'avait rejointe.

Rohan jeta à Merripen un coup d'œil aigu.

— Le mot romani pour « vie », mais aussi pour « mort ».

Était-ce ce que signifiait le nom de Merripen ? Surprise, Amelia leva les yeux vers ce dernier. Il indiqua d'un léger haussement d'épaules que cela n'avait pas d'importance. Elle revint à Rohan.

— Monsieur, nous sommes venus pour vous poser une question ou deux au sujet de...

— Je n'aime pas les questions.

— Je suis à la recherche de mon frère, lord Ramsay, continua-t-elle avec obstination, et j'ai absolument besoin de la moindre information que vous pourriez détenir quant à l'endroit où il se trouve.

— Je ne vous le dirais pas même si je le savais.

Il s'exprimait avec un accent qui mêlait subtile-ment des intonations étrangères et cockney, avec même une pointe aristocratique. Sa voix était celle d'un homme qui fréquentait toutes sortes de per-sonnes.

— Je vous assure, monsieur, que je ne me déran-gerais pas ni ne dérangerais quiconque si ce n'était pas absolument nécessaire. Mais cela fait trois jours, à présent, que mon frère a disparu...

— Cela ne me regarde pas, coupa Rohan en se tournant vers la porte.

— Il a tendance à fréquenter des gens peu recom-mandables...

— C'est malheureux.

— Il peut être mort, à l'heure qu'il est.

— Je ne peux pas vous aider. Je vous souhaite bonne chance dans vos recherches.

Rohan ouvrit la porte. Il s'apprêtait à franchir le seuil quand Merripen s'adressa à lui en romani.

Depuis son arrivée dans la famille, Amelia n'avait eu que très rarement l'occasion de l'entendre parler cette langue secrète des Roms. Elle était rude à l'oreille, avec des consonnes appuyées et des voyelles traînantes, mais il y avait une musique primitive dans la manière dont les mots s'enchaînaient.

S'appuyant de l'épaule contre le chambranle, Rohan fixa Merripen intensément.

— Le langage des anciens… Cela fait des années que je ne l'ai pas entendu. Qui est le père de ta tribu ?

— Je n'ai pas de tribu.

Les secondes s'égrenèrent. Merripen demeurait impassible sous le regard de Rohan.

Celui-ci finit par plisser les yeux.

— Entrez. Je vais voir ce que je peux trouver.

Ils pénétrèrent dans le club sans autre forme de cérémonie. Rohan demanda à un employé de les accompagner jusqu'à un salon privé, à l'étage. Amelia percevait un bourdonnement de voix, des notes de musique et des bruits de pas. Cette ruche masculine en activité lui était normalement interdite.

L'employé, un jeune homme aux manières polies, les conduisit dans une pièce confortable où il les pria d'attendre le retour de Rohan. Merripen s'avança jusqu'à la fenêtre qui surplombait King Street.

Amelia fut surprise par le luxe discret de l'ameublement – tapis épais dans des tons de bleu et de crème, boiseries aux murs et sièges capitonnés recouverts de velours.

— C'est plutôt de bon goût, commenta-t-elle en ôtant son bonnet, qu'elle posa sur une petite table d'acajou. Je ne sais pas pourquoi, je m'attendais à quelque chose d'un peu… eh bien, tapageur.

— *Jenner's* est un cran au-dessus des établissements de ce genre. Il se fait passer pour un club de gentlemen, alors que sa fonction première est d'offrir le plus grand choix de jeux de hasard de Londres.

Amelia s'approcha d'une bibliothèque intégrée dans les boiseries et demanda avec détachement, tout en examinant les livres :

— À ton avis, pourquoi M. Rohan n'a-t-il pas voulu de l'argent de lord Selway ?

Merripen lui adressa un regard sarcastique par-dessus son épaule.

— Tu sais ce qu'un Rom pense des possessions matérielles.

— Oui, je sais que les tiens n'aiment pas être encombrés. Il n'empêche que d'après ce que j'ai vu, ils refusent rarement quelques pièces en échange d'un service.

— Il ne s'agit pas seulement de ne pas s'encombrer. Pour un *chal*, se retrouver dans cette position…

— Qu'est-ce qu'un *chal* ?

— Un fils de Rom. Pour un *chal*, porter des vêtements aussi élégants, habiter sous un toit aussi longtemps, récolter un tel butin… c'est honteux. Gênant. Contraire à sa nature.

Il était si grave et sûr de lui-même qu'Amelia ne résista pas à l'envie de le taquiner un peu.

— Et quelle est ton excuse, Merripen ? Tu es resté sous le toit des Hathaway affreusement longtemps.

— C'est différent. D'abord, il n'y a aucun profit à vivre avec vous.

Amelia éclata de rire.

— Et puis, enchaîna-t-il d'une voix plus douce, je dois la vie à ta famille.

Amelia, qui observait son profil inflexible, éprouva une brusque bouffée d'affection.

— Quel rabat-joie, dit-elle gentiment. J'essaye de me moquer de toi et tu gâches tout avec ta sincérité. Tu sais que tu n'es pas obligé de rester, ami très cher. Tu as payé ta dette envers nous un millier de fois.

Merripen secoua aussitôt la tête.

— Ce serait comme d'abandonner un nid de poussins alors que le renard rôde.

— Nous ne sommes pas aussi démunis que cela, protesta-t-elle. Je suis parfaitement capable de m'occuper de la famille... et Leo aussi. Quand il est sobre.

— Et ce sera quand ?

Son ton neutre accentua encore l'ironie de la question.

Amelia ouvrit la bouche pour riposter, mais fut obligée de la refermer. Merripen avait raison. Leo avait passé ces six derniers mois dans un état d'ébriété permanente. Elle posa la main sur son estomac, où l'inquiétude accumulée formait un nœud. Pauvre, malheureux Leo... Elle était effrayée à la pensée qu'on ne pouvait rien faire pour lui. Difficile de sauver un homme qui ne voulait pas l'être...

Cela ne l'empêcherait cependant pas d'essayer.

Trop agitée pour s'asseoir, elle se mit à arpenter la pièce. Leo était là, quelque part, ayant besoin d'être secouru. Et elle ignorait combien de temps Rohan comptait les laisser se morfondre dans ce salon.

— Je vais jeter un coup d'œil aux alentours, annonça-t-elle en se dirigeant vers la porte. Je ne m'éloignerai pas. Reste ici, Merripen, au cas où M. Rohan reviendrait.

Elle l'entendit marmonner. Sans prêter attention à sa requête, il lui emboîta le pas.

— Ce n'est pas convenable, déclara-t-il dans son dos.

Amelia ne s'arrêta pas. Les convenances n'avaient plus de pouvoir sur elle, à présent.

— C'est ma seule chance de voir l'intérieur d'un club de jeu. Je ne vais pas la manquer.

Guidée par le bruit des voix, elle s'aventura sur une galerie qui courait tout autour d'une immense et magnifique salle qu'elle surplombait.

Une foule d'hommes élégants se pressaient autour de trois grandes tables, observant le jeu tandis que des croupiers rassemblaient dés et jetons à l'aide de râteaux. Nourrie par un brouhaha de conversations et d'appels, l'atmosphère crépitait d'excitation. Des employés traversaient la salle, les uns chargés de plateaux de nourriture et de vin, les autres de piles de jetons ou de jeux de cartes neufs.

À demi cachée derrière une colonne, Amelia parcourut la foule des yeux. Son regard s'arrêta sur M. Rohan, qui portait à présent un habit et une cravate noirs. Bien que vêtu de la même manière que les membres du club, il ressortait parmi les autres tel un renard au milieu d'un groupe de pigeons.

Il était à demi appuyé sur le bureau d'acajou trônant dans un coin de la pièce qui tenait lieu de banque. Apparemment, il donnait des indications à un employé. Même s'il effectuait un minimum de gestes, il y avait dans cette économie de mouvements une aisance physique qui attirait l'œil.

Et soudain… il parut… *percevoir* l'intérêt intense qu'Amelia éprouvait à son endroit. Il leva la main jusqu'à sa nuque, et la regarda droit dans les yeux. Exactement comme il l'avait fait dans la ruelle. Amelia sentit les battements de son cœur résonner dans tout son corps, dans ses membres, ses mains, ses pieds et même ses genoux. À la chaleur qui lui montait au visage, elle sut qu'elle s'empourprait. Elle resta figée sur place, surprise, embarrassée, aussi rouge qu'une enfant, avant de réussir à reprendre suffisamment ses esprits pour reculer derrière la colonne.

— Qu'y a-t-il ? demanda Merripen, derrière elle.

— Je crois que M. Rohan m'a vue. Ô mon Dieu, ajouta-t-elle avec un petit rire tremblant, j'espère que je ne l'ai pas irrité. Retournons dans le salon.

À l'abri de la colonne, elle risqua un dernier coup d'œil dans la salle. Rohan avait disparu.

2

Cam s'écarta du bureau et quitta la salle des jeux de hasard. Comme d'habitude, il ne put atteindre la porte sans être arrêté une ou deux fois. Un employé vint lui murmurer à l'oreille que lord Machin-chose souhaitait une extension de son crédit... Un autre lui demanda s'il devait regarnir le buffet dans l'un des salons de jeux de cartes. Il répondit machinalement à leurs questions, l'esprit préoccupé par la femme qui l'attendait à l'étage.

Cette soirée qui s'annonçait routinière se révélait finalement surprenante.

Cela faisait longtemps qu'une femme n'avait pas éveillé son intérêt comme cette Mlle Hathaway. À l'instant où il l'avait aperçue dans la ruelle, avec son teint frais et sa robe convenable qui ne dissimulait pas ses formes voluptueuses, il l'avait désirée. C'était incompréhensible, car elle incarnait tout ce qui l'irritait chez les Anglaises.

Il était évident qu'elle possédait une confiance absolue dans ses propres capacités à organiser et à diriger les existences de ceux qui l'entouraient. La réaction ordinaire de Cam face à une femelle de ce genre était de s'enfuir en courant dans la direction opposée. Toutefois, quand il avait plongé le regard dans ses beaux yeux bleus, et remarqué le minuscule pli déterminé qui se creusait entre eux, il avait éprouvé l'envie inavouable de la soulever dans ses bras et de l'emporter à l'écart pour se livrer à des actes peu civilisés. Voire même carrément barbares.

Certes, Cam avait toujours été en proie à de telles envies. Et au cours de l'année précédente, il avait commencé à éprouver des difficultés croissantes à les contrôler. Alors que ce n'était pas dans sa nature, il était devenu irascible et impatient. Les choses auxquelles il avait autrefois pris plaisir ne le contentaient plus. Le pire de tout avait été de s'apercevoir qu'il satisfaisait ses besoins sexuels avec aussi peu d'enthousiasme qu'il accomplissait ses tâches quotidiennes.

Trouver de la compagnie féminine n'avait jamais été un problème – Cam avait assouvi ses désirs dans les bras de quantité de femmes plus que consentantes, qui ne l'avaient pas regretté. Mais l'excitation n'était plus vraiment au rendez-vous, et moins encore la passion. Il n'y avait rien d'autre que la sensation d'avoir satisfait une simple fonction corporelle, aussi banale que de dormir ou de manger. Cela le contrariait tant qu'il avait fini par se résigner à en discuter avec son employeur, lord Saint-Vincent.

Autrefois célèbre coureur de jupons, à présent mari exceptionnellement aimant, Saint-Vincent en savait plus sur ce sujet que n'importe quel homme. Quand Cam lui avait demandé, morose, s'il était naturel que les appétits physiques diminuent à l'approche de la trentaine, Saint-Vincent s'était étranglé avec son cognac.

— Seigneur Dieu, non ! s'était-il exclamé en toussant.

Tous deux se trouvaient dans le bureau de Cam, où ils passaient en revue les livres de comptes.

Saint-Vincent était un très bel homme aux cheveux blonds comme les blés et aux yeux d'un bleu très clair. Certains prétendaient qu'il possédait la silhouette et les traits les plus parfaits qu'on pût trouver chez un homme. Il avait l'apparence d'un saint et l'âme d'un vaurien.

— Si je puis me permettre... Avec quel genre de femmes couchez-vous ?

— Comment cela, quel genre ? avait demandé Cam avec circonspection.

— Belles ou quelconques ?

— Belles, je suppose.

— Eh bien, c'est de là que vient le problème, avait déclaré Saint-Vincent d'un ton prosaïque. Les femmes quelconques sont bien plus agréables. Il n'existe pas de meilleur aphrodisiaque que la gratitude.

— Pourtant vous avez épousé une femme belle.

Saint-Vincent avait esquissé un lent sourire.

— Les épouses constituent un cas tout à fait différent. Elles exigent beaucoup d'efforts, mais les récompenses sont à la hauteur de ces efforts. Je recommande fortement les épouses. Surtout la sienne.

Cam n'avait pu s'empêcher d'être agacé. Il était difficile d'avoir une conversation sérieuse avec Saint-Vincent sans que celui-ci cède à sa prédilection pour les traits d'esprit.

— Si je comprends bien, milord, avait-il déclaré sèchement, pour pallier un manque de désir, vous recommandez de séduire des femmes peu attirantes ?

Saint-Vincent avait saisi un porte-plume en argent, y avait inséré avec adresse une plume et l'avait trempée dans l'encrier.

— Rohan, je fais de mon mieux pour comprendre votre problème. Il se trouve juste que je n'ai jamais fait l'expérience du manque de désir. Il faudrait que je sois sur mon lit de mort pour... Non, même pas. J'étais sur mon lit de mort il n'y a pas si longtemps, et, même alors, j'ai éprouvé un désir de tous les diables pour ma femme.

— Félicitations, avait marmonné Cam, désespérant d'obtenir une réponse sensée. Revenons aux livres de comptes. Il y a plus important à discuter que les habitudes sexuelles.

Saint-Vincent avait écrit un chiffre avant de reposer son porte-plume.

— Non, j'insiste pour que nous discutions des habitudes sexuelles. C'est bien plus divertissant que de travailler. Bien que vous soyez très discret, Rohan, avait-il continué en s'adossant à sa chaise avec une désinvolture trompeuse, on ne peut s'empêcher de remarquer que votre compagnie est ardemment recherchée. Il semblerait que les dames vous trouvent fort à leur goût. Et selon toutes les apparences, vous avez amplement tiré avantage de ce que l'on vous offrait.

— Pardonnez-moi, milord, mais je ne comprends pas bien où vous voulez en venir.

Posant les coudes sur le bureau, Saint-Vincent avait joint ses mains élégantes et regardé Cam fixement.

— Puisque vous n'aviez pas de problème de désir dans le passé, je ne peux que supposer que, comme cela arrive pour d'autres appétits, le vôtre a été rassasié par un excès d'uniformité. Un brin de nouveauté, voilà peut-être juste ce qu'il vous faut.

Le raisonnement ne manquait pas de pertinence. En y réfléchissant, Cam s'était demandé si Saint-Vincent – libertin notoirement connu avant son mariage – avait déjà été tenté de quitter le droit chemin.

Cam avait connu lady Saint-Vincent alors que, petite fille, elle venait de temps à autre au club rendre visite à son père, veuf ; il se sentait aussi protecteur envers elle que s'il s'agissait de sa jeune sœur. Personne n'aurait songé à unir la douce Evangeline à un débauché comme le vicomte. Le plus surpris avait sans doute été Saint-Vincent lui-même, lorsqu'il avait découvert que leur mariage de convenance s'était transformé en un amour passionné.

— Et la vie en couple ? avait risqué Cam. Finit-elle par connaître un excès d'uniformité ?

L'expression de Saint-Vincent avait changé et le bleu de ses yeux s'était réchauffé à la pensée de sa femme.

— Il m'est apparu clairement qu'avec la femme qui vous convient, on n'est jamais rassasié. Je me satisferais très bien d'un excès d'une telle félicité… mais je doute que ce soit mortellement possible. Si vous voulez bien m'excuser, Rohan, avait-il ajouté en se levant après avoir refermé le livre de comptes d'un geste décidé, je vais vous souhaiter une bonne nuit.

— Nous ne terminons pas la comptabilité ?

— Je laisse la fin entre vos mains.

Comme Cam fronçait les sourcils, il avait haussé les épaules d'un air innocent.

— Rohan, l'un de nous deux est un célibataire doué de capacités mathématiques supérieures et sans projet pour la soirée. L'autre est un débauché notoire d'humeur amoureuse, doté d'une jeune épouse désirable et passionnée qui l'attend à la maison. À votre avis, qui doit s'occuper de ces maudits livres de comptes ?

Sur ce, Saint-Vincent était sorti du bureau en lui adressant un signe de la main désinvolte.

De la nouveauté. Telle était la recommandation de Saint-Vincent. Et le mot s'appliquait on ne peut mieux à Mlle Hathaway.

Cam avait toujours préféré les femmes d'expérience, qui considéraient la séduction comme un jeu et se gardaient de confondre plaisir et sentiment.

Le rôle d'initiateur ne l'avait jamais tenté. Il trouvait même très peu réjouissante la perspective de déflorer une jeune fille. La simple idée de la douleur qu'il lui infligerait, puis des larmes et des regrets qui pourraient s'ensuivre le faisait frémir.

Non, ce n'était pas chez Mlle Hathaway qu'il allait rechercher de la nouveauté.

Hâtant le pas, il gravit l'escalier qui menait au salon où la femme l'attendait avec le *chal* au visage sombre. Merripen était un nom commun chez les bohémiens. La position que l'homme occupait n'avait, en revanche, rien de commun. Apparemment, il jouait un rôle de domestique auprès de la femme, une situation étrange et répugnante pour un Rom épris de liberté.

Ainsi, Merripen et lui avaient quelque chose en commun. Tous les deux travaillaient pour des *gadjé* au lieu de parcourir le monde librement, comme Dieu le voulait.

La place d'un Rom n'était pas entre quatre murs, enfermé dans ces boîtes qu'on appelait des maisons, coupé du ciel, du vent, du soleil et des étoiles, à respirer un air vicié aux relents de nourriture et d'encaustique. Pour la première fois depuis des années, Cam éprouva un brusque accès de panique. Il réussit à le dominer en se concentrant sur la tâche qui l'attendait : se débarrasser de ce couple étrange.

Après avoir tiré sur son col pour le desserrer, il poussa la porte entrouverte et pénétra dans le salon.

Mlle Hathaway se tenait près du seuil, en proie à une impatience visible. Merripen était un peu à l'écart. Comme Cam s'approchait de la jeune femme et fixait le visage qu'elle levait vers lui, sa panique reflua pour céder la place à une curieuse vague de chaleur. Elle pinçait fortement ses lèvres pleines et une légère ombre mauve cernait ses yeux bleus. Des épingles retenaient ses cheveux relevés, qui formaient comme un casque sombre et brillant.

Cette chevelure tirée en arrière, ces vêtements pudiques et modestes trahissaient la femme pleine d'inhibitions. La véritable vieille fille. Mais rien n'aurait pu dissimuler son éclatante volonté. Elle était… délicieuse. Il avait envie de la déballer comme un cadeau longtemps attendu. Il avait envie de la sentir vulnérable et nue sous lui, sa bouche tendre gonflée de baisers durs et profonds, son corps pâle enflammé de désir. Pris de court par la réaction qu'elle provoquait en lui, Cam s'appliqua à conserver une expression impassible.

— Eh bien ? demanda-t-elle, de toute évidence inconsciente du tour pris par ses pensées.

Ce dont il pouvait se féliciter, car elle se serait sûrement précipitée hors de la pièce en hurlant.

— Avez-vous découvert quelque chose sur l'endroit où mon frère pourrait se trouver ?

— Oui.

— Et ?

— Lord Ramsay est venu ici un peu plus tôt dans la soirée. Il a perdu de l'argent aux jeux de hasard…

— Le ciel soit loué, il est vivant ! s'exclama Amelia.

— … et a décidé apparemment de se consoler en se rendant dans une maison close à deux pas d'ici.

— Une maison close ? répéta Amelia avant de jeter un regard exaspéré à Merripen. Je jure qu'il mourra de mes propres mains cette nuit. Combien a-t-il perdu à la table de jeu ? demanda-t-elle en reportant le regard sur Cam.

— À peu près cinq cents livres.

Elle écarquilla ses beaux yeux bleus avec une expression scandalisée.

— Il mourra *lentement* de mes propres mains. Dans quelle maison close ?

— Bradshaw.

— Viens, Merripen, fit-elle en attrapant son bonnet. Allons le chercher.

— Non ! s'écrièrent les deux hommes d'une même voix.

— Je veux vérifier par moi-même qu'il va bien, répliqua-t-elle avec calme. Ce dont je doute beaucoup. Je ne rentrerai pas à la maison sans Leo, ajouta-t-elle avec un regard inflexible à l'adresse de Merripen.

Partagé entre l'amusement et l'inquiétude face à une volonté aussi marquée, Cam demanda à Merripen :

— Ai-je affaire à de l'entêtement, à de la stupidité, ou un mélange des deux ?

Amelia ne laissa pas à Merripen l'occasion de répondre.

— À de l'entêtement, de ma part. La stupidité est entièrement attribuable à mon frère.

Elle coiffa son bonnet, en noua les rubans sous son menton.

Des rubans rouge cerise, remarqua Cam, perplexe. Il y avait quelque chose d'incongru dans cette touche de rouge frivole alors que le reste de sa tenue était si sobre. De plus en plus fasciné, il s'entendit dire :

— Vous ne pouvez pas aller chez Bradshaw. Question de moralité et de sécurité mise à part, vous ne savez même pas où ça se trouve, bon sang !

Le juron ne la fit même pas ciller.

— Je suppose que de nombreuses affaires se nouent entre votre établissement et Bradshaw. Vous avez dit que cet endroit était à deux pas, il me suffira donc de suivre le trafic piétonnier d'ici à là-bas. Au revoir, monsieur Rohan. Je vous remercie de votre aide.

Cam esquissa un geste pour lui barrer le chemin.

— Tout ce que vous allez gagner, ce sera de vous ridiculiser, mademoiselle Hathaway. Vous ne franchirez pas la porte. Une maison comme Bradshaw n'accepte pas les étrangers.

— La manière dont je récupérerai mon frère ne vous regarde en rien, monsieur.

Elle avait raison. Mais Cam ne s'était pas diverti autant depuis longtemps. Rien ne l'intéressait davantage à cet instant que Mlle Hathaway et ses rubans rouges.

— Je vous accompagne, décréta-t-il.

— Non, merci, répondit-elle en fronçant les sourcils.

— J'insiste.

— Je n'ai pas besoin de vos services, monsieur Rohan.

Il vint à l'esprit de Cam un certain nombre de services dont elle aurait eu visiblement besoin, et que, pour la plupart, il aurait eu grand plaisir à lui rendre.

— De toute évidence, cela arrangerait beaucoup de monde que vous récupériez Ramsay et quittiez Londres le plus vite possible. Je considère donc de mon devoir civique de hâter votre départ.

3

Ils auraient pu rejoindre la maison close à pied, pourtant, Amelia, Merripen et Rohan se rendirent chez Bradshaw en voiture. Celle-ci s'arrêta devant un bâtiment de style géorgien. Amelia, qui imaginait un lieu d'une extravagance scandaleuse, trouva la façade de la maison close d'une discrétion décevante.

— Restez dans la voiture, recommanda Rohan. Je vais m'enquérir de Ramsay. Ne laisse Mlle Hathaway seule sous aucun prétexte, ajouta-t-il en adressant à Merripen un regard dur. L'endroit est dangereux à cette heure de la nuit.

— C'est le début de la soirée, protesta Amelia. Et nous sommes dans le West End, au milieu d'une foule de messieurs bien mis. Comment cela pourrait-il être dangereux ?

— Vous pourriez vous évanouir en entendant ce que ces messieurs bien mis sont capables de faire.

— Je ne m'évanouis jamais, riposta Amelia avec indignation.

Cam sourit, ses dents blanches étincelant dans la pénombre du véhicule, puis il descendit et se fondit dans la nuit, le reflet d'ébène de ses cheveux et l'éclat du diamant à son oreille trahissant seuls sa présence.

Amelia le suivit des yeux, songeuse. Dans quelle catégorie classer un homme comme celui-ci ? Ce n'était pas un gentleman, ni un lord, ni un travailleur ordinaire, ni même vraiment un bohémien. Un peu plus tôt, il l'avait aidée à monter dans la voiture, et un frisson la parcourut à ce souvenir. Elle portait des gants, mais pas lui, et elle avait perçu la chaleur et la force de ses doigts. Puis elle avait remarqué l'épais anneau d'or qu'il portait autour du pouce. Elle n'avait jamais vu une chose pareille.

— Merripen, qu'est-ce que cela signifie quand un homme porte une bague au pouce ? Est-ce une coutume bohémienne ?

La question parut mettre Merripen mal à l'aise, et il scruta les ténèbres à travers la vitre. Un groupe de jeunes gens, portant des manteaux élégants et des chapeaux hauts de forme, longèrent le véhicule en riant. Les sourcils froncés, Merripen finit par répondre :

— Cela signifie indépendance et liberté de pensée. Et aussi, un certain sentiment de séparation. En portant cet anneau, il se rappelle à lui-même qu'il n'est pas à sa place là où il est.

— Pourquoi M. Rohan voudrait-il se rappeler une chose pareille ?

— Parce que votre manière de vivre est dangereusement séduisante, dit Merripen d'un air sombre. Il est difficile de lui résister.

— Pourquoi voudrait-on lui résister ? Je ne vois pas ce qu'il y a de si terrible à vivre dans une maison décente, à avoir des revenus réguliers et à jouir de choses agréables comme des bons petits plats ou des fauteuils capitonnés.

— *Gadji*, murmura-t-il d'un air résigné.

Amelia ne put s'empêcher de sourire. Ce mot désignait une femme non bohémienne.

Elle s'adossa aux coussins élimés de la banquette.

— Je n'aurais jamais pensé qu'un jour, j'espérerais si désespérément trouver mon frère dans une maison de mauvaise réputation. Mais entre ça ou le repêcher dans la Tamise…

Elle s'interrompit et pressa son poing serré contre ses lèvres.

— Il n'est pas mort, lui rappela Merripen d'une voix douce.

Amelia essayait de toutes ses forces d'y croire.

— Nous devons éloigner Leo de Londres. Il serait plus en sécurité à la campagne… Tu ne crois pas ?

Merripen eut un haussement d'épaules indifférent.

— Il y a beaucoup moins de tentations à la campagne, souligna Amelia. Et infiniment moins de sources d'ennuis pour Leo.

— Un homme qui cherche les ennuis peut les trouver n'importe où.

Après quelques minutes d'une attente insupportable, Rohan revint.

— Où est-il ? demanda Amelia dès qu'il eut ouvert la portière.

— Pas ici. Après être monté avec l'une des filles et… euh… avoir conclu l'affaire… lord Ramsay a quitté la maison.

— Où est-il allé ? Avez-vous demandé…

— Il leur a dit qu'il se rendait dans une taverne, *L'Enfer et le Seau*.

— Charmant, commenta Amelia. Vous connaissez le chemin ?

S'asseyant à côté d'elle, Rohan s'adressa à Merripen :

— Tu suis St. James vers l'est et tu tournes à gauche après le troisième carrefour.

Merripen fit claquer les guides et la voiture s'ébranla au moment où passait un trio de prostituées.

Amelia les regarda avec un intérêt non dissimulé.

— Certaines sont si jeunes, murmura-t-elle. Si seulement une institution charitable pouvait les aider à trouver un emploi respectable !

— La plupart des emplois prétendument respectables sont tout aussi calamiteux, répliqua Rohan.

— Vous pensez qu'une femme se trouve mieux de travailler comme prostituée plutôt que de prendre un travail honnête qui lui permettrait de vivre avec dignité ? s'écria Amelia en lui jetant un regard indigné.

— Je n'ai pas dit ça. Il se trouve juste que certains employeurs sont bien plus brutaux que les souteneurs ou les mères maquerelles. Les domestiques sont victimes de toutes sortes d'abus de la part de leurs maîtres – les femmes en particulier. Et si vous pensez qu'il y a de la dignité à travailler à l'usine, vous n'avez jamais vu de fille ayant perdu plusieurs doigts à couper de la paille pour fabriquer des balais, ou une autre qui, à force d'inhaler des poussières et des peluches dans une filature, a les poumons tellement congestionnés qu'elle mourra avant ses trente ans.

Amelia ouvrit la bouche pour répondre, puis la referma. Elle aurait ardemment désiré poursuivre ce débat, mais les femmes convenables – fussent-elles vieilles filles – ne parlaient pas de prostitution.

Avec une indifférence étudiée, elle regarda par la fenêtre. Sans même avoir à jeter un coup d'œil en direction de Rohan, elle sut qu'il l'observait. Elle était insupportablement sensible à sa présence. Il y avait quelque chose de séduisant dans son odeur, quelque chose de frais et de boisé, un peu comme du clou de girofle.

— Votre frère a hérité du titre assez récemment, dit-il.

— Oui.

— Avec tout le respect que je lui dois, lord Ramsay ne semble pas vraiment préparé à son nouveau rôle.

Amelia ne put réprimer un sourire contraint.

— Aucun de nous ne l'est. Ce fut une surprise pour tous. Il y avait au moins trois hommes en ligne pour le titre avant Leo. Mais ils sont tous morts rapidement les uns après les autres, de causes diverses. Devenir lord Ramsay diminue de beaucoup votre espérance de vie, apparemment. Au train où il va, mon frère ne fera pas plus de vieux os que ses prédécesseurs.

— On ne sait jamais ce que le destin vous réserve.

Se tournant vers lui, Amelia découvrit qu'il la détaillait avec une attention qui fit s'accélérer les battements de son cœur.

— Je ne crois pas au destin, dit-elle. Chacun a le pouvoir de contrôler sa destinée.

— Tout le monde – même les dieux – est impuissant entre les mains du destin, répliqua-t-il en souriant.

Amelia le regarda d'un air sceptique.

— Vous qui êtes employé dans un club de jeu, vous devez tout savoir des probabilités et du hasard. Ce qui signifie que vous ne pouvez raisonnablement pas croire à la chance, au destin ou à quoi que ce soit de ce genre.

— Je sais effectivement tout des probabilités et du hasard. Néanmoins, je crois à la chance.

Il sourit, avec, dans les yeux, une flamme sereine qui coupa le souffle d'Amelia.

— Je crois à la magie et au mystère, continua-t-il, et aux rêves qui révèlent l'avenir. Je crois aussi que certaines choses sont écrites dans les étoiles… Ou même dans la paume de votre main.

Fascinée, Amelia était incapable de détourner le regard. C'était un homme extraordinairement beau ;

sa peau était aussi sombre que le miel de trèfle, et ses cheveux bruns retombaient sur son front d'une manière qui lui donnait irrésistiblement envie de les repousser en arrière.

— Tu crois aussi au destin ? demanda-t-elle à Merripen.

— Je suis un Rom, répondit-il après une longue hésitation.

Ce qui signifiait oui.

— Grand Dieu, Merripen, je t'ai toujours considéré comme un homme raisonnable !

Rohan se mit à rire.

— Il est tout à fait raisonnable d'admettre une possibilité, mademoiselle Hathaway. Ce n'est pas parce que vous ne pouvez pas voir ou sentir une chose qu'il est impossible qu'elle existe.

— En tout cas, le destin n'existe pas, insista Amelia. Il n'y a que des actions et leurs conséquences.

La voiture s'arrêta dans une rue bien plus miteuse que St. James ou King Street. Il y avait un débit de bière et un garni à trois sous d'un côté, et une grande taverne de l'autre. Les piétons affichaient une fausse distinction tout en côtoyant des marchands des quatre saisons, des pickpockets et des prostituées.

Une rixe venait de commencer près de l'entrée de la taverne et l'on ne distinguait plus qu'un embrouillamini de bras, de jambes, de chapeaux, de bouteilles et de cannes. Chaque fois qu'une bagarre éclatait, il y avait de grandes chances que Leo en soit à l'origine.

— Merripen, dit Amelia avec anxiété, tu sais comment est Leo quand il est ivre. Il est probablement au milieu de la mêlée. Si tu voulais bien avoir la gentillesse de…

Avant même qu'elle ait fini, Merripen avait la main sur la poignée de la portière.

— Attends, intervint Rohan. Il vaudrait mieux que je m'en charge.

— Tu crois que je ne sais pas me battre ? répliqua Merripen avec un regard froid.

— Nous sommes dans les bas-fonds de Londres. J'ai l'habitude de leurs coups tordus. Si tu…

Rohan s'interrompit quand Merripen, sans lui prêter attention, quitta la voiture avec un grognement hargneux.

— Soit, fit Rohan en sortant à son tour pour se poster à côté du véhicule. Il va se retrouver le ventre ouvert comme un maquereau sur le marché aux poissons de Covent Garden.

— Merripen est tout à fait capable de se débrouiller, je vous assure, déclara Amelia en le rejoignant.

Rohan baissa sur elle des yeux un peu étrécis, comme ceux d'un chat.

— Vous seriez plus en sécurité dans la voiture.

— Vous êtes là pour me protéger, non ?

— Mon ange, dit-il avec douceur, c'est peut-être de moi que vous avez le plus besoin d'être protégé.

Le cœur d'Amelia manqua un battement. Il soutint son regard effaré avec un intérêt serein qui fit se recroqueviller ses orteils dans ses bottines. Luttant pour conserver son sang-froid, Amelia détourna les yeux. Mais elle garda une conscience aiguë de sa proximité, de sa posture à la fois détendue et en alerte, du pouls inconnu qui battait sous les étoffes luxueuses de ses vêtements.

Ils regardèrent Merripen se frayer un passage dans le chaos, écarter plusieurs hommes, puis en extraire un sans cérémonie tout en parant les coups de son bras libre.

— Il s'en sort bien, admit Rohan avec une légère surprise.

Éperdue de soulagement, Amelia reconnut la silhouette dépenaillée de Leo.

— Que le ciel soit remercié! souffla-t-elle en fermant les yeux.

Elle les rouvrit brusquement, cependant, en sentant qu'on lui effleurait la mâchoire. Du bout des doigts, Rohan lui releva le visage, son pouce lui frôlant le menton. Ce geste d'une intimité inattendue fit courir une onde de choc dans tout son corps. De nouveau, il captura son regard.

— Vous ne croyez pas que vous vous montrez un peu trop protectrice en poursuivant ainsi votre frère adulte à travers Londres? Sa conduite n'a rien d'inhabituel. La plupart des jeunes lords se conduiraient ainsi dans sa situation.

— Vous ne le connaissez pas, répliqua Amelia d'une voix qui parut chevrotante à ses propres oreilles.

Elle savait qu'elle aurait dû se soustraire à la douceur de ses doigts, mais son corps restait perversement immobile, savourant leur contact.

— C'est loin d'être un comportement habituel chez lui, ajouta-t-elle. Il a des ennuis. Il…

Elle se tut brusquement.

Rohan suivit de l'index le ruban rouge qui retenait son bonnet jusqu'à l'endroit où il était noué sous son menton.

— Quel genre d'ennuis?

Elle s'écarta vivement et pivota comme Merripen et Leo les rejoignaient. Une bouffée d'amour mêlé de désespoir l'envahit à la vue de son frère. Il était sale, contusionné, et arborait un sourire impénitent. Quiconque ne le connaissant pas aurait supposé qu'il n'avait pas le moindre souci. Mais son regard, naguère si chaleureux, était terne et froid. Sa taille s'était épaissie, et la partie visible de son cou était empâtée. Il était, certes, encore loin de la décrépitude totale, mais il semblait déterminé à hâter le processus.

— Tu es encore entier, commenta Amelia d'un ton détaché. Voilà qui est surprenant.

Après avoir sorti un mouchoir de sa manche, elle s'approcha de lui et, tendrement, essuya la sueur mêlée d'un filet de sang qui coulait sur sa joue. Quand elle vit son regard flou, elle précisa :

— Je suis Amelia, ta cadette, très cher.

— Ah... Te voilà.

Il hocha la tête à plusieurs reprises comme une marionnette, puis jeta un coup d'œil à Merripen, qui le soutenait avec plus d'efficacité que ses propres jambes.

— Ma sœur... Une fille terrifiante.

— Avant que Merripen ne te mette dans la voiture, as-tu l'intention d'écorcher le renard, Leo ? s'enquit Amelia.

— Certainement pas, répondit-il sans hésitation. Les Hathaway ont toujours bien tenu l'alcool.

Amelia caressa les boucles sales et emmêlées qui pendaient devant ses yeux.

— Ce serait bien que tu essayes de tenir un peu moins bien, à l'avenir.

— Le problème, petite sœur...

Quand il baissa les yeux sur elle, une étincelle fugitive s'alluma dans ses yeux morts et, l'espace d'un instant infime, Amelia retrouva son frère.

— ... c'est que je souffre d'une soif inextinguible.

Elle sentit ses yeux la picoter, déglutit avec peine, puis annonça d'une voix posée :

— Pendant les quelques jours à venir, Leo, ta soif sera étanchée uniquement par de l'eau ou du thé. Si tu veux bien le mettre dans la voiture, Merripen.

Leo se contorsionna pour regarder ce dernier.

— Pour l'amour du ciel ! Tu ne vas pas me remettre à la garde d'Amelia ?

— Tu préférerais peut-être être dégrisé par un geôlier de Bow Street ? demanda Merripen d'un ton poli.

— Tu peux être sûr qu'il se montrerait sacrément plus clément.

Tout en grommelant, Leo se dirigea d'un pas chancelant vers la voiture.

Amelia se tourna vers Cam Rohan, qui affichait une expression impénétrable.

— Pouvons-nous vous ramener chez *Jenner's*, monsieur ? Nous serons un peu serrés dans la voiture, mais le trajet n'est pas long.

— Non, merci, dit Rohan, qui lui emboîta le pas comme elle contournait le véhicule. Je rentrerai à pied.

— Je ne peux pas vous abandonner dans les bas quartiers de Londres.

Rohan s'arrêta avec elle derrière la voiture, où ils étaient en partie dissimulés aux regards.

— Tout se passera bien. Je ne crains rien dans cette ville. Ne bougez pas.

De nouveau, Rohan leva son visage vers lui, une main sous son menton, l'autre sur sa joue. Quand il passa doucement le pouce sous son œil gauche, elle fut surprise de sentir que sa peau était humide.

— Le vent a tendance à me faire pleurer, s'entendit-elle dire d'une voix incertaine.

— Il n'y a pas de vent ce soir.

L'anneau qu'il portait au pouce pressait doucement sur sa chair. Son cœur commença à battre une chamade effrénée, au point que le déferlement du sang dans ses oreilles l'empêchait presque d'entendre. Les clameurs de la taverne s'estompèrent, l'obscurité parut se refermer autour d'eux. Il fit glisser ses doigts sur sa gorge avec une délicatesse surprenante, jusqu'à découvrir des nerfs secrets qu'il se mit à caresser doucement.

Ses yeux étaient au-dessus de ceux d'Amelia, et elle remarqua qu'un cercle noir entourait leurs iris ambrés.

— Mademoiselle Hathaway... Êtes-vous tout à fait certaine que le destin n'ait rien à voir avec notre rencontre de ce soir ?

Amelia éprouvait la plus grande difficulté à respirer.

— Tout... tout à fait certaine.

— Et qu'il est fort probable que nous ne nous reverrons jamais ? demanda-t-il en inclinant la tête.

— Jamais.

Il était trop grand, trop proche... Nerveuse, Amelia tenta de discipliner ses pensées, mais elles s'éparpillèrent telles les allumettes d'une boîte renversée... qu'il enflamma de son souffle lui frôlant la joue.

— J'espère que vous avez raison. Que Dieu me vienne en aide si je devais un jour affronter les conséquences.

— Les conséquences de quoi ? s'enquit-elle d'une voix faible.

— De cela...

Il posa sa main sur sa nuque et couvrit sa bouche de la sienne.

Amelia avait déjà été embrassée. Il n'y avait d'ailleurs pas si longtemps que cela, par un homme dont elle était amoureuse. La douleur de sa trahison avait été si profonde qu'elle s'était juré de ne plus jamais permettre à un homme de l'approcher. Mais Rohan ne lui avait pas plus demandé son consentement qu'il ne lui avait laissé de chance de protester. Elle se raidit et plaqua les mains contre son torse dur pour le repousser. Il ne parut pas remarquer son opposition, car sa bouche se fit plus insistante. Glissant le bras autour de sa taille, il l'attira contre lui en la soulevant légèrement.

À chaque respiration, elle inhalait davantage son odeur, un doux parfum de savon à la cire d'abeille mêlé à la saveur légèrement salée de sa peau. Enveloppée dans l'étreinte de son corps à la fois puissant et souple, elle ne put s'empêcher de s'abandonner contre lui. Un baiser succédait à un autre à peine terminé – caresses humides et intimes, pressions secrètes sources de plaisir et de promesses.

Dans un doux murmure – des mots étrangers qui sonnèrent agréablement à ses oreilles –, Rohan écarta sa bouche de la sienne. Ses lèvres s'aventurèrent sur l'arc de son cou, s'attardant sur les endroits les plus vulnérables. Amelia avait l'impression que son corps se gonflait sous ses vêtements, que son corset lui contraignait impitoyablement les poumons.

Elle frissonna quand il effleura une zone particulièrement sensible de la pointe de la langue, la goûtant comme si elle était quelque épice exotique. L'envie irrésistible de se presser contre lui la saisit, elle aurait voulu se libérer des innombrables épaisseurs de jupons. Il était si attentif, si doux…

Une bouteille s'écrasant sur la chaussée la rappela brusquement à la réalité.

— Non, dit-elle dans un souffle en se débattant.

Rohan la relâcha, mais il la soutint le temps qu'elle recouvre son équilibre. Pivotant abruptement, Amelia se précipita, titubante, vers la portière ouverte de la voiture. Partout où il l'avait touchée, sa peau la picotait, réclamant davantage. Elle garda la tête baissée, heureuse d'avoir le visage dissimulé par son bonnet.

Pressée de s'échapper, Amelia sauta sur le marchepied. Avant qu'elle entre dans la voiture, toutefois, elle sentit les mains de Rohan sur sa taille. Il la retint suffisamment longtemps pour lui murmurer à l'oreille :

— *Latcho drom.*

Elle reconnut l'adieu romani. Il figurait parmi la poignée de mots que Merripen avait appris aux Hathaway. Elle fut si troublée, en sentant la chaleur de son souffle contre son oreille qu'elle fut incapable de répondre quoi que ce soit. Elle ne put que monter dans la voiture et, d'un geste maladroit, écarta la masse de ses jupes de l'encadrement de la portière.

Celle-ci fut refermée d'une main ferme et le cheval, obéissant à l'ordre de Merripen, s'ébranla. Réfugiés dans leur coin respectif, les deux Hathaway – l'un ivre, l'autre étourdie – gardèrent le silence. Après un moment, Amelia leva ses mains tremblantes pour détacher son bonnet. Elle découvrit alors que les rubans étaient dénoués.

L'un des rubans, en fait. Car l'autre…

Amelia ôta son bonnet et le regarda, perplexe. L'un des rubans avait disparu ; il n'en restait qu'un minuscule morceau cousu à l'intérieur.

Il avait été coupé net.

Rohan l'avait pris.

4

Une semaine plus tard, les cinq Hathaway et toutes leurs possessions quittaient Londres pour le Hampshire, où se trouvait leur nouvelle résidence. En dépit des défis qu'il leur faudrait relever, Amelia espérait fermement que leur nouvelle situation profiterait à tous.

La maison à Primrose Place regorgeait de trop de souvenirs. Rien n'avait plus été pareil après la mort de leurs parents, leur père d'une affection cardiaque, leur mère de douleur quelques mois plus tard. C'était comme si les murs avaient absorbé le trop-plein de chagrin de la famille. Amelia ne pouvait regarder la cheminée du salon sans revoir sa mère assise là, son panier à couture près d'elle, ni se rendre dans le jardin sans penser à son père en train de tailler les rosiers des apothicaires dont il était si fier.

Elle avait vendu la maison sans remords, non par absence, mais plutôt par excès de sentimentalité. Trop de sentiments, trop de tristesse… Il était impossible de regarder devant soi lorsque tout vous rappelait constamment une perte cruelle.

Son frère et ses sœurs n'avaient émis aucune objection à la vente de la maison. Pour Leo, rien n'avait d'importance. On lui aurait annoncé que la famille avait décidé de vivre dans la rue qu'il aurait accueilli la nouvelle avec un haussement d'épaules indifférent. Winnifred, née juste après Amelia, était trop faible, après une maladie prolongée, pour contester la moindre décision. Quant à Poppy et à Beatrix, âgées respectivement de dix-neuf et de quinze ans, elles aspiraient au changement.

Selon Amelia, l'héritage n'aurait pu tomber à un moment plus propice. Elle devait admettre néanmoins qu'elle s'interrogeait : combien de temps les Hathaway réussiraient-ils à conserver le titre ?

Le fait est que personne ne voulait être lord Ramsay. Pour les trois précédents lords Ramsay, le titre s'était accompagné d'une veine de malchance singulière qui, à terme, avait conduit à leur décès précoce. Ce qui expliquait en partie que les membres éloignés de la famille aient été ravis que la vicomté ait échu à Leo.

— Vais-je toucher de l'argent ? avait été la première question de Leo, lorsqu'on lui avait annoncé son accession à l'aristocratie.

La réponse avait été un « oui » mitigé. Leo héritait d'un domaine d'une superficie limitée dans le Hampshire, ainsi que d'une modeste rente annuelle qui ne suffirait pas, loin de là, à le remettre en état.

— Nous sommes encore pauvres, lui avait dit Amelia, après avoir lu la lettre du notaire décrivant le manoir et les terres. Le domaine est petit, les domestiques et la plupart des métayers sont partis, la maison est inhabitée depuis des années et le titre est apparemment maudit. Ce qui fait de cet héritage un cadeau empoisonné, si ce n'est pire. Cependant, nous avons un cousin éloigné qui pourrait se trouver mieux placé que toi dans la lignée. Nous pourrions essayer de nous en décharger sur lui. Il se peut que notre arrière-arrière-arrière-grand-père n'ait pas été un enfant légitime, ce qui nous autoriserait à présenter une demande de renonciation au titre fondée sur…

— Je prends le titre, avait déclaré Leo d'un ton sans réplique.

— Parce que tu ne crois pas plus que moi aux malédictions ?

— Parce que je suis déjà maudit, bon sang, et qu'un peu plus ou un peu moins ne fera guère de différence !

Ne s'étant jamais rendues dans le Hampshire auparavant, toutes les Hathaway se tordaient le cou pour regarder le paysage. L'excitation de ses deux plus jeunes sœurs fit sourire Amelia. Poppy et Beatrix, brunes aux yeux bleus, comme elle, débordaient de vivacité.

Winnifred, en revanche…

Le regard d'Amelia s'attarda sur la jeune fille, si différente des autres Hathaway. C'était la seule qui avait hérité des cheveux blonds et de la tendance à l'introspection de leur père. Timide et discrète, elle supportait toutes les épreuves sans se plaindre. Quand la scarlatine s'était déclarée dans le village, un an auparavant, Leo et Winnifred avaient été gravement malades. Si Leo s'en était bien remis, Winnifred demeurait fragile et pâle. Le médecin avait diagnostiqué une faiblesse des poumons, consécutive à la fièvre, dont il craignait qu'elle ne se remette jamais.

Mais Amelia refusait l'idée que sa sœur reste invalide jusqu'à la fin de ses jours. Peu importaient les moyens à mettre en œuvre, elle était bien décidée à ce qu'elle recouvre la santé.

Il était difficile d'imaginer un endroit plus favorable que le Hampshire, aussi bien pour Winnifred que pour les autres Hathaway. Avec ses nombreuses rivières, ses grandes forêts, ses prairies humides et ses landes couvertes de bruyère, c'était l'un des plus beaux comtés d'Angleterre. Ramsay House se situait non loin de Stony Cross, un gros bourg où s'échangeaient le bétail, le bois, les céréales, les fromages variés et le miel de fleurs sauvages produits sur place. La région était d'une richesse incontestable.

— Je me demande pourquoi le domaine Ramsay est si peu productif, fit remarquer Amelia d'un ton songeur, alors que la voiture longeait des prairies luxuriantes. La terre du Hampshire est si fertile qu'il doit falloir se forcer pour ne rien faire pousser !

— Mais notre terre est maudite, non ? demanda Poppy, l'air un peu inquiet.

— Ça ne concerne pas le domaine lui-même, répondit Amelia. Juste le détenteur du titre. C'est-à-dire Leo.

— Oh, tout va bien, alors ! fit Poppy avec une pointe d'espièglerie.

Leo ne prit pas la peine de répondre. Il se contenta de se rencogner sur la banquette, la mine grincheuse. Si une semaine de sobriété forcée lui avait rendu l'œil et le cerveau plus clairs, son humeur ne s'était pas améliorée, au contraire. Sous la surveillance aiguë de Merripen et de ses quatre sœurs, il n'avait pas eu l'occasion de boire autre chose que de l'eau et du thé.

Les premiers jours, il avait été très agité, en proie à des tremblements incoercibles et à d'abondantes suées. À présent que le pire était passé, il commençait à ressembler à ce qu'il était autrefois. Mais peu de gens auraient cru qu'il n'avait que vingt-huit ans. Il avait vieilli de manière spectaculaire au cours de cette dernière année.

Plus ils approchaient de Stony Cross, plus le paysage devenait beau. La route longeait de ravissants cottages noir et blanc au toit de chaume, des moulins, des étangs ombragés par des saules pleureurs, de vieilles églises remontant au Moyen Âge. Des oiseaux picoraient des baies dans les haies touffues, des crocus d'automne et des colchiques parsemaient les prairies, et les arbres offraient toute une palette de rouges et d'ors.

Poppy prit une profonde inspiration.

— Comme c'est vivifiant ! s'exclama-t-elle. Pourquoi l'air de la campagne est-il si différent ?

— Peut-être à cause de la porcherie que nous venons de dépasser, marmonna Leo.

Beatrix, qui avait lu une brochure décrivant le sud de l'Angleterre, expliqua avec enthousiasme :

— Le Hampshire est renommé pour ses cochons exceptionnels. On les nourrit de glands et de faînes de la forêt, et cela donne un bacon délicieux. Et il y a un concours annuel de saucisses !

Son frère lui décocha un regard hargneux.

— Splendide. J'espère bien que nous ne l'avons pas raté.

Winnifred, qui lisait un épais volume sur le Hampshire, intervint.

— L'histoire de Ramsay House est impressionnante.

— Notre maison est dans un livre d'Histoire ? s'écria Beatrix, aux anges.

— Ce n'est qu'un petit paragraphe, répondit Winnifred, mais Ramsay House est bel et bien mentionnée. Ce n'est certes rien comparé à la demeure de notre voisin, le comte de Westcliff, dont le manoir figure parmi les plus beaux de la campagne anglaise. Le nôtre paraît très modeste, en comparaison. Et la famille du comte vit là depuis près de cinq cents ans.

— Il doit être affreusement vieux, alors, fit remarquer Poppy, pince-sans-rire, ce qui fit pouffer Beatrix.

— Lis-nous le paragraphe, Winnifred, demanda celle-ci.

— *Ramsay House se dresse dans un petit parc planté de chênes majestueux et de hêtres, avec des sous-bois tapissés de fougères et de hautes herbes*

appréciées des chevreuils. Achevé en 1594, ce manoir
élisabéthain compte de nombreuses galeries repré-
sentatives de cette époque. Le bâtiment a subi des
modifications et des ajouts ultérieurs, qui ont abouti
à la création d'une salle de bal jacobéenne et d'une
aile de style géorgien.

— Nous avons une salle de bal! s'exclama Poppy.

— Nous avons des chevreuils! renchérit Beatrix.

— Seigneur, j'espère que nous avons un cabinet
d'aisances, grommela Leo.

Le soir tombait lorsque la voiture de louage
s'engagea dans l'allée privée, bordée de hêtres, qui
conduisait à Ramsay House. Fatiguées après
ce long voyage, les sœurs Hathaway poussèrent
des exclamations de soulagement à la vue de la
haute toiture hérissée de cheminées de brique qui
se détachait dans le crépuscule.

— Je me demande comment Merripen se
débrouille, dit Winnifred, une lueur d'inquiétude
dans ses yeux bleus.

Merripen, la fille de cuisine et le valet de pied
étaient partis deux jours plus tôt pour préparer
l'arrivée de la famille.

— Il a sans aucun doute travaillé jour et nuit,
répondit Amelia. J'imagine qu'il a inspecté les lieux,
tout réarrangé à son idée et donné des ordres que
personne n'a osé discuter. Je suis certaine qu'il est
comme un poisson dans l'eau.

Winnifred sourit. Même pâle et lasse, elle demeurait d'une beauté extraordinaire. Ses cheveux d'un
blond presque argenté étincelaient dans la lumière
déclinante, et sa peau paraissait de porcelaine. Son
profil aurait suffi à rendre extatiques peintres et
poètes. On avait presque envie de la toucher pour
s'assurer que c'était une créature en chair et en os
et non une sculpture.

La voiture s'arrêta devant une demeure beaucoup plus grande qu'Amelia ne s'y attendait. Elle

était entourée de haies broussailleuses et de plates-bandes envahies de mauvaises herbes. Avec un peu de désherbage et beaucoup de taille, songea Amelia, le jardin serait ravissant. Le bâtiment, qui offrait une dissymétrie charmante, était de brique et de pierre, avec un toit d'ardoise et de nombreuses fenêtres garnies de verre cathédrale.

Après avoir installé un escabeau devant la portière, le cocher aida ses passagères à quitter le véhicule.

— La maison et le terrain ne sont pas bien entretenus, prévint Amelia qui, descendue la première, observait les lieux. Il y a très longtemps que personne n'a vécu ici.

— On se demande bien pourquoi, fit remarquer Leo.

— C'est très pittoresque, déclara Winnifred avec un entrain forcé.

Ses épaules minces se voûtaient, sa peau paraissait trop tendue sur ses pommettes. Le voyage l'avait visiblement épuisée.

Elle fit mine de ramasser une petite valise posée à côté de l'escabeau, mais Amelia se précipita pour s'en saisir.

— Je vais la porter. Tu n'es pas en état de lever le petit doigt. Entrons, et nous trouverons un endroit où tu pourras te reposer.

— Je me sens tout à fait bien, protesta Winnifred alors qu'elles gravissaient les marches du perron.

Le hall d'entrée s'ornait de boiseries qui avaient été un jour blanches. Le sol était encrassé et abîmé. Un magnifique escalier de pierre incurvé s'élevait à l'extrémité du hall, bordé d'une balustrade en fer forgé dont les volutes disparaissaient sous la poussière et les toiles d'araignées. Amelia nota qu'on avait d'ores et déjà commencé à la nettoyer, mais l'entreprise promettait d'être longue et pénible.

Merripen surgit d'un couloir sur le côté du vestibule. Il était en bras de chemise, sans col ni cravate, et l'on distinguait par l'encolure entrouverte sa peau bronzée luisante de transpiration. Avec ses cheveux noirs retombant sur son front et ses yeux sombres qui s'étaient éclairés à leur vue, il avait fière allure.

— Vous avez trois heures de retard, dit-il en guise d'accueil.

Riant, Amelia tira un mouchoir de sa manche et le lui tendit.

— Dans une famille de quatre filles, la notion d'heure n'existe pas !

Après avoir essuyé la poussière et la transpiration de son visage, Merripen regarda chacun des Hathaway tour à tour. Ses yeux s'attardèrent un instant sur Winnifred, puis, reportant son attention sur Amelia, il entreprit de lui faire un rapport concis.

Il avait trouvé deux femmes et un jeune garçon au village pour aider au nettoyage de la maison. Trois chambres avaient déjà été rendues habitables. Ils avaient passé beaucoup de temps à décrasser la cuisine et le fourneau, et la fille de cuisine était en train de préparer le repas.

Merripen s'interrompit, l'œil fixé par-dessus l'épaule d'Amelia. Sans cérémonie, il la contourna et rejoignit Winnifred en trois enjambées.

Amelia vit la mince silhouette de sa sœur vaciller avant qu'elle ne s'effondre à demi contre Merripen, les yeux clos. Il la rattrapa sans difficulté et, la soulevant dans ses bras, lui intima dans un murmure de poser la tête sur son épaule. Même s'il se comportait avec autant de calme et de détachement qu'à son habitude, Amelia fut frappée par la manière possessive dont il portait sa sœur.

— Le voyage a été trop fatigant pour elle, dit-elle, soucieuse. Elle a besoin de se reposer.

Le visage de Merripen demeura indéchiffrable.

— Je l'emmène à l'étage.

Winnifred s'agita et battit des paupières.

— Flûte ! dit-elle d'une voix haletante. J'étais là tranquille, je me sentais bien, et soudain, j'ai eu l'impression que le sol se soulevait. Je suis désolée. Je trouve méprisable de s'évanouir.

— Ce n'est pas grave, affirma Amelia avec un sourire rassurant. Merripen va te mettre au lit. C'est-à-dire… il va t'emmener dans ta chambre, corrigea-t-elle après une pause embarrassée.

— Je peux me débrouiller toute seule, déclara Winnifred. J'ai juste eu un petit vertige. Merripen, repose-moi par terre.

— Tu ne dépasserais pas la première marche, rétorqua-t-il sans tenir compte de ses protestations.

Tandis qu'il l'emportait vers le grand escalier, la main pâle de Winnifred vint se poser lentement sur sa nuque.

— Beatrix, va avec eux, ordonna Amelia en tendant la valise à sa cadette. La chemise de nuit de Winnifred est dedans. Tu pourras l'aider à se changer.

Une fois que Beatrix se fut précipitée dans l'escalier, Amelia pivota lentement sur elle-même.

— Le notaire a dit que la maison était en mauvais état, mais je pense que « menacée de ruine » aurait été plus pertinent. Tu crois qu'elle peut être restaurée, Leo ?

Il n'y avait pas si longtemps – même si cela semblait une éternité –, Leo avait passé deux ans à l'École des beaux-arts de Paris pour y étudier l'art et l'architecture. Il avait ensuite effectué un stage comme dessinateur et peintre chez Rowland Temple, un architecte londonien renommé. Considéré comme un étudiant exceptionnellement prometteur, Leo avait même envisagé d'ouvrir son propre cabinet. Aujourd'hui, il ne restait plus rien de cette ambition.

— Sans tenir compte d'éventuelles interventions sur la structure, dit-il après avoir jeté un coup d'œil indifférent autour de lui, il faudrait vingt-cinq à trente mille livres au bas mot.

À l'énoncé de ces chiffres, Amelia fit la grimace. Les yeux fixés sur le sol criblé de petits trous, elle se frotta les tempes.

— Eh bien, une chose est sûre : nous allons avoir besoin d'alliances avantageuses. Ce qui signifie que tu devrais commencer à t'intéresser aux héritières disponibles, Leo. Quant à toi, Poppy, ajouta-t-elle en jetant un coup d'œil taquin à sa sœur, il te faudra attraper un vicomte ou, au moins, un baron.

Leur frère leva les yeux au ciel.

— Et pourquoi pas toi ? Je ne vois pas pour quelle raison tu serais dispensée d'avoir à te marier pour le bien de la famille.

À son tour, Poppy décocha à son aînée un regard moqueur.

— À l'âge d'Amelia, les femmes ne pensent plus à l'amour depuis longtemps.

— On ne sait jamais, lui répondit Leo, elle pourrait trouver un gentleman âgé à la recherche d'une infirmière.

Amelia fut tentée de les moucher en leur rappelant avec aigreur qu'elle avait été amoureuse une fois et qu'elle ne souhaitait pas renouveler l'expérience. Elle avait été courtisée par le meilleur ami de Leo, un jeune architecte charmant nommé Christopher Frost qui était lui aussi stagiaire chez Rowland Temple. Mais le jour où il lui avait laissé espérer une demande en mariage, Frost avait mis fin à leur relation de manière abrupte. Ses sentiments, lui avait-il dit, s'étaient portés sur une autre femme qui, le hasard faisant bien les choses, se trouvait être la fille de Rowland Temple.

Qu'attendre d'autre d'un architecte ? avait déclaré Leo, outré et empli de remords vis-à-vis de sa sœur, et désolé d'avoir perdu un ami. Les architectes vivaient dans un monde de maîtres et de disciples qui, les uns comme les autres, étaient toujours en quête de mécènes. Il leur fallait tout sacrifier, même l'amour, sur l'autel de l'ambition. Agir autrement, c'était perdre les quelques précieuses et rares occasions d'exercer leur art. En épousant la fille de Temple, Christopher Frost aurait sa part du gâteau, ce qu'Amelia n'aurait jamais pu lui apporter.

À part l'aimer, elle ne pouvait rien faire pour lui.

Ravalant son amertume, elle regarda son frère et réussit à sourire.

— Je te remercie, mais, à ce stade avancé de ma vie, je n'ai plus l'ambition de me marier.

Elle fut surprise quand Leo s'inclina pour lui effleurer le front d'un baiser.

— Quoi qu'il en soit, je pense qu'un jour tu rencontreras un homme qui vaudra la peine que tu lui sacrifies ton indépendance, dit-il d'une voix douce. Même si tu ne rajeunis pas, ajouta-t-il avec un grand sourire.

L'espace d'un instant, Amelia se remémora ce baiser dans l'ombre, sentit de nouveau cette bouche qui se repaissait lentement de la sienne et la caresse de ces mains masculines, entendit ce murmure à son oreille : *Latcho drom…*

Comme son frère tournait les talons, elle lui demanda avec une légère irritation :

— Où vas-tu, Leo ? Tu ne peux pas t'en aller alors qu'il y a tant à faire.

Il s'arrêta et la regarda par-dessus son épaule, les sourcils levés.

— Voilà des jours que tu me verses du thé non sucré dans le gosier. Si tu n'y vois pas d'objection, j'aimerais aller pisser.

— Il me vient à l'esprit au moins une dizaine d'euphémismes polis que tu aurais pu utiliser, répliqua-t-elle, les yeux étrécis.

Mais, déjà, Leo s'éloignait.

— Je ne suis pas adepte des euphémismes, lança-t-il.

— Ni de la politesse, riposta-t-elle, ce qui le fit rire.

Quand son frère eut quitté la pièce, Amelia croisa les bras et soupira.

— Il est tellement plus agréable quand il est sobre. Dommage que cela n'arrive pas plus souvent. Allez, viens, Poppy, partons à la recherche de la cuisine.

L'air de la maison était si confiné, si saturé de poussière, que la pauvre Winnifred passa la nuit à tousser, les poumons déchirés par des quintes incessantes. Ayant dû se lever d'innombrables fois pour lui donner à boire, ouvrir les fenêtres, la redresser sur ses oreillers jusqu'à ce que la crise soit calmée, Amelia avait les yeux battus lorsque vint le matin.

— C'est comme de dormir dans une boîte de poussière, dit-elle à Merripen. Elle sera mieux assise à l'extérieur, aujourd'hui, jusqu'à ce que nous ayons nettoyé correctement sa chambre. Il faut battre les tapis et laver les carreaux, qui sont dégoûtants.

Le reste de la famille était encore couché, mais Merripen, comme Amelia, était un lève-tôt. Déjà vêtu de ses vêtements de travail, il écouta Amelia décrire l'état de Winnifred en fronçant les sourcils.

— Elle est épuisée d'avoir toussé toute la nuit et a tellement mal à la gorge qu'elle peut à peine parler. Je l'ai incitée à prendre du thé et à manger une tartine, mais elle a refusé.

— Je l'y obligerai.

Amelia le considéra avec surprise. Mais sans doute n'aurait-elle pas dû s'étonner de son assurance. Après tout, Merripen l'avait aidée à soigner à la fois Winnifred et Leo, lors de l'épidémie de scarlatine. Sans lui, elle était persuadée qu'aucun des deux n'aurait survécu.

— Entre-temps, continua Merripen, dresse la liste de ce dont tu as besoin. J'irai au village ce matin.

Amelia hocha la tête, heureuse de pouvoir compter sur lui, toujours si solide et fiable.

— Dois-je réveiller Leo ? demanda-t-elle. Peut-être qu'il pourrait aider…

— Non.

Elle eut un sourire ironique, consciente que son frère serait une gêne plus qu'une aide.

Au rez-de-chaussée, Amelia requit l'aide de Freddie, le jeune garçon venu du village, pour transporter un vieux sofa à l'arrière de la maison. Ils l'installèrent sur la terrasse pavée de brique qui donnait sur le jardin. Fermé par une rangée de hêtres et un muret à demi effondré, celui-ci n'était pour l'instant qu'un fouillis d'herbes folles. Il faudrait le nettoyer, le replanter et réparer le muret.

— Y a du travail, m'dame, fit remarquer Freddie en se penchant pour arracher un énorme pissenlit entre deux briques.

— Je crois qu'on peut le dire, Freddie.

Amelia étudia le garçon, qui devait avoir environ treize ans. Il était robuste, rougeaud, avec des cheveux hérissés comme les plumes d'un jeune oiseau.

— Tu aimes jardiner ? lui demanda-t-elle. Tu t'y connais un peu ?

— J'm'occupe du potager de ma mère.

— Ça te plairait d'être le jardinier de lord Ramsay ?

— Combien qu'ça paierait, m'dame ?

— Est-ce que deux shillings par semaine seraient suffisants ?

Freddie la considéra d'un air songeur tout en se grattant le nez.

— Ça paraît bien. Mais faudra demander à ma mère.

— Dis-moi où tu habites, et j'irai la voir ce matin même.

— D'accord. C'est pas loin... not'maison est de ce côté-ci du village.

Ils se serrèrent la main pour conclure l'accord, discutèrent encore un moment, puis Freddie se rendit dans la cabane du jardinier pour en inventorier le contenu.

Entendant un bruit de voix, Amelia se retourna. Merripen transportait sa sœur à l'extérieur. Vêtue d'une chemise de nuit et d'une robe de chambre, enveloppée dans un châle, Winnifred avait passé ses bras minces autour du cou de Merripen. Avec ses vêtements blancs, ses cheveux blonds et sa peau claire, elle aurait été presque incolore n'eussent été les taches rosées de ses pommettes et le bleu intense de ses yeux.

— ... remède le plus infâme que je connaisse, disait-elle avec gaieté.

— Mais ça a marché, souligna Merripen en l'allongeant avec précaution sur le sofa.

— Ce qui ne signifie pas que je te pardonnerai de m'avoir harcelée pour que je le prenne.

— C'était pour ton bien.

— Tu n'es qu'un tyran, accusa Winnifred avec un sourire.

— Oui, je sais, murmura Merripen tout en bordant une couverture autour d'elle avec un soin extrême.

Ravie de constater que sa sœur allait mieux, Amelia renchérit en riant :

— Merripen est vraiment horrible. Mais s'il réussit à persuader davantage de villageois de venir nettoyer la maison avec nous, il faudra que tu lui pardonnes, Winnifred.

Les yeux bleus de cette dernière pétillèrent. Elle s'adressa à Amelia, mais son regard resta fixé sur Merripen :

— J'ai une confiance totale dans son pouvoir de persuasion.

Prononcés par une autre, ces mots auraient pu être interprétés comme une tentative de flirt. Mais Amelia était presque certaine que Winnifred ne voyait pas l'homme en Merripen. Pour elle, c'était un frère aîné plein d'attention, rien de plus.

Du côté de Merripen, en revanche, les sentiments paraissaient plus ambigus.

Un choucas au plumage gris sombre se posa sur le sol en émettant quelques *tchack, tchack* et, curieux, fit un petit saut en direction de Winnifred.

— Désolée, je n'ai rien à te donner à manger.

— Mais si ! lança Beatrix en sortant sur la terrasse, un plateau entre les mains.

Elle portait un tablier blanc sur sa robe prune, et Amelia se fit la réflexion que ce genre de tablier était trop enfantin pour une fille de quinze ans. Beatrix avait maintenant l'âge de porter des jupes longues. Et un corset – Seigneur ! Mais, au cours de cette année pleine de bouleversements, Amelia n'avait guère eu le temps de penser aux vêtements de ses sœurs cadettes. Il lui faudrait emmener Beatrix et Poppy chez une couturière afin de leur faire confectionner de nouvelles robes. En esprit, elle ajouta cette dépense à la liste déjà trop longue et fronça les sourcils.

— Voilà ton petit déjeuner, fit Beatrix en posant le plateau sur les genoux de Winnifred. Tu te sens assez bien pour beurrer toi-même une tartine ou tu veux que je le fasse ?

— Je vais le faire, merci.

Après avoir déplacé ses pieds, elle fit signe à Beatrix de s'asseoir à l'autre extrémité du sofa. Cette dernière obéit sans se faire prier. Elle plongea ensuite la main dans l'une des vastes poches de son tablier et en retira un mince volume qu'elle agita avec gourmandise.

— Je vais te faire la lecture pendant que tu te reposes, lui annonça-t-elle. C'est Philoména

Parsons, ma meilleure amie, qui m'a donné ce livre. Il paraît que c'est une histoire terrifiante pleine de crimes, d'atrocités, et de fantômes avides de vengeance. Ça doit être formidable, non ?

— Je croyais que c'était Edwina Huddersfield ta meilleure amie ?

— Oh non, ça, c'était il y a des semaines ! Edwina et moi, on ne se parle même plus, maintenant.

Tout en se calant dans l'angle du sofa, Beatrix considéra sa sœur d'un air perplexe.

— Winnifred ? Tu as l'air tout drôle… Quelque chose ne va pas ?

Sa tasse de thé à mi-chemin de ses lèvres, Winnifred écarquillait les yeux. Suivant son regard, Amelia aperçut un petit reptile sur l'épaule de Beatrix. Elle poussa un cri aigu et s'avança vivement, la main levée.

— Oh, flûte ! dit Beatrix après avoir jeté un coup d'œil sur son épaule. Tu es censé rester dans ma poche.

Elle saisit l'animal qui se tortillait et le caressa.

— Un lézard tacheté… Il n'est pas adorable ? Je l'ai trouvé dans ma chambre la nuit dernière.

Amelia laissa retomber sa main et fixa sa jeune sœur en silence.

— Tu veux en faire un animal de compagnie ? risqua Winnifred d'une voix faible. Beatrix, ma chérie, tu ne crois pas qu'il serait plus heureux dans la nature ?

— Avec tous ces prédateurs ? s'indigna Beatrix. Spot ne survivrait pas une seule minute.

Amelia finit par retrouver sa voix.

— Il ne survivra pas une seule minute avec moi non plus. Débarrasse-toi de lui, ou je l'aplatis sous le premier objet de poids qui me tombe sous la main.

— Tu l'assassinerais ?

— On n'assassine pas les lézards, Beatrix. On les extermine.

Exaspérée, Amelia se tourna vers Merripen.

— Si tu pouvais essayer de trouver quelques femmes disposées à faire du ménage. Dieu sait combien d'autres créatures indésirables se cachent dans cette maison.

Merripen s'éclipsa aussitôt.

— Spot est l'animal de compagnie idéal, argua Beatrix. Il ne mord pas et il est habitué à vivre dans une maison.

— En matière d'animaux de compagnie, ma tolérance s'arrête juste avant ceux à écailles.

— Ce lézard appartient à une espèce native du Hampshire, s'entêta Beatrix. Ce qui signifie qu'il a plus que nous le droit d'être ici.

— Il n'empêche que nous ne cohabiterons pas ! conclut Amelia qui tourna les talons avant de prononcer des paroles qu'elle risquait de regretter.

Pourquoi, alors qu'il y avait tant à faire, Beatrix se montrait-elle aussi pénible ? Mais elle ne put s'empêcher de sourire quand il lui vint à l'esprit que les filles de quinze ans ne choisissaient pas d'être pénibles. Elles l'étaient, tout simplement.

Empoignant ses jupes, Amelia gravit le grand escalier en courant. Comme il n'était pas prévu de recevoir des invités ou d'effectuer des visites, elle avait décidé de ne pas porter de corset. Quelle sensation merveilleuse que de pouvoir respirer à pleins poumons et vaquer plus librement à ses occupations !

Elle tambourina à la porte de la chambre de Leo.

— Debout, paresseux !

Un chapelet de jurons filtra à travers le panneau de chêne.

Avec un grand sourire, Amelia gagna la chambre de Poppy. Quand elle tira les rideaux, le nuage de poussière qui s'en éleva la fit éternuer.

— Poppy, c'est l'heure de te lever.

— Pas encore, protesta celle-ci en rabattant ses couvertures sur la tête.

Amelia s'assit sur le matelas et tira sur les couvertures. Sa sœur avait la joue marquée par un pli du drap. Ses cheveux d'un brun chaud formaient une masse de boucles en désordre.

— Je déteste le matin, marmonna Poppy. Et je déteste encore plus être réveillée par quelqu'un qui semble l'apprécier autant.

— Je suis désolée, fit Amelia en repoussant doucement les cheveux du visage de sa sœur.

— Mmm… Maman faisait la même chose, murmura Poppy, les yeux fermés. C'est agréable.

— Vraiment ? Poppy, enchaîna Amelia, je vais me rendre au village pour demander à la mère de Freddie la permission d'engager son fils comme jardinier.

— Il n'est pas un peu jeune ?

— Pas si on le compare aux autres candidats.

— Nous n'avons pas d'autres candidats.

— Précisément.

Amelia se leva et alla récupérer le bonnet posé sur la valise, dans un coin de la chambre.

— Je peux te l'emprunter ? Je n'ai pas eu le temps de recoudre le ruban du mien.

— Bien sûr. Mais tu y vas tout de suite ?

— Je n'en aurai pas pour longtemps. Ce n'est pas très loin.

— Veux-tu que je t'accompagne ?

— Je te remercie, ma chérie, mais non. Habille-toi, prends ton petit déjeuner… et surveille Winnifred de près. C'est Beatrix qui s'occupe d'elle en ce moment.

Poppy ouvrit de grands yeux.

— Oh ! Je me dépêche, alors !

5

Le climat du sud de l'Angleterre était bien plus clément que celui de Londres, et la journée s'annonçait d'une douceur agréable. Ce fut sous un ciel presque dégagé qu'Amelia traversa d'un pas vif le verger qui prolongeait le jardin. Elle s'arrêta un instant pour cueillir une grosse pomme verte. Après l'avoir astiquée sur sa manche, elle croqua dans sa chair qui se révéla fort acide.

Une abeille se mit soudain à bourdonner autour de sa tête, et Amelia bondit en arrière. Elle avait toujours été terrifiée par les abeilles. Elle avait beau essayer de se raisonner, elle ne parvenait pas à contrôler la panique qui la submergeait dès que l'une de ces maudites bestioles était dans les parages.

Elle s'éloigna en toute hâte et emprunta un chemin creux, le long d'un pré humide. Bien que la saison soit avancée, de grosses touffes de cresson s'épanouissaient encore un peu partout. Connues sous le nom de « pain du pauvre homme », les petites feuilles au délicat goût poivré étaient consommées en grande quantité par les villageois. Ils les accommodaient de toutes les manières possibles, en soupe comme en farce pour les oies. Amelia se promit d'en cueillir en revenant.

Le chemin le plus court pour se rendre au village passait par l'extrémité du domaine de lord Westcliff. Quand Amelia franchit la frontière invisible entre les deux propriétés, elle eut l'impression de percevoir un changement dans l'atmosphère. Elle marchait à la lisière d'une forêt si épaisse que la lumière du soleil ne traversait pas les frondaisons. Sur ces terres luxuriantes, les arbres vénérables s'enracinaient profondément dans un sol riche et sombre. Enlevant son bonnet, Amelia le tint par les rubans et savoura la caresse de la brise sur son visage.

Ces terres appartenaient aux Westcliff depuis des générations, et elle se demanda quelle sorte de gens étaient le comte et sa famille. Sans doute terriblement convenables et traditionalistes. Ils n'allaient pas accueillir avec plaisir la nouvelle que Ramsay House était désormais occupée par des roturiers aux manières vulgaires.

Empruntant un chemin à travers la forêt, elle dérangea un couple de faisans qui s'envola dans un grand claquement d'ailes, avec des criaillements indignés. Au bout de quelques minutes, elle émergea d'un bosquet de chênes et de noisetiers pour se retrouver face à un grand champ qui s'élevait en pente douce. Il était vide, et étonnamment silencieux. Pas de voix, pas de pépiements ni de bourdonnements. Quelque chose dans cette immobilité la remplit de cette tension instinctive qui avertit d'un danger inconnu. Elle s'y aventura à pas prudents. Parvenue au sommet, elle s'arrêta, déconcertée.

Devant elle se dressait une haute construction métallique, comme une glissière montée sur pieds et fortement inclinée.

Son attention fut attirée par un léger mouvement plus loin dans le champ… Deux hommes venaient de jaillir d'un petit abri en bois et agitaient les bras dans sa direction en criant.

Amelia comprit qu'elle courait un danger avant même d'apercevoir la traînée d'étincelles rougeoyante qui serpentait sur le sol en direction de la glissière métallique.

S'agissait-il d'une *mèche* ?

Même si elle ne connaissait pas grand-chose aux explosifs, elle se doutait qu'une fois une mèche allumée, on ne pouvait plus l'éteindre. Elle se laissa tomber dans l'herbe et se couvrit la tête de ses bras, persuadée qu'elle allait être réduite en miettes. À peine quelques secondes plus tard, un cri étranglé lui échappa : un corps lourd venait de tomber sur le sien… non, pas tomber, *bondir*. L'homme la recouvrit complètement, les genoux enfoncés de chaque côté d'elle pour lui faire un rempart de son corps.

Au même instant, une explosion assourdissante déchira le silence ; il y eut un *whoosh* violent au-dessus de leurs têtes, suivi d'une onde de choc qui ébranla le sol. Abasourdie, les oreilles bourdonnantes, Amelia tenta de rassembler ses esprits.

L'homme demeurait immobile, et elle sentait son souffle saccadé dans ses cheveux. En dépit de l'odeur âcre de la fumée, elle perçut un parfum masculin agréable, un mélange de peau salée, de savon et d'épice qu'elle n'aurait su identifier. Le bourdonnement se dissipa. Comme elle se redressait sur les coudes, consciente du mur solide que formait la poitrine de l'homme contre son dos, elle aperçut des manches de chemise roulées sur deux avant-bras musclés… et…

Écarquillant les yeux, elle fixa le petit dessin tatoué sur le bras de l'homme – il représentait de manière stylisée un cheval ailé noir aux yeux couleur de soufre. C'était un dessin irlandais, celui d'un cheval de cauchemar appelé un *pooka*. Cette créature aussi mythique que malveillante parlait avec une voix humaine et emportait les gens sur son dos à minuit.

Le cœur d'Amelia cessa de battre quand elle remarqua l'épais anneau d'or qui ornait le pouce de l'homme.

Elle se tortilla pour essayer de se retourner.

Une main puissante se posa sur son épaule pour l'aider. Une voix basse, familière, lui demanda :

— Êtes-vous blessée ? Je suis désolé. Vous étiez sur le trajet de…

Il s'interrompit quand Amelia roula sur le dos. Échappés d'une épingle stratégiquement placée, ses cheveux lui recouvraient le visage, l'empêchant d'y voir. Il la devança comme elle levait la main pour les repousser, et le frôlement de ses doigts fit courir une onde de feu liquide dans tout son corps.

— *Vous*, dit-il doucement.

Cam Rohan !

« C'est impossible », songea-t-elle, hébétée. Cam Rohan, ici ? Dans le Hampshire ? Mais c'était bien ses yeux noisette pailletés d'or, frangés de cils épais, ses cheveux de jais et sa bouche sensuelle.

Il avait l'air perturbé, comme si on lui rappelait quelque chose qu'il avait voulu oublier. Puis il scruta Amelia, qui le fixait d'un air stupéfait. Un sourire imperceptible lui retroussa les lèvres, et il s'installa entre ses jambes avec une familiarité insolente qui lui coupa un instant le souffle.

— Monsieur Rohan… comment… pourquoi… que faites-vous ici ?

— Mademoiselle Hathaway, répondit-il sans bouger, comme s'il avait l'intention de demeurer là et de converser le reste de la journée. Quelle agréable surprise ! Il se trouve que je suis en visite chez des amis. Et vous ?

Son ton poli offrait un contraste troublant avec l'intimité de leur position.

— Je vis ici, murmura-t-elle.

— Je ne le pense pas. Nous sommes sur le domaine de lord Westcliff.

Le cœur d'Amelia réagissait à la proximité de ce corps masculin en battant une chamade effrénée.

— Je ne voulais pas dire ici *précisément*, mais un peu plus loin, de l'autre côté de la forêt. Le domaine Ramsay. Nous venons juste de nous y installer.

Contrecoup de la frayeur et de l'émotion, sans doute, elle semblait ne plus pouvoir s'arrêter de parler.

— Qu'est-ce que c'était que ce bruit ? Que faisiez-vous ? Pourquoi avez-vous un tatouage sur le bras ? C'est un *pooka* – une créature irlandaise – n'est-ce pas ?

Cette dernière question lui valut un regard étonné. Toutefois, avant qu'il puisse répondre, deux autres hommes s'approchèrent. Comme Rohan, ils avaient retroussé leurs manches de chemise et portaient leur gilet déboutonné.

L'un des deux était un vieux monsieur corpulent avec une crinière argentée. Il tenait à la main un petit sextant en bois et en métal, retenu autour de son cou par un cordon. Son compagnon était brun et paraissait avoir une trentaine d'années. Il n'était pas aussi grand que Rohan, mais possédait un air d'autorité mêlée d'arrogance aristocratique.

Amelia esquissa un geste d'impuissance, et Rohan se releva d'un mouvement souple. Puis il l'aida à se remettre debout et la soutint.

— À quelle distance est-elle allée ? demanda-t-il aux hommes.

— Que le diable emporte la fusée, répondit le brun d'une voix rocailleuse. Comment va cette dame ?

— Elle n'est pas blessée.

— Je suis impressionné, Rohan, déclara le plus âgé. Vous avez couvert une distance de près de cinquante mètres en cinq ou six secondes, pas plus.

— Je ne voulais pas manquer une chance de sauter sur une jolie femme, répliqua Rohan, ce qui fit rire le vieil homme.

Sa main reposait au creux des reins d'Amelia, qui sentait son sang bouillonner à ce contact.

Elle s'écarta pour s'y soustraire, puis passa ses mains dans ses cheveux en désordre pour les ramener derrière ses oreilles.

— Pourquoi tirez-vous des fusées ? voulut-elle savoir. Et, plus précisément, pourquoi visiez-vous ma propriété ?

L'homme brun la fixa d'un regard aigu.

— *Votre* propriété ?

Rohan intervint.

— Lord Westcliff, il s'agit de Mlle Hathaway, la sœur de lord Ramsay.

Les sourcils froncés, Westcliff s'inclina poliment.

— Mademoiselle Hathaway. Je n'ai pas été averti de votre arrivée. Si j'avais su que vous étiez présente, je vous aurais prévenue de nos expériences, comme je l'ai fait pour toutes les personnes des environs.

Il était évident que Westcliff était un homme qui s'attendait à être informé de tout. Il semblait contrarié que ses nouveaux voisins aient osé emménager dans leur propre résidence sans lui en parler au préalable.

— Nous ne sommes arrivés qu'hier, milord, répliqua Amelia. J'avais l'intention de vous rendre visite aussitôt notre installation terminée.

Dans des circonstances ordinaires, elle s'en serait tenue là. Mais, encore sous le choc, elle ne parvint pas à endiguer le flot de paroles qui s'échappaient de sa bouche.

— Eh bien, je dois dire que notre guide n'est pas assez explicite au sujet des tirs de fusées survenant dans la paisible campagne du Hampshire.

Elle se pencha pour chasser du plat de la main la poussière et les morceaux de feuilles accrochés à ses jupes, et enchaîna :

— Je suis certaine que vous ne connaissez pas assez les Hathaway pour leur tirer dessus. Pour le moment. Quand nous aurons fait plus ample connaissance, toutefois, je ne doute pas que vous trouverez de bonnes raisons de sortir l'artillerie.

Elle entendit Rohan rire dans son dos.

— Vu nos problèmes sur le plan de la justesse du tir, vous n'avez rien à craindre, mademoiselle Hathaway, dit-il.

— À ce propos, Rohan, fit le gentleman aux cheveux argentés, cela vous ennuierait de rechercher l'endroit où la fusée est tombée ?

— Pas dut tout, répondit Rohan qui s'éloigna au pas de course.

— Quelle agilité ! commenta le vieux monsieur. Il est aussi rapide qu'un léopard. Et il a la main sûre et les nerfs solides pour ne rien gâter. Quel sapeur il ferait !

Après s'être présenté comme ancien membre du Génie, le capitaine Swansea expliqua à Amelia qu'il était passionné par la pyrotechnie, et continuait ses travaux scientifiques à titre civil. En tant qu'ami de lord Westcliff, qui partageait son intérêt pour tout ce qui touchait au progrès des techniques, Swansea était venu expérimenter une nouvelle fusée à la campagne, où l'espace ne manquait pas. Lord Westcliff avait enrôlé Cam Rohan pour aider à résoudre les équations de vol et autres calculs mathématiques nécessaires pour évaluer les performances des fusées.

— Sa facilité avec les nombres est assez extraordinaire, vraiment, dit Swansea. On ne le devinerait jamais, à le voir.

Amelia ne put s'empêcher d'opiner. Pour elle, les hommes instruits – comme son père – avaient le teint pâle à force d'être enfermés et le ventre proéminent, ils portaient des lunettes et des costumes de tweed chiffonnés. Ce n'étaient pas d'exotiques jeunes gens ressemblant à des princes païens.

— Mademoiselle Hathaway, reprit lord Westcliff, à ma connaissance, il y a près d'une décennie qu'aucun Ramsay n'a vécu sur le domaine. J'ai du mal à croire que la maison soit habitable.

— Oh, elle est en bon état ! mentit Amelia avec aplomb, soudain aiguillonnée par la fierté. Évidemment, un peu de dépoussiérage est nécessaire, ainsi que quelques réparations mineures. Mais nous sommes bien installés.

Elle pensait s'être montrée convaincante, mais Westcliff parut sceptique.

— Nous donnons un grand dîner à Stony Cross Manor ce soir. Venez avec votre famille. Vous aurez ainsi l'occasion de rencontrer quelques personnes des environs, notamment le vicaire.

Un dîner avec lord et lady Westcliff. Que le ciel lui vienne en aide !

S'ils avaient été remis des fatigues du voyage, si Leo avait emprunté depuis plus longtemps le chemin de la sobriété, s'ils avaient tous possédé les tenues habillées adéquates, si on leur avait donné suffisamment de temps pour étudier les subtilités de l'étiquette… Amelia aurait peut-être envisagé d'accepter l'invitation. Mais, en l'état actuel des choses, c'était impossible.

— C'est très aimable à vous, milord, mais je suis obligée de refuser. Nous venons juste d'arriver, et la plupart de nos effets sont encore dans des malles…

— Il s'agit d'une réception informelle.

Amelia doutait que sa définition du terme « informel » fût la même que la sienne.

— Ce n'est pas seulement une question de toilettes, milord. L'une de mes sœurs est de santé fragile, et ce serait trop fatigant pour elle. Elle a besoin de se reposer après le long trajet depuis Londres.

— Demain soir, dans ce cas. Ce sera une soirée plus intime, et tout à fait reposante.

Face à son insistance, il semblait difficile de refuser. Se maudissant de n'être pas restée à Ramsay House ce matin, Amelia s'obligea à sourire.

— Très bien, milord. Je vous suis reconnaissante de votre hospitalité.

Rohan revint, essoufflé par sa course. Un voile de sueur donnait à sa peau l'aspect satiné d'un bronze.

— Elle a parfaitement tenu son cap, annonça-t-il à Westcliff et à Swansea. Les ailettes de stabilisation ont fonctionné. Elle a atterri à environ un kilomètre et demi.

— Excellent! s'exclama Swansea. Mais où est-elle?

Le sourire de Rohan dévoila des dents éclatantes.

— Elle est enterrée dans un trou profond, et fumant. J'irai la dégager plus tard.

— Oui, cela nous permettra de vérifier l'état de la coque et du noyau.

Swansea sortit un mouchoir pour essuyer la sueur sur son visage écarlate de satisfaction.

— Ça a été une matinée excitante, pas vrai?

— Peut-être serait-il temps de regagner le manoir, capitaine, suggéra Westcliff.

— Oui, bien sûr, acquiesça Swansea avant de s'incliner devant Amelia. Ce fut un plaisir, mademoiselle Hathaway. Et, permettez-moi de vous le dire, d'autres auraient moins bien pris que vous d'être la cible d'une attaque-surprise.

— Lors de ma prochaine visite, capitaine, je prendrai soin de me munir de mon drapeau blanc.

Il éclata de rire et lui souhaita une bonne journée.

Avant d'emboîter le pas au capitaine, lord Westcliff se tourna vers Cam Rohan.

— Je ramène Swansea au manoir, si vous voulez bien veiller à ce que Mlle Hathaway regagne son domicile sans encombre.

— Bien sûr, répondit Rohan sans hésitation.

— Je vous remercie, mais c'est inutile, intervint Amelia. Je connais le chemin, et ce n'est pas loin.

On ne tint pas compte de son refus. Non sans embarras, elle demeura face à Cam Rohan tandis que les deux autres hommes s'éloignaient.

— Je n'ai rien d'une demoiselle en détresse, insista-t-elle. Je n'ai pas besoin qu'on me raccompagne. De plus, à la lumière de votre comportement passé, je serais plus en sécurité en rentrant seule.

Il y eut un bref silence. Rohan inclina la tête de côté et l'observa avec curiosité.

— Mon comportement passé ?

— Vous savez bien ce que je...

Elle s'interrompit et rougit au souvenir du baiser dans l'obscurité.

— Je fais allusion à ce qui s'est passé à Londres.

Il lui adressa un regard de perplexité polie.

— Je crains de ne pas vous suivre.

— Vous n'allez pas prétendre que vous ne vous en souvenez pas !

Ou peut-être avait-il embrassé tant de femmes qu'il était impossible qu'il se les rappelle toutes.

— Allez-vous aussi nier que vous avez volé l'un des rubans de mon bonnet ?

— Vous avez une imagination débordante, mademoiselle Hathaway, dit-il d'un ton posé, que démentait la lueur de provocation rieuse dans son regard.

— Certainement pas. Le reste de ma famille est pétri d'imagination – je suis la seule qui s'accroche désespérément à la réalité.

Elle pivota sur ses talons et se mit en marche d'un pas vif.

— Je rentre chez moi. Je n'ai nul besoin que vous m'accompagniez.

Ignorant ses paroles, Rohan la rattrapa. Quand Amelia effectuait deux enjambées, lui n'en faisait qu'une, et sans effort. Dans cet espace découvert, il paraissait encore plus imposant que dans son souvenir.

— Le tatouage sur mon bras, commença-t-il à voix basse, comment savez-vous que c'est un *pooka* ?

Amelia prit son temps pour répondre. Une buse plana un instant dans le ciel avant de s'enfoncer dans la forêt.

— J'ai lu des contes irlandais, dit-elle finalement. Le *pooka* est une créature dangereuse et méchante, inventée pour donner des cauchemars aux gens. Pourquoi avoir orné votre bras d'un tel symbole ?

— On me l'a tatoué lorsque j'étais enfant. Je ne me souviens pas quand.

— Pour quelle raison ? Quelle est sa signification ?

— Ma famille n'a jamais voulu me l'expliquer. Peut-être y consentiraient-ils, à présent, ajouta-t-il avec un haussement d'épaules, mais il y a des années que je ne les ai pas vus.

— Pourriez-vous les retrouver, si vous le souhaitiez ?

— Sans doute, si j'y consacrais suffisamment de temps.

Il reboutonna tranquillement son gilet et rabaissa ses manches, cachant ainsi son tatouage.

— Je me souviens de ma grand-mère me parlant du *pooka*, continua-t-il. Elle m'encourageait à croire en son existence. Je pense qu'elle-même y croyait à demi. Elle pratiquait l'ancienne magie.

— Qu'est-ce que c'est ? Elle disait la bonne aventure ?

Rohan enfonça les mains dans les poches de son pantalon et secoua la tête, l'air amusé.

— Non. Encore qu'il lui arrivait parfois de prédire l'avenir à des *gadjé*. Les tenants de l'ancienne magie considèrent que tout, dans la nature, est relié et cohérent. Tout est vivant. Même les arbres ont une âme.

Amelia était fascinée. Il avait toujours été impossible d'extorquer à Merripen quoi que ce soit sur son passé bohémien ou sur ses croyances, et voilà qu'elle se trouvait en compagnie d'un homme qui semblait disposé à discuter de tout !

— Et vous croyez à l'ancienne magie ? lui demanda-t-elle.

— Non. Mais l'idée me plaît.

Rohan la saisit par le coude pour la guider sur une partie accidentée du chemin. Avant qu'elle pût s'en offusquer, il l'avait relâchée.

— Le *pooka* n'est pas toujours méchant, reprit-il. Quelquefois, il agit par malice. Par simple taquinerie.

Amelia lui adressa un regard sceptique.

— Vous appelez ça de la malice, quand une créature vous jette sur son dos, s'envole dans le ciel et vous laisse tomber dans un fossé ou une mare ?

— C'est l'une des histoires, admit Rohan avec un sourire. Mais dans d'autres versions, le *pooka* veut simplement vous offrir une aventure… vous emmener dans des endroits que vous ne connaissez qu'en rêve. Ensuite, il vous ramène chez vous.

— Il n'empêche que, si l'on en croit les légendes, vous n'êtes plus jamais le même une fois que le cheval vous a ramené d'un de ces voyages nocturnes.

— Non, murmura-t-il. Comment pourriez-vous l'être ?

Sans s'en apercevoir, Amelia avait ralenti l'allure. Il semblait impossible de marcher d'un pas décidé un jour comme celui-ci, alors que le soleil étincelait, que l'air embaumait… et qu'elle était en compagnie

de cet homme peu banal, à la fois sombre, dangereux et charmant.

— De tous les endroits où j'aurais pu vous revoir,
reprit-elle, je n'aurais jamais pensé au domaine de
lord Westcliff. Comment avez-vous fait connaissance ? Il est membre du club de jeu, je suppose ?

— Oui. Et c'est un ami du propriétaire.

— Est-ce que les autres invités de lord Westcliff
acceptent votre présence à Stony Cross Manor ?

— Vous voulez dire parce que je suis bohémien ?
Je crains qu'ils n'aient d'autre choix que de se
montrer polis, répondit-il avec un sourire ironique.
D'une part, par respect pour le comte, d'autre part,
parce que la plupart d'entre eux sont obligés de
s'adresser à moi pour obtenir du crédit – ce qui
implique que j'ai accès à des informations privées
sur leur situation financière.

— Sans parler de leurs écarts de conduite, fit
remarquer Amelia, se souvenant de la bagarre dans
la ruelle.

— Il y en a quelques-uns, en effet.

— Il n'empêche que vous devez vous sentir
étranger, parfois.

— Toujours, répondit-il d'un ton neutre. Je suis
également étranger à mon peuple. Voyez-vous, je
suis un métis – ce qu'ils appellent un *poshram* –,
né d'une mère bohémienne et d'un *gadjo* irlandais.
Et comme la lignée familiale se transmet par le
père, je ne suis même pas considéré comme un
Rom. Il n'y a pas de pire violation de nos lois pour
une femme que d'épouser un *gadjo*.

— Est-ce la raison pour laquelle vous ne vivez
pas avec votre tribu ?

— L'une des raisons.

Amelia se demanda comment il vivait le fait
d'être coincé entre deux cultures sans appartenir
à aucune, de n'avoir pas l'espoir d'être un jour
vraiment accepté. Pourtant, rien dans son ton ne

trahissait un quelconque apitoiement sur soi-même.

— Les Hathaway sont des étrangers eux aussi, d'une certaine manière, dit-elle. Il est évident que nous n'avons pas notre place dans la bonne société. Aucun d'entre nous n'a l'éducation et le savoir-vivre nécessaires. Le dîner à Stony Cross Manor risque d'être divertissant – je suis certaine que l'on finira par nous mettre dehors.

— Vous risquez d'être surprise. Lord et lady Westcliff ne sont en général pas portés sur le protocole. Et ils accueillent à leur table une grande variété d'invités.

Amelia ne fut pas rassurée pour autant. Elle considérait la haute société comme l'un de ces aquariums pleins de poissons exotiques qui ornaient les salons élégants, dans lesquels des créatures étincelantes évoluaient suivant des trajectoires qu'elle n'avait aucun espoir de comprendre. Les Hathaway n'étaient pas plus armés pour vivre sous l'eau que pour frayer avec une société aussi choisie. Pourtant, ils n'avaient d'autre choix que d'essayer.

Avisant un épais parterre de cresson en bordure d'une prairie humide, Amelia s'en approcha, referma la main sur une touffe et tira jusqu'à ce que les tiges cèdent.

— Il y a du cresson en abondance par ici, n'est-ce pas ? J'ai entendu dire que c'était excellent en salade ou en sauce.

— C'est aussi une herbe médicinale. Les bohémiens l'appellent *panishok*. Ma grand-mère en mettait dans des cataplasmes pour les foulures et autres blessures. C'est aussi un puissant stimulant amoureux. Pour les femmes, en particulier.

Amelia en laissa tomber les tiges délicates.

— Un quoi ?

— Si un homme souhaite réveiller les ardeurs de son amante, il lui donne du cresson à manger. C'est un stimulant du…

— Ne me dites rien ! Taisez-vous !

Rohan s'esclaffa, une étincelle moqueuse dans les yeux.

Amelia lui lança un regard d'avertissement tout en frottant ses paumes l'une contre l'autre pour se débarrasser des quelques feuilles de cresson restées collées. Puis elle se remit en marche.

Son compagnon lui emboîta le pas.

— Parlez-moi de votre famille, fit-il pour l'amadouer. Combien y a-t-il de Hathaway ?

— Cinq. Leo – lord Ramsay – est l'aîné, je suis la suivante, puis il y a Winnifred, Poppy et Beatrix.

— Laquelle d'entre elles est plus fragile ?

— Winnifred.

— Elle l'a toujours été ?

— Non. Elle était en bonne santé jusqu'à l'année dernière, quand elle a failli mourir de la scarlatine.

Amelia marqua une longue hésitation. Sa gorge se serra un peu.

— Elle a survécu, Dieu merci, mais ses poumons ont été atteints. Elle a peu de forces et se fatigue facilement. Le médecin dit qu'elle risque de ne jamais s'en remettre et que, vraisemblablement, elle ne pourra pas se marier ou avoir des enfants. Nous lui prouverons qu'il se trompe, bien sûr, affirma-t-elle avec conviction. Winnifred recouvrera la santé.

— Que le ciel vienne en aide à quiconque se trouve en travers de votre chemin. Vous aimez vraiment diriger la vie des autres, n'est-ce pas ?

— Seulement quand il est évident que je peux faire mieux qu'eux. Qu'est-ce qui vous fait sourire ?

Rohan s'arrêta et obligea Amelia à se tourner vers lui.

— Vous. Vous me donnez envie de…

Il s'interrompit, comme s'il se ravisait. Mais une moue amusée s'attarda sur ses lèvres.

Amelia n'aimait pas la manière dont il la regardait, qui lui donnait l'impression d'avoir trop chaud, d'être nerveuse et prise de vertige. Tous ses sens l'avertissaient que Cam Rohan était un homme auquel on ne pouvait absolument pas faire confiance. Un homme qui n'obéissait à d'autres lois que la sienne.

— Dites-moi, mademoiselle Hathaway... que feriez-vous si l'on vous invitait à une chevauchée nocturne au-dessus de la Terre et des océans ? Choisiriez-vous l'aventure ou resteriez-vous bien au chaud chez vous ?

Amelia semblait ne pas pouvoir arracher son regard au sien. Une lueur de malice brillait dans ses yeux ambrés, non pas l'innocente espièglerie d'un enfant, mais quelque chose de bien plus dangereux. En cet instant, elle l'aurait presque cru capable de changer de forme et d'apparaître à sa fenêtre une nuit pour l'emporter sur ses ailes couleur d'encre...

— Je resterais chez moi, bien sûr, parvint-elle à répondre d'un ton raisonnable. Je ne recherche pas l'aventure.

— Je pense que si. Je suis persuadé que dans un moment de faiblesse, vous pourriez vous surprendre vous-même.

— Je n'ai pas de moments de faiblesse. Pas de ce genre, en tout cas.

Son rire l'enveloppa telle une écharpe de fumée.

— Vous en aurez.

Amelia n'osa pas lui demander pourquoi il en était aussi certain. Perplexe, elle baissa les yeux. Était-il en train de flirter ? Non, il devait plutôt se moquer d'elle, essayer de la rendre ridicule. Et s'il était une chose qu'elle craignait plus que les abeilles, c'était d'apparaître ridicule.

S'efforçant de rassembler ce qu'elle pouvait de dignité – celle-ci paraissait s'être éparpillée telles des graines de pissenlits par grand vent –, elle le fixa en fronçant les sourcils.

— Nous sommes presque arrivés à Ramsay House, dit-elle en indiquant le faîte d'un toit au-dessus de la ligne des arbres. Je préférerais finir seule le reste du chemin. Vous pourrez dire au comte que vous avez accompli votre mission et que je suis rentrée sans encombre. Bonne journée, monsieur Rohan.

Il hocha la tête, l'enveloppa d'un de ses regards étincelants, désarmants, et la suivit des yeux tandis qu'elle s'éloignait. À chaque pas qui la séparait davantage de lui, Amelia aurait dû se sentir un peu plus en sécurité. Pourtant, son trouble persistait. C'est alors qu'elle l'entendit murmurer d'une voix teintée d'amusement quelque chose qui ressemblait à :

— Une nuit...

6

La nouvelle de l'invitation à dîner chez lord et lady Westcliff suscita des réactions variées. Poppy et Beatrix en furent ravies, alors que Winnifred, qui essayait toujours de récupérer de la fatigue du voyage, se montra simplement résignée. Leo, quant à lui, se réjouissait d'avance à l'idée d'un bon repas accompagné de vins fins.

Merripen, de son côté, refusa catégoriquement d'y aller.

— Tu fais partie de la famille, lui dit Amelia.

Tous deux se trouvaient dans l'une des pièces communes, dont Merripen réparait les boiseries disjointes. De quelques coups de marteau sûrs et précis, il enfonça un clou sur le bord d'une planche. Sans répondre.

— Tu as beau essayer de nier tout lien avec nous – et l'on pourrait difficilement t'en vouloir –, tu es l'un des nôtres et tu devrais assister à ce dîner.

Merripen enfonça méthodiquement quelques clous supplémentaires dans le panneau.

— Ma présence ne sera pas nécessaire.

— Certes. Mais peut-être que tu passerais un bon moment.

— Sûrement pas, riposta-t-il sans cesser de jouer du marteau.

— Pourquoi faut-il que tu sois aussi têtu ? Si tu as peur qu'on te traite mal, rappelle-toi que lord Westcliff accueille déjà un bohémien sous son toit, et qu'il ne semble pas avoir de préjugés…

— Je n'aime pas les *gadjé*.

— Tous les membres de ma famille – de *ta* famille – sont des *gadjé*. Cela signifie-t-il que tu ne nous aimes pas ?

Merripen ne répondit pas et se contenta de continuer son travail. Bruyamment.

Amelia laissa échapper un soupir irrité.

— Merripen, tu es un horrible snob. Et, au cas où la soirée se révélerait abominable, il est de ton devoir de l'endurer avec nous.

Merripen ramassa une autre poignée de clous.

— Tu ne perdais rien à essayer, fit-il. Mais je n'irai pas.

L'absence de commodités à Ramsay House, la pauvreté de l'éclairage et le délabrement des quelques rares miroirs rendirent laborieux les préparatifs pour le dîner à Stony Cross Manor. Après avoir fait chauffer de l'eau dans la cuisine, chacun fit des allées et venues entre le rez-de-chaussée et l'étage avec des seaux pour remplir sa propre baignoire. À l'exception de Winnifred, bien sûr, qui se reposait dans sa chambre pour économiser ses forces.

Assise sur une chaise, Amelia attendait avec une docilité inhabituelle que Poppy ait fini de la coiffer. Après lui avoir tiré les cheveux en arrière, celle-ci les avait tressés en nattes épaisses qu'elle avait épinglées pour former un lourd chignon.

— Voilà, dit-elle avec satisfaction. Au moins, tu seras à la mode à partir des oreilles jusqu'au sommet du crâne.

Comme ses sœurs, Amelia portait une robe de solide bombasin en soie tramée de laine bleue. La coupe en était simple, avec une jupe d'une ampleur modérée et de longues manches ajustées.

La robe de Poppy était du même style, mais rouge. Poppy était exceptionnellement jolie, avec des traits fins qui irradiaient la vivacité et l'intelligence. Si les succès mondains d'une jeune fille étaient fondés sur le mérite plutôt que sur la fortune, Poppy serait la coqueluche de Londres. Au lieu de cela, elle vivait à la campagne dans une maison délabrée, portait de vieilles robes, et charriait l'eau et le charbon comme une servante. Et jamais, pas une seule fois, elle ne s'en était plainte.

— Nous irons très bientôt chez la couturière pour renouveler notre garde-robe, déclara Amelia, le cœur serré par le remords. Les choses vont s'améliorer, Poppy. Je te le promets.

— Je l'espère, dit sa sœur d'un ton léger. Je vais avoir besoin d'une robe de bal si je dois séduire un généreux bienfaiteur pour la famille.

— Tu sais que je disais cela pour plaisanter. Tu n'as pas à te chercher un riche prétendant. Seulement un qui sera gentil avec toi.

Le sourire de Poppy s'élargit.

— Eh bien, nous pouvons toujours espérer que la richesse et la gentillesse ne s'excluent pas l'une l'autre… tu ne crois pas ?

Amelia lui rendit son sourire.

— En effet.

Quand toutes ses sœurs furent rassemblées dans le hall, Amelia éprouva un nouveau pincement de remords en voyant Beatrix vêtue d'une robe verte dont la jupe s'arrêtait aux chevilles, et d'un tablier blanc amidonné. Une tenue qui aurait davantage convenu à une fillette de douze ans qu'à une jeune fille de quinze.

S'étant approchée de Leo, Amelia lui chuchota :

— C'en est fini du jeu, Leo. L'argent que tu as perdu chez *Jenner's* aurait été bien mieux employé à l'achat de vêtements corrects pour tes sœurs.

— Tu aurais pu les emmener chez la couturière, il y a bien assez d'argent, rétorqua-t-il avec froideur. Ne me fais pas jouer le rôle du méchant alors qu'il est de ta responsabilité de les habiller.

Amelia serra les dents. Elle avait beau adorer son frère, personne n'avait plus que lui le don de l'exaspérer. Elle lui aurait volontiers asséné un coup sur la tête, histoire de lui remettre les idées en place.

— Vu la vitesse à laquelle tu vides les coffres de la famille, j'ai pensé que ce ne serait pas très sage de ma part de faire des folies dans les boutiques, rétorqua-t-elle.

Leurs trois sœurs les regardèrent, les yeux écarquillés, comme la conversation tournait à la véritable querelle.

— Tu peux choisir de vivre comme une avare, mais ne compte pas sur moi pour t'imiter. Tu es incapable de jouir du moment présent parce que tu songes toujours au lendemain. Eh bien, pour certaines personnes, demain ne vient jamais.

— Il faut bien que *quelqu'un* se soucie du lendemain, espèce d'égoïste dépensier ! riposta Amelia, hors d'elle.

— Venant d'une mégère autoritaire…

Winnifred s'interposa en posant une main légère sur l'épaule d'Amelia.

— Taisez-vous, tous les deux. Cela ne sert à rien de vous énerver juste au moment où nous nous apprêtons à partir.

Elle adressa à Amelia ce petit sourire en coin auquel personne ne pouvait résister.

— Ne fronce pas les sourcils comme ça. Imagine un peu que tu restes ainsi pour toujours !

— En étant au contact de Leo de manière pro-longé, cela risque fort de m'arriver.

Son frère émit un ricanement.

— C'est un peu facile de me prendre pour bouc émissaire, non ? Si tu étais honnête avec toi-même, Amelia...

— Merripen ! cria Winnifred. La voiture est-elle prête ?

Merripen franchit la porte, les cheveux ébouriffés, l'air maussade. Il avait été convenu qu'il conduirait les Hathaway chez les Westcliff et reviendrait les chercher plus tard.

— Elle est prête.

Quand il posa brièvement les yeux sur le beau visage pâle de Winnifred, son expression se fit encore plus maussade, si cela était possible.

Pour Amelia, ce fut comme si un puzzle se résolvait d'un coup. Ce coup d'œil furtif rendit certaines choses plus claires dans son esprit. Si Merripen refusait d'assister au dîner de ce soir, c'était parce qu'il voulait éviter de se retrouver dans un contexte mondain avec Winnifred. Il essayait de maintenir de la distance entre eux alors que, dans le même temps, il était terriblement inquiet pour sa santé.

Que Merripen, qui ne faisait jamais étalage de ses émotions, puisse éprouver un sentiment secret et profond pour sa sœur préoccupait Amelia. Winnifred était trop délicate, trop raffinée, trop différente de lui en tous points... Et Merripen le savait.

En proie à un mélange de compassion, de tris-tesse et d'inquiétude, Amelia monta dans la voiture.

Tous demeurèrent silencieux tandis que, quelques minutes plus tard, ils remontaient l'allée bordée de chênes menant à Stony Cross Manor. Aucun d'entre eux n'avait jamais vu de domaine aussi imposant et bien entretenu. C'était comme si l'emplacement de chaque feuille sur chaque arbre avait été soigneusement pensé. Entouré de jardins et de vergers que prolongeaient des bois touffus, le manoir évoquait un géant endormi. Les hautes tours qui s'élevaient aux quatre coins témoignaient des dimensions originelles du bâtiment – inspiré des forteresses européennes. Mais de nombreux ajouts lui conféraient une asymétrie plaisante. Les années et les intempéries avaient joliment patiné la pierre couleur de miel, dont les contours étaient soulignés par de hautes haies impeccablement taillées.

La demeure s'ouvrait sur une grande cour – l'un de ses traits distinctifs – et était bordée d'un côté par une aile résidentielle, de l'autre par des écuries. Ces bâtiments, d'ordinaire discrets, étaient ici ornés de grandes arches de pierre. Stony Cross Manor aurait pu être une résidence royale – et d'après ce qu'ils savaient de lord Westcliff, son lignage était même plus distingué que celui de la reine.

Comme la voiture s'arrêtait devant la porte surmontée d'un vaste portique, Amelia ne put s'empêcher de souhaiter que la soirée fût déjà finie. Un environnement aussi majestueux ne ferait que souligner leurs défauts et leurs manques. Ils auraient de la chance si on ne les prenait pas pour un groupe de vagabonds.

Jetant un coup d'œil sur ses frère et sœurs, elle constata que Winnifred offrait son masque habituel d'irréprochable sérénité, et que Leo paraissait calme et plutôt blasé – une expression qu'il devait sans doute à ses nouvelles connaissances de chez *Jenner's*. Quant aux deux plus jeunes, elles faisaient montre une gaieté exubérante qui lui arracha un sourire. Elles, au moins, passeraient un bon moment, et Dieu sait qu'elles le méritaient.

Merripen aida les quatre sœurs à descendre de voiture. Leo fut le dernier à émerger. Il posait le pied sur le sol quand Merripen s'adressa à lui à voix basse pour le sommer de veiller étroitement sur Winnifred. Leo lui jeta un regard furibond. Supporter les critiques d'Amelia était déjà assez pénible, il était hors de question qu'il endure celles, implicites, de Merripen.

— Si tu te fais autant de souci pour elle, marmonna-t-il, viens donc jouer les nourrices !

Merripen plissa les yeux, mais garda le silence.

Les relations entre les deux hommes n'auraient pas pu être qualifiées de fraternelles, mais ils avaient toujours réussi à maintenir une cordialité un peu distante.

Merripen n'avait jamais tenté d'endosser le rôle de second fils, malgré la tendresse évidente qu'éprouvaient pour lui les parents Hathaway. Et dans toutes les circonstances où il aurait pu y avoir compétition entre les deux garçons, Merripen s'était toujours effacé. Leo, de son côté, se montrait raisonnablement aimable avec lui, se rangeant même à son avis quand il jugeait qu'il était meilleur que le sien.

Quand Leo avait attrapé la scarlatine, Merripen avait aidé à le soigner avec un mélange de patience et de gentillesse qui surpassaient même celles d'Amelia. Plus tard, elle avait avoué à Leo qu'il devait la vie à Merripen. Pourtant, au lieu de se montrer reconnaissant, son frère avait semblé lui en vouloir.

« S'il te plaît, Leo, ne sois pas odieux », mourait d'envie de lui dire Amelia. Mais elle tint sa langue et gagna avec ses sœurs l'entrée brillamment éclairée de Stony Cross Manor.

La porte à deux battants massifs ouvrait sur un immense hall orné de magnifiques tapisseries. Un grand escalier de pierre et de marbre s'incurvait vers la grande galerie du premier étage. Un énorme lustre de cristal éclairait les recoins les plus éloignés du hall ainsi que l'entrée de plusieurs couloirs.

Si l'extérieur du manoir était remarquablement entretenu, l'intérieur était immaculé. Rien de neuf, aucun angle vif ni aucune touche moderne ne venait entacher l'atmosphère de splendeur paisible des lieux.

C'était exactement à cela qu'aurait dû ressembler Ramsay House, songea Amelia, abattue.

Des domestiques prirent leurs chapeaux et leurs gants, puis une gouvernante d'un certain âge leur souhaita la bienvenue. Le regard d'Amelia fut immédiatement attiré par lord et lady Westcliff, qui se dirigeaient vers eux pour les accueillir.

Vêtu d'un habit de soirée impeccablement coupé, lord Westcliff se déplaçait avec l'aisance physique d'un sportif accompli. Son expression était réservée, ses traits austères, frappants plutôt que beaux. Tout, dans son apparence, trahissait l'homme qui exigeait beaucoup des autres, et encore plus de lui-même.

Amelia ne doutait pas qu'un homme aussi puissant ait choisi pour épouse l'Anglaise parfaite, dont le raffinement glacial avait été acquis dès le berceau. Quelle ne fut donc pas sa surprise d'entendre lady Westcliff s'exprimer non seulement avec un accent américain marqué, mais, de surcroît, avec une prolixité enjouée.

— Vous n'imaginez pas combien j'ai souhaité avoir de nouveaux voisins ! Le Hampshire peut être parfois un peu ennuyeux. Vous autres Hathaway ferez parfaitement l'affaire. Enchantée, lord Ramsay, ajouta-t-elle en serrant la main de Leo à la manière d'un homme, le prenant de court.

— Pour vous servir, milady, répondit-il, ne sachant visiblement trop comment se comporter face à une femme aussi singulière.

Quand ce fut son tour, Amelia rendit à lady Westcliff sa poignée de main avec une fermeté équivalente à la sienne, le regard rivé à ses yeux en amande couleur pain d'épice.

Lilian, lady Westcliff, était une grande jeune femme mince, à la chevelure d'un brun chaud, aux traits bien dessinés et au sourire impudent. À la différence de son mari, il émanait d'elle une gentillesse pleine de spontanéité qui vous mettait aussitôt à l'aise.

—Vous êtes Amelia, celle sur qui ils ont tiré hier?

—En effet, milady.

—Je suis si contente que le comte ne vous ait pas assassinée! Il manque rarement sa cible, vous savez.

Le comte accueillit les propos désinvoltes de sa femme avec un imperceptible sourire, comme s'il y était accoutumé.

—Je ne visais pas Mlle Hathaway, déclara-t-il posément.

—Et si vous envisagiez un passe-temps moins dangereux? suggéra lady Westcliff. L'observation des oiseaux. Une collection de papillons. Quelque chose d'un peu plus digne que de jouer avec des explosifs.

Loin d'être agacé par l'irrévérence de sa femme, le comte parut simplement amusé. Et quand elle reporta son attention sur les autres Hathaway, il la suivit d'un regard empreint d'une tendre fascination. De toute évidence, il existait un lien puissant entre eux.

Amelia présenta ses sœurs à cette comtesse si peu conventionnelle. Dieu merci, aucune des trois n'oublia de la saluer d'une révérence, et elles réussirent à répondre poliment à ses questions directes: Montaient-elles à cheval? Aimaient-elles danser? Avaient-elles déjà goûté à l'un des fromages locaux, et partageaient-elles sa répugnance pour les plats anglais visqueux, comme les anguilles ou le porc en gelée ?

Tout en riant de la grimace comique de leur hôtesse, les sœurs Hathaway gagnèrent en sa compagnie le salon où une vingtaine d'invités étaient rassemblés en attendant de rejoindre la salle à manger.

Dans son dos, Amelia entendit Poppy chuchoter à Beatrix :

— Elle me plaît bien. Tu crois que toutes les Américaines sont aussi fringantes ?

Fringante... Oui, c'était le terme approprié pour décrire lady Westcliff.

Cette dernière s'adressa soudain à Amelia d'un ton où perçait une pointe d'inquiétude :

— Mademoiselle Hathaway, le comte dit que Ramsay House n'a pas été occupée depuis si longtemps que ce doit être un vrai taudis.

Un peu interloquée par sa franchise, Amelia secoua la tête avec énergie.

— Oh, le terme est exagéré ! La maison a juste besoin d'un bon nettoyage, de quelques réparations mineures, et...

Elle s'interrompit, embarrassée.

Le regard de lady Westcliff était direct et compatissant.

— C'est en si mauvais état que cela ?

Amelia haussa légèrement les épaules.

— Il y a beaucoup de travail, admit-elle. Mais le travail ne me fait pas peur.

— Si vous avez besoin d'aide ou de conseils, Westcliff dispose d'innombrables ressources. Il peut vous dire où trouver...

— C'est très gentil à vous, milady, se hâta de dire Amelia, mais il est inutile que vous vous impliquiez dans nos soucis domestiques, je vous assure.

Il était hors de question que les Hathaway apparaissent comme une famille de miséreux et de quémandeurs.

— Vous ne pourrez peut-être pas y échapper, répliqua lady Westcliff avec un sourire. Vous êtes dans la sphère d'influence de Westcliff, à présent, ce qui signifie que vous recevrez des conseils, que vous les ayez sollicités ou pas. Et, le pire, c'est qu'il a presque toujours raison.

Elle jeta un regard tendre en direction de son mari, qui discutait un peu plus loin avec quelques messieurs.

Conscient du regard de sa femme, il tourna la tête. Il y eut entre eux un échange muet… auquel il répondit par un clin d'œil presque imperceptible.

Lady Westcliff laissa échapper un petit glousse-ment avant de se tourner vers Amelia.

— Cela fera quatre ans en septembre que nous sommes mariés. J'avais imaginé que j'aurais cessé de soupirer après lui à l'heure qu'il était, mais il n'en est rien… avoua-t-elle, une étincelle mali-cieuse dans ses yeux sombres. À présent, je vais vous présenter à certains de nos invités. Dites-moi par qui vous souhaitez commencer.

Le regard d'Amelia passa de lord Westcliff au groupe qui l'entourait, et un frémissement la parcourut lorsqu'elle reconnut Cam Rohan. Comme les autres gentlemen, il portait l'habit noir et la chemise blanche traditionnels, mais cette tenue civilisée ne faisait que souligner son exo-tisme. Avec ses sombres cheveux soyeux qui bouclaient sur son col amidonné, son teint basané, ses yeux de fauve, il paraissait totalement déplacé dans cet environnement conventionnel. L'aperce-vant soudain, il s'inclina ; elle lui rendit son salut avec raideur.

— Vous avez déjà rencontré M. Rohan, bien sûr, reprit lady Westcliff, à qui ce salut n'avait pas échappé.

Un garçon intéressant, vous ne trouvez pas ? Plein de charme, très aimable et seulement à demi civilisé, ce qui aurait plutôt tendance à me plaire.

— Je...

Ce fut à grand-peine qu'Amelia, dont le cœur battait la chamade, détourna les yeux de Rohan.

— À demi civilisé ?

— Oh, je faisais référence à toutes ces règles qui régissent une conduite prétendument convenable dans la bonne société. M. Rohan ne s'en embarrasse pas. Et moi non plus, en vérité, ajouta-t-elle avec un sourire.

— Vous le connaissez depuis longtemps ?

— Seulement depuis que lord Saint-Vincent a pris la direction du club de jeu. Depuis, M. Rohan est devenu une espèce de protégé, aussi bien de Westcliff que de Saint-Vincent.

Elle eut un rire bref.

— C'est un peu comme d'avoir un ange sur une épaule et un démon sur l'autre, mais Rohan semble se débrouiller plutôt bien avec les deux.

— Pourquoi lord Saint-Vincent et lord Westcliff s'intéressent-ils autant à lui ?

— C'est un homme peu banal. Je ne suis pas certaine que quiconque sache quoi penser de lui. Selon Westcliff, Rohan possède une intelligence exceptionnelle. Mais il est aussi superstitieux et imprévisible. Avez-vous entendu parler de sa maudite bonne chance ?

— De sa quoi ?

— Il semblerait que, quoi que Rohan entreprenne, il ne peut s'empêcher de gagner de l'argent. Beaucoup d'argent. Et cela, même quand il tente d'en perdre. Mais il prétend que c'est mal qu'une seule personne en possède autant.

— C'est ce que pensent les bohémiens, murmura Amelia. Ils n'attachent pas d'importance à la possession de biens matériels.

— Oui. Évidemment, pour une New-Yorkaise comme moi, c'est assez déconcertant. Contre son gré, M. Rohan s'est vu attribuer un pourcentage sur les bénéfices du club et, quels que soient ses dons à des institutions charitables ou ses investissements dans des entreprises risquées, il ne cesse de percevoir en retour des sommes énormes. Cela a commencé lorsqu'il a acheté un vieux cheval de course aux jambes courtes – Little Dandy – qui a gagné le Grand National en avril dernier. Puis il y a eu la débâcle du caoutchouc, et...

— La quoi ?

— C'était une petite usine de caoutchouc menacée de faillite, à l'est de Londres. Alors que la société s'apprêtait à couler, M. Rohan y a investi une forte somme. Tout le monde, lord Westcliff compris, a tenté de l'en dissuader, l'a traité de fou, lui a prédit qu'il allait perdre jusqu'à son dernier sou...

— Ce qui était son intention, je suppose.

— Précisément. Mais à la grande consternation de Rohan, le vent a tourné. Le directeur de la société a utilisé son investissement pour acheter les droits d'un nouveau procédé, la vulcanisation, et ils ont inventé ces petits anneaux en caoutchouc qu'on appelle des élastiques. À présent, la société est plus que florissante. Je pourrais vous donner d'autres exemples, mais ce ne serait que des variations sur le même thème : M. Rohan gaspille son argent et se retrouve dix fois plus riche.

— Je n'appellerais pas cela une malédiction, observa Amelia.

— Moi non plus, assura lady Westcliff. C'est pourtant ainsi que M. Rohan considère la chose. Cela le rend vraiment amusant. Vous auriez dû voir sa tête un peu plus tôt dans la journée, lorsqu'il a reçu le dernier relevé de son agent de change à Londres. Il ne contenait que de bonnes nouvelles, ce qui l'a fait grincer des dents.

Prenant Amelia par le bras, lady Westcliff l'entraîna dans la pièce.

— Nous manquons cruellement de jeunes célibataires ce soir, mais de nombreux invités sont attendus un peu plus tard dans la saison – pour chasser et pêcher –, et il y a en général plus d'hommes que de femmes.

— C'est une bonne nouvelle, car j'ai l'espoir que mes sœurs trouvent des messieurs convenables à épouser.

Le sous-entendu n'échappa pas à lady Westcliff.

— Mais vous ne cultivez pas ce genre d'espoir pour vous-même ?

— Non, je ne pense pas me marier un jour.

— Pourquoi ?

— J'ai une responsabilité vis-à-vis de ma famille. Ils ont besoin de moi.

Après un court silence, Amelia ajouta avec franchise :

— Et, pour être franche, je détesterais devoir me soumettre à l'autorité d'un mari.

— J'étais comme vous, autrefois. Mais je dois vous avertir, mademoiselle Hathaway… la vie ne se gêne pas pour ficher en l'air tous vos plans. Je parle d'expérience.

Amelia sourit, pas du tout convaincue. C'était simplement une question de priorité. Elle avait l'intention de consacrer tout son temps et toute son énergie à créer un foyer pour ses frère et sœurs. Elle veillerait à ce qu'ils soient en bonne santé et heureusement mariés. Elle aurait des tas de nièces et de neveux, et Ramsay House serait remplie de gens qu'elle aimait.

Aucun mari ne pouvait lui en offrir davantage.

Repérant son frère, elle remarqua aussitôt qu'il avait une expression bizarre ou, plutôt, une absence d'expression qui trahissait une volonté de dissimuler une violente émotion. Il ne tarda pas à la rejoindre, échangea quelques plaisanteries avec lady Westcliff, puis hocha poliment la tête quand celle-ci s'excusa pour aller accueillir un nouvel arrivant.

— Que se passe-t-il ? chuchota Amelia alors que Leo la prenait par le coude. On dirait que tu viens d'avaler un verre de vinaigre.

— L'heure n'est pas à l'échange d'amabilités.

Cela faisait longtemps qu'elle ne lui avait vu un regard aussi soucieux. Il reprit d'une voix basse et pressante :

— Courage, petite sœur... Il y a dans ce salon quelqu'un que tu ne veux pas voir. Et il se dirige par ici.

Amelia leva les yeux au ciel.

— Si c'est à M. Rohan que tu fais allusion je t'assure que je suis parfaitement...

— Non. Pas Rohan.

Il posa la main sur sa taille comme s'il prévoyait d'avoir à la soutenir.

C'est alors qu'elle comprit.

Avant même de pivoter face à l'homme qui s'approchait d'eux. Ébranlée, elle éprouva une sensation de froid, puis de chaleur. Mais, perçant sous le chaos intime, une certaine résignation se fit jour.

Elle avait toujours su qu'elle reverrait un jour Christopher Frost.

Il était seul, nota-t-elle en se retournant – une petite consolation, dans la mesure où il aurait fort bien pu être escorté de sa jeune épouse. Amelia était à peu près certaine qu'elle n'aurait pas supporté d'être présentée à la femme que Christopher lui avait préférée. Se tenant toute raide à côté de son frère, elle s'efforça désespérément d'avoir l'air d'une femme indépendante qui salue son ancien amour avec une indifférence polie. En vain. Comment dissimuler la pâleur de son visage, alors qu'elle sentait le sang refluer vers son cœur affolé ?

Si la vie avait été juste, Frost lui serait apparu plus petit, moins beau, moins séduisant que dans son souvenir. Mais la vie n'était pas juste, bien sûr. Il était plus élancé, élégant et affable que jamais, avec ses yeux bleus perçants et ses épais cheveux courts blond-fauve.

— Une vieille connaissance, commenta Leo, sans rancœur, mais sans plaisir non plus.

Leur amitié avait volé en éclats quand Frost avait quitté Amelia. Leo avait certes ses défauts, mais il était d'une loyauté sans faille.

— Milord, salua Frost d'un ton posé en s'inclinant d'abord devant Leo, puis devant Amelia. Mademoiselle Hathaway.

Il eut apparemment du mal à croiser son regard. Mais Dieu sait ce qu'il en coûta à Amelia de le lui rendre.

— Cela fait bien trop longtemps, ajouta-t-il.

— Pas pour tout le monde, répliqua Leo, qui ne broncha pas quand Amelia lui écrasa subrepticement les orteils. Tu loges au manoir ?

— Non, je rends visite à de vieux amis de la famille. – Ils possèdent la taverne du village.

— Tu comptes rester longtemps dans la région ?

— Je n'ai pas de plan bien défini. Je travaille sur quelques commandes en jouissant du calme et de la tranquillité de la campagne.

Il reporta brièvement les yeux sur Amelia avant de revenir à Leo.

— Je t'ai envoyé une lettre quand j'ai appris ton accession à la pairie.

— Je l'ai reçue. Encore que je ne me souvienne pas d'un traître mot.

— Pour résumer, je te disais que, bien qu'heureux pour toi, je déplorais la perte d'un brillant rival. Tu m'as toujours obligé à repousser mes limites.

— Oui, mon absence crée un grand vide au firmament de l'architecture, rétorqua Leo, sarcastique.

— C'est vrai, acquiesça Frost sans ironie, avant de se tourner vers Amelia. Puis-je me permettre de remarquer que vous êtes à votre avantage, mademoiselle Hathaway ?

Quelle étrange impression, songea Amelia, comme hébétée. Elle avait été autrefois amoureuse de lui, et voilà qu'ils se parlaient de manière si cérémonieuse. Même si elle ne l'aimait plus, le souvenir d'avoir été étreinte, embrassée, caressée par lui teintait chacune de ses pensées et de ses émotions. Comme une tache de thé sur de la dentelle, il était impossible d'en effacer totalement la trace. Elle se rappelait un bouquet de roses qu'il lui avait offert... Il en avait pris une pour effleurer de ses pétales ses joues et ses lèvres entrouvertes, et il avait souri lorsqu'elle avait rougi. « Mon petit amour », avait-il chuchoté...

— Merci, fit-elle avec un temps de retard. À mon tour, puis-je me permettre de vous offrir mes félicitations pour votre mariage ?

— Je crains que cela ne soit pas nécessaire, répondit Frost, circonspect. Le mariage n'a pas eu lieu.

Amelia sentit s'accentuer la pression de la main de Leo sur sa taille. S'appuyant imperceptiblement contre lui, elle détourna la tête, incapable de parler. Il n'était pas marié !

— Elle a recouvré la raison ? entendit-elle Leo demander d'un ton désinvolte. Ou est-ce toi ?

— Nous nous sommes rendu compte que nous ne nous entendions pas aussi bien qu'on aurait pu l'espérer. Elle a eu la bonté de me libérer de mon engagement.

— Tu t'es fait virer, quoi. Tu travailles toujours pour son père ?

— Leo ! protesta Amelia à mi-voix.

Elle leva les yeux à temps pour surprendre le bref sourire ironique de Frost, si familier qu'elle en eut le cœur serré.

— Tu n'as jamais été du genre à mâcher tes mots, pas vrai ? Oui, je suis toujours employé par Rowland Temple.

Parcourant alors Amelia d'un lent regard, il ajouta :

— Ça a été un plaisir de vous revoir, mademoiselle Hathaway.

Elle se voûta légèrement lorsqu'il eut tourné les talons, puis déclara à son frère d'une voix mal assurée :

— Leo, j'apprécierais beaucoup que tu te montres un tout petit peu plus délicat.

— Tout le monde ne peut pas être aussi suave que ton M. Frost.

— Ce n'est pas *mon* M. Frost. Ça ne l'a jamais été, précisa-t-elle, morose.

— Tu mérites infiniment mieux. Essaie de t'en souvenir si jamais il revient renifler autour de toi.

— Il ne reviendra pas, répliqua Amelia, furieuse de sentir son cœur cogner sourdement.

7

Juste avant l'arrivée des Hathaway, le capitaine Swansea, qui avait servi quatre ans aux Indes, régalait quelques-uns des invités avec le récit d'une chasse au tigre à Vishnupur. Les femmes, et quelques hommes, firent la grimace et laissèrent échapper une exclamation horrifiée quand Swansea décrivit la manière dont le tigre avait planté les dents dans la nuque de sa proie – un cerf –, puis commencé à la dévorer vivante. « Quel animal cruel ! » avait balbutié l'une des invitées.

Mais dès qu'Amelia Hathaway était entrée dans la pièce, Cam s'était retrouvé à sympathiser avec le tigre. Que n'aurait-il donné pour mordre dans la chair tendre de sa nuque, et l'entraîner dans un endroit discret où il aurait pu se délecter d'elle pendant des heures ! Alors que toutes les femmes présentes étaient en grande toilette, Amelia se distinguait par la simplicité de sa mise et son absence de bijoux. Elle était fraîche, gracieuse, appétissante. Il aurait voulu être seul avec elle, en plein air, et disposer librement de son corps. Il savait toutefois qu'il n'était pas censé entretenir ce genre de pensées à propos d'une jeune femme convenable.

Il suivit de loin l'échange, visiblement tendu, entre Amelia, son frère, lord Ramsay, et l'architecte,

Christopher Frost. S'il n'entendit pas leur conversation, il déchiffra sans peine leurs attitudes. À la manière dont Amelia recherchait le soutien de son frère, il comprit qu'il s'était passé quelque chose entre Frost et elle – quelque chose de désagréable. Sans doute une histoire d'amour qui s'était mal terminée. Le simple fait de les imaginer ensemble suffit à l'irriter bien plus qu'il ne l'aurait souhaité. Réprimant une flambée de curiosité déplacée, il détourna les yeux du couple.

La perspective du long dîner ennuyeux qui l'attendait, avec ses conversations polies et son interminable succession de plats, lui arracha un profond soupir. Il avait appris la chorégraphie mondaine qui présidait à ce genre d'événements et maîtrisait les règles rigides des convenances. Au début, il avait même considéré comme un jeu l'acquisition de ce que ces étrangers fortunés appelaient les bonnes manières. Mais il s'était lassé d'errer à la lisière du monde des *gadjé*. La plupart d'entre eux ne voulaient pas l'y admettre, pas plus que lui ne voulait y pénétrer. Il ne semblait pas y avoir de place pour lui ailleurs qu'à la périphérie.

Tout avait commencé deux ans auparavant, le jour où Saint-Vincent lui avait jeté un livret de banque avec la même désinvolture qu'il lui aurait lancé une balle.

— Je vous ai ouvert un compte à la London Banking House and Investment Society. C'est sur Fleet Street. Votre pourcentage sur les profits de *Jenner's* y sera déposé mensuellement. Vous pourrez faire fructifier cet argent si vous le souhaitez, ou ils s'en chargeront pour vous.

— Je ne veux pas d'un pourcentage sur les profits, avait protesté Cam en feuilletant machinalement le livret. J'ai un bon salaire.

— Votre salaire ne couvrirait pas le coût annuel du cirage pour mes bottes.

— Il est plus que suffisant. Et je ne saurais pas quoi faire de ça.

Cam avait été consterné par les chiffres figurant sur la première page. Se rembrunissant, il avait jeté le livret sur une table proche.

— Reprenez-le.

Saint-Vincent avait eu l'air à la fois amusé et vaguement exaspéré.

— Mais enfin ! Maintenant que je suis propriétaire de cet endroit, je ne veux pas qu'on dise que je vous paie un salaire de misère. Croyez-vous que je tolérerais qu'on me traite de radin ?

— On vous a traité de pire, avait fait remarquer Cam.

— Ce qui ne me gêne pas outre mesure si je le mérite. Ce qui a souvent été le cas, j'en suis certain.

Saint-Vincent l'avait étudié d'un air songeur. Puis, avec l'un de ces maudits éclairs d'intuition qu'on n'aurait pas attendus d'un débauché repenti, il avait murmuré :

— Cela ne veut rien dire, vous savez. Vous n'en serez pas moins un bohémien, que je vous paye en livres sterling, en fanons de baleine ou en coquillages.

— Je me suis déjà beaucoup trop compromis. Depuis mon arrivée à Londres, je vis sous un toit, je porte des vêtements de *gadjé*, je travaille contre un salaire. Mais je n'irai pas au-delà.

— C'est juste un livret d'épargne, Rohan, avait répliqué Saint-Vincent d'un ton acide, pas un tas de fumier.

— J'aurais préféré le fumier. Au moins, il servirait à quelque chose.

— Désolé de me montrer indiscret, mais la curiosité est trop forte… En quoi diable le fumier est-il intéressant ?

— C'est un engrais.

— Ah. Eh bien, dans ce cas, considérons les choses de cette manière : l'argent n'est qu'une variété d'engrais différente. Faites quelque chose avec, avait-il ajouté en désignant le livret. Ce que vous voulez. Encore que je vous conseillerais de l'utiliser autrement que comme compost.

Résolu à ne pas garder le moindre *cent*, Cam s'était livré à des investissements aberrants. Et c'est alors que la maudite chance s'était abattue sur lui. Sa fortune grandissante avait commencé à lui ouvrir des portes qui auraient dû lui rester fermées, et ce d'autant plus facilement que les hommes d'affaires et les industriels étaient à présent accueillis dans la haute société. Et, ayant franchi ces portes, Cam s'était mis à penser et à se comporter d'une manière qui ne lui était pas habituelle. Saint-Vincent se trompait : l'argent gommait peu à peu le Rom en lui.

Il avait oublié certaines choses – des mots, des histoires, des chansons qu'on lui chantait pour l'endormir. Il se souvenait à peine du goût des boulettes de pâte parfumées à l'amande et pochées dans du lait, ou des haricots verts mijotés dans du vinaigre et des feuilles de pissenlits. Les visages des membres de sa famille n'étaient plus que des taches floues. Il n'était pas certain qu'il les reconnaîtrait s'il venait à les rencontrer. Pour toutes ces raisons, il craignait de n'être plus un Rom.

D'ailleurs, quand avait-il dormi à la belle étoile pour la dernière fois ?

Les invités qui se dirigeaient vers la salle à manger le tirèrent de ses pensées. Le caractère informel de la soirée les dispensait de former une procession solennelle par ordre de préséance. Une armée de valets de pied en livrée les attendaient, prêts à repousser les chaises et à remplir les verres. Sur la longue table recouverte d'une nappe immaculée étaient disposés des couverts en argent étincelant et plusieurs verres en cristal rangés par ordre de taille.

Cam s'appliqua à arborer une expression neutre quand il découvrit qu'il était assis à côté de la femme du vicaire. Il l'avait déjà rencontrée lors de ses précédents séjours à Stony Cross Park, et savait qu'il la terrifiait. Chaque fois qu'il la regardait ou essayait de lui parler, elle se raclait la gorge, produisant le même genre de toussotement qu'une bouilloire au couvercle mal ajusté.

Sans doute avait-elle entendu trop d'histoires de bohémiens volant des enfants, jetant des sorts ou attaquant des femmes sans défense dans un accès de lubricité incontrôlable. Cam fut tenté de lui confier qu'en règle générale, il ne se livrait à ces méfaits qu'après le deuxième plat. Mais il garda le silence en s'efforçant d'adopter une attitude aussi peu menaçante que possible tandis que, ratatinée sur sa chaise, elle entamait en hâte la conversation avec le gentleman assis à sa gauche.

Se tournant à droite, Cam croisa le regard bleu d'Amelia Hathaway. Ils avaient été placés l'un à côté de l'autre. Une vague de plaisir le parcourut. Elle avait les yeux brillants, les cheveux lustrés, et une peau divine qui devait avoir le goût d'un dessert au lait sucré. Alors qu'il l'étudiait, l'expression *gadjo* «à croquer», qui l'avait amusé la première fois qu'il l'avait entendue, lui vint à l'esprit. Il trouvait le naturel d'Amelia mille fois plus séduisant que la sophistication des autres femmes présentes, poudrées et harnachées de bijoux.

— Si vous essayez de paraître doux et civilisé, sachez que c'est raté, le prévint Amelia.

— Je vous assure que je suis inoffensif.

— Cela vous arrangerait que tout le monde le croie, répliqua-t-elle avec un sourire.

Cam savourait son parfum léger et frais, jouissait des intonations charmantes de sa voix. Il avait envie de lui caresser les joues et la gorge, mais se contenta de la regarder tandis qu'elle disposait sa serviette de table sur ses genoux.

Un valet de pied s'approcha pour remplir leur verre à vin. Cam remarqua qu'Amelia ne cessait de jeter des coups d'œil en direction de ses frère et sœurs. Elle se raidit quand son regard accrocha celui de Christopher Frost, assis presque à l'autre extrémité de la table. Elle semblait fascinée par ce *gadjo*. De toute évidence, il existait encore quelque chose entre eux. Et à en juger par son expression, Frost était plus que désireux de renouer avec elle.

Cam dut faire appel à toute sa volonté – et Dieu sait qu'il en avait – pour ne pas embrocher Christopher Frost avec l'un de ses couverts. Il voulait l'attention d'Amelia. Son attention exclusive.

— Lors du premier grand dîner auquel j'ai assisté à Londres, commença-t-il, je m'attendais à ressortir affamé.

À sa grande satisfaction, Amelia se tourna aussitôt vers lui.

— Pourquoi ?

— Parce que je croyais que les petites assiettes sur le côté étaient celles que les *gadjé* utilisaient pour le plat principal. Ce qui signifiait qu'on n'allait pas avoir grand-chose à manger.

Amelia se mit à rire.

— Vous avez dû être soulagé quand on a apporté les grandes assiettes.

— Même pas. J'étais bien trop occupé à me remémorer les règles de conduite à table.

— Par exemple ?

— Qu'il faut s'asseoir là où on vous l'indique, ne pas parler politique ou fonctions corporelles, manger la soupe sur le côté de la cuillère, ne pas utiliser la pique à crustacés comme fourchette, et ne jamais offrir à quelqu'un un morceau pris dans votre assiette.

— Les Roms échangent la nourriture de leurs assiettes?

Il la regarda sans ciller.

— Si nous mangions à la manière bohémienne, assis autour d'un feu, je vous offrirais les bouchées de viande les plus goûteuses, la tranche de pain la plus tendre, les morceaux de fruits les plus sucrés.

Les joues soudain colorées, Amelia s'empara de son verre de vin. Après en avoir bu une gorgée, elle déclara sans le regarder:

— Il est rare que Merripen parle de ces choses. Je crois que j'en ai plus appris de vous que de lui, que je connais pourtant depuis douze ans.

Merripen. Le *chal* taciturne qui l'accompagnait à Londres. À la familiarité de leurs échanges, on devinait sans peine qu'il était plus qu'un simple domestique à ses yeux.

Avant que Cam puisse poursuivre sur le sujet, on servit le potage. Des maîtres d'hôtel aidés des valets de pied présentèrent à chaque convive de grandes soupières fumantes, offrant le choix entre le consommé de saumon au citron vert et à l'aneth, la soupe d'orties au fromage parfumée au carvi, le potage au cresson garni de fines tranches de faisan ou le velouté aux champignons, enrichi de crème et de cognac.

Après avoir choisi la soupe d'orties et attendu qu'on dépose le petit bol en porcelaine devant lui, Cam se tourna de nouveau vers Amelia. À son grand dépit, son autre voisin avait monopolisé son attention, lui décrivant avec enthousiasme sa collection de porcelaines d'Extrême-Orient. Il résolut donc de s'intéresser à la femme du vicaire. Celle-ci portait sa cuillère à ses lèvres lorsqu'elle sentit son regard sur elle. Elle se remit à toussoter, sa cuillère tremblant dans sa main.

Cam chercha un sujet susceptible de l'intéresser.

— Du marrube, déclara-t-il sur le ton de la conversation.

Affolée, elle écarquilla les yeux tandis qu'une veine se mettait à palpiter sur son cou.

— Ma... ma... ma... balbutia-t-elle.

— Marrube, racine de réglisse et miel. C'est excellent pour se débarrasser des glaires qui encombrent la gorge. Ma grand-mère était guérisseuse, elle m'a fait connaître de nombreux remèdes.

Au mot « glaires », c'est tout juste si les yeux de sa voisine ne lui sortirent pas de la tête.

— Le marrube est aussi préconisé pour la toux et les morsures de serpents, précisa Cam sans se laisser décourager.

Blême, la femme du vicaire reposa sa cuillère dans son bol et, pivotant vers les dîneurs assis à sa gauche, leur accorda une attention désespérée.

Son effort d'amabilité ayant échoué, Cam en fut réduit à observer le ballet des domestiques qui apportaient les plats suivants : ris de veau à la sauce béchamel, terrine de perdrix aux herbes, tourte au pigeon, bécasse en salmis et gratins de légumes.

Mais contrairement aux autres invités, Amelia Hathaway ne prêtait guère attention à ces plats somptueux. Elle semblait concentrée sur la conversation qui se déroulait à l'extrémité de la table, entre son frère Leo et lord Westcliff. Et si elle affichait un visage impassible, ses doigts se crispaient sur sa fourchette.

— ... évident que vous possédez une grande surface de bonne terre retombée en jachère, disait Westcliff, que Leo écoutait sans intérêt apparent. Je mettrai mon propre régisseur à votre disposition afin qu'il vous informe des conditions de métayage dans le Hampshire. En général, il n'y a pas de documents écrits, ce qui signifie que le respect des conditions repose sur l'honneur des deux partis en...

— Je vous remercie, l'interrompit Leo après avoir avalé la moitié de son verre de vin d'une traite, mais je m'occuperai de mes métayers quand je jugerai le moment venu, milord.

— J'ai bien peur qu'il ne soit trop tard pour certains d'entre eux, répliqua Westcliff. La plupart des fermes sur vos terres menacent ruine. Les gens qui dépendent à présent de vous ont été négligés pendant bien trop longtemps.

— Alors, il est grand temps qu'ils apprennent que j'ai pour habitude de négliger les gens qui dépendent de moi. N'est-ce pas, petite sœur ? lança-t-il à Amelia, le regard dur.

Au prix d'un effort manifeste, Amelia s'obligea à desserrer les doigts sur sa fourchette.

— Je suis certaine que lord Ramsay prêtera beaucoup d'attention aux besoins de ses métayers, dit-elle prudemment. Je vous en prie, ne vous fiez pas à son apparente légèreté. Il essaye d'être amusant. En vérité, il a parlé de son intention d'améliorer les baux et d'étudier les méthodes modernes d'agriculture...

— Si j'étudiais quelque chose, coupa Leo d'une voix traînante, ce serait le fond d'une bonne bouteille de porto. Les métayers de Ramsay House ont prouvé leur capacité à s'accommoder d'une aimable négligence... Ils n'ont de toute évidence pas besoin que je me mêle de leurs affaires.

Quelques invités accueillirent ces paroles désinvoltes avec un rire forcé, mais la tension était palpable.

Si Leo avait délibérément voulu se faire un ennemi de Westcliff, il n'aurait pu s'y prendre mieux. Le comte portait un intérêt sincère aux personnes moins bien nanties que lui, et il détestait les aristocrates imbus d'eux-mêmes qui fuyaient leurs responsabilités.

Comme il fronçait les sourcils, le regard froid, Cam entendit Lillian murmurer:

— Flûte!

Mais à l'instant où son mari ouvrait la bouche pour dire son fait à l'insolent, l'une des invitées poussa un hurlement. Deux autres dames bondirent de leur chaise, imitées par quelques messieurs. Tous fixaient le centre de la table d'un air effaré.

Suivant leur regard, Cam aperçut quelque chose – un lézard? – qui se faufilait entre les saucières et les carafes. Sans hésiter, il captura la petite créature qu'il garda ensuite entre ses mains refermées en conque.

— Je l'ai, annonça-t-il tranquillement.

La femme du vicaire s'affaissa sur sa chaise en gémissant, au bord de l'évanouissement.

— Ne lui faites pas de mal! s'écria Beatrix Hathaway. C'est la mascotte de la famille!

— Quel soulagement! déclara lady Westcliff avec calme, les yeux rivés sur son mari qui, à l'autre bout de la table, arborait une expression impassible. J'ai cru qu'il s'agissait d'un de ces mets raffinés dont les Anglais ont le secret.

Le visage de Westcliff se colora brièvement, et il détourna le regard avec une détermination farouche. Pour qui le connaissait bien, il était évident qu'il luttait pour ne pas rire.

— Tu as apporté Spot ici? demanda Amelia, incrédule, à sa jeune sœur. Je t'avais pourtant ordonné de t'en débarrasser!

— J'ai essayé, répondit Beatrix d'un air contrit. Mais quand je l'ai laissé dans le bois, il m'a suivie jusqu'à la maison.

— Beatrix, répliqua Amelia avec sévérité, les reptiles ne suivent pas les gens chez eux.

— Spot n'est pas un lézard ordinaire. Il...

— Nous en discuterons dehors.

Amelia se leva, ce qui obligea les messieurs présents à l'imiter. Elle adressa un regard gêné à Westcliff.

— Je vous demande pardon, milord. Si vous voulez bien nous excuser...

Le comte hocha la tête.

Christopher Frost fixait Amelia avec une intensité qui hérissa Cam.

— Puis-je vous aider? demanda-t-il.

Il s'exprimait d'un ton soigneusement détaché, mais Cam était persuadé qu'il était pressé de se retrouver dehors avec elle.

— Inutile, intervint Cam, suave. Comme vous le voyez, j'ai la situation en main. Je suis à votre service, mademoiselle Hathaway...

Sur ce, le reptile se tortillant entre ses paumes, il quitta la pièce en compagnie des deux sœurs.

8

Cam leur fit franchir une porte-fenêtre donnant dans un jardin d'hiver éclairé par des torches. Entre les colonnes blanches qui supportaient de luxuriantes plantes exotiques, on apercevait les nuages qui couraient dans le ciel sombre.

Dès que la porte fut refermée, Amelia se précipita vers sa sœur, les bras levés. Dans l'intention de la secouer, crut tout d'abord Cam. Mais Amelia attira Beatrix contre elle en pouffant de rire.

— Tu l'as fait exprès, n'est-ce pas? hoqueta-t-elle. Je n'arrivais pas à en croire mes yeux... Ce maudit lézard courant sur la table...

— Il fallait que je fasse quelque chose, répondit Beatrix d'une voix étouffée. Leo se conduisait si mal... Je ne comprenais pas ce qu'il disait, mais je voyais le visage de lord Westcliff...

— Le pauvre Westcliff! Alors qu'il déf... fendait la population locale contre la tyrannie de Leo, balbutia Amelia en s'étranglant de rire, voilà que Spot se faufile entre les assiettes...

— J'espère qu'il va bien, s'inquiéta Beatrix.

Se dégageant de l'étreinte de sa sœur, elle s'approcha de Cam, qui déposa le lézard dans ses mains tendues.

— Merci, monsieur Rohan. Vous êtes très rapide.

— Il paraît, fit-il avec un sourire. Le lézard est un animal qui porte chance. D'aucuns prétendent qu'il favorise les rêves prémonitoires.

— Vraiment ? murmura Beatrix, fascinée. Maintenant que j'y pense, j'ai effectivement beaucoup rêvé ces derniers temps…

— Ma sœur n'a pas besoin d'être encouragée en ce domaine, intervint Amelia, qui adressa ensuite à Beatrix un regard éloquent. Il est temps de dire au revoir à Spot, ma grande.

— Oui, je sais.

Beatrix soupira et jeta un ultime coup d'œil à son protégé entre ses doigts.

— Je vais lui rendre sa liberté. Je pense qu'il préférera vivre ici plutôt qu'à Ramsay House.

— Qui pourrait le lui reprocher ? Trouve-lui un endroit agréable, Bea. Je t'attends ici.

Sa sœur partie, Amelia se retourna et contempla ce que l'on distinguait encore de la maison dans l'obscurité grandissante.

— Que faites-vous ? s'enquit Cam en s'approchant.

— Je contemple une dernière fois Stony Cross Manor, puisque je n'y reviendrai plus.

— J'en doute, répliqua-t-il avec un sourire. Les Westcliff ont continué de recevoir des invités qui avaient fait bien pire.

— Pire que de lâcher un lézard sur la table au beau milieu d'un dîner ? Juste ciel, ils doivent vraiment manquer de compagnie !

— Ils tolèrent sans peine l'excentricité. Ce qu'ils ne supportent pas, en revanche, ajouta-t-il après un silence, c'est l'insensibilité.

Cette allusion à son frère la fit se rembrunir.

— Leo n'était pas insensible, autrefois.

Elle croisa étroitement les bras sur sa poitrine, comme pour se protéger.

— Ce n'est que depuis l'année dernière qu'il est devenu insupportable. Il n'est plus lui-même.

— Parce qu'il a hérité du titre ?

— Non, cela n'a rien à voir. C'est parce que…

Elle détourna le regard.

— Leo a perdu quelqu'un, souffla-t-elle. La scarlatine a fait de nombreuses victimes dans le village, dont une jeune fille qu'il… à qui il était fiancé, en fait. Elle s'appelait Laura, précisa-t-elle d'une voix enrouée. C'était ma meilleure amie, ainsi que celle de Winnifred. Elle était belle, elle aimait peindre et dessiner, elle avait un rire incroyablement communicatif.

Plongée dans ses souvenirs, Amelia se tut quelques instants.

— Laura a été l'une des premières à tomber malade, reprit-elle. Leo passait presque tout son temps à son chevet. Personne ne s'attendait qu'elle meure… c'est arrivé si vite. Au bout de trois jours, elle était si faible et si fiévreuse qu'on sentait à peine son pouls. Finalement, elle a perdu conscience et elle est morte quelques heures plus tard dans les bras de Leo. En rentrant à la maison, il s'est effondré, et nous avons compris que lui aussi était malade. Puis c'est Winnifred qui a été touchée à son tour.

— Et pas le reste de la famille ?

Amelia secoua la tête.

— J'avais déjà éloigné Poppy et Beatrix. Et, pour une raison inconnue, Merripen et moi avons été épargnés. Il m'a aidée à les soigner tous les deux. Sans lui, Leo et Winnifred seraient morts. Merripen a préparé un sirop avec une plante toxique…

— De la belladone, précisa Cam. Pas facile à trouver.

— Oui. Comment le savez-vous ? demanda-t-elle en lui jetant un regard étonné. Vous le tenez de votre grand-mère, je suppose.

Il acquiesça d'un signe de tête.

— La difficulté consiste à en donner suffisamment pour combattre le poison dans le sang, mais pas trop pour ne pas risquer de tuer le patient, expliqua-t-il.

— Eh bien, tous deux s'en sont sortis, Dieu soit loué. Mais Winnifred demeure fragile, comme vous avez probablement pu le constater, et Leo... Désormais, plus rien ni personne n'a d'importance à ses yeux. Pas même lui. J'ignore comment l'aider, avoua-t-elle. Je sais ce que l'on ressent lorsqu'on perd un être qui vous était cher, mais...

Elle secoua la tête, impuissante.

— Vous faites référence à M. Frost ?

Amelia lui adressa un regard aigu et s'empourpra.

— Comment êtes-vous au courant ? Il a dit quelque chose ? Il y a eu des commérages ou...

— Rien de tout cela. Je l'ai compris quand vous parliez avec lui tout à l'heure.

Incrédule, Amelia plaqua les mains sur ses joues en feu.

— Bonté divine, je suis donc si transparente ?

— Peut-être que je suis l'un des *Phuri Dae*, hasarda-t-il en souriant. Un bohémien mystique. Vous étiez amoureuse de lui ?

— Cela ne vous regarde pas, répondit-elle un peu trop vite.

Il l'observa avec attention.

— Pourquoi vous a-t-il quittée ?

— Comment savez-vous...

Elle s'interrompit, comprenant soudain sa stratégie : il la provoquait par ses questions, et déduisait la vérité de ses réactions.

— Oh, et puis zut ! fit-elle en se mettant à frapper le sol du pied à petits coups nerveux. D'accord, je vais vous le dire. Il m'a quittée pour une autre. Une femme plus jolie, plus jeune, et qui se trouvait être la fille de son employeur. Ç'aurait été un mariage très avantageux pour lui.

— Vous vous trompez.

Elle lui jeta un regard perplexe.

— Je peux vous assurer que ç'aurait été plus qu'avantageux pour…

— Il est impossible qu'elle ait pu être plus jolie que vous.

Le compliment lui fit écarquiller les yeux.

— Oh, souffla-t-elle.

S'approchant, Cam lui toucha le pied du sien. Le martèlement cessa aussitôt.

— Une vilaine manie, admit-elle, penaude. Je n'arrive pas à m'en débarrasser.

Elle parcourut le jardin d'hiver des yeux comme si elle ne savait trop où les poser.

— Mademoiselle Hathaway, fit Cam d'un ton posé, est-ce que je vous rends nerveuse ?

Il aurait voulu la prendre dans ses bras et la serrer contre lui jusqu'à ce qu'elle se calme.

Au prix d'un effort visible, elle le regarda, les yeux aussi brillants qu'un lac sous la lune.

— Non, répondit-elle vivement. Non, bien sûr que… En fait, si, vous me rendez nerveuse.

Son honnêteté brutale les surprit tous les deux. L'obscurité s'était faite plus profonde, car l'une des torches s'était éteinte, et leur conversation devint plus heurtée, plus hésitante, aussi délicieuse que des morceaux de sucre d'orge qu'on aurait laissés fondre sur la langue.

— Je ne vous ferais jamais de mal, dit Cam à voix basse.

— Je le sais. Ce n'est pas ce que…

— C'est parce que je vous ai embrassée, n'est-ce pas ?

— Vous… vous avez dit que vous ne vous en souveniez pas.

— Je m'en souviens.

— Pourquoi avoir fait ça ? demanda-t-elle dans un souffle.

— Une impulsion. L'occasion.

Troublé par sa proximité, Cam tenta d'ignorer le désir qui montait en lui.

— Vous n'en attendiez certainement pas moins d'un Rom. Nous prenons ce que nous voulons. Si un Rom désire une femme, il l'enlève. Quelquefois même dans son lit.

Malgré la pénombre, il vit qu'elle rougissait de plus belle.

— Vous venez de dire que vous ne me feriez jamais de mal.

— Si je vous enlevais…

À la simple pensée de son corps souple s'agitant entre ses bras, le sang déferla dans ses veines.

— …vous faire du mal serait bien la dernière chose que j'aurais en tête.

— Bien sûr, vous ne feriez jamais une chose pareille, affirma-t-elle avec un détachement forcé. Nous savons tous deux que vous êtes trop civilisé.

— Vraiment ? Croyez-moi, la question demeure ouverte.

— Monsieur Rohan, essayez-vous de me rendre nerveuse ?

— Non. Non, répéta-t-il doucement.

Enfer et damnation ! Que fabriquait-il ? Il ne parvenait pas à comprendre comment cette femme, dans son innocence si fine et ombrageuse, pouvait le captiver à ce point. Il était en proie à une envie farouche d'atteindre quelque chose en elle, de lui arracher tous ces ornements artificiels : corset, dentelles, souliers, robe, épingles à cheveux.

Amelia prit une profonde inspiration.

— Ce que vous n'avez pas mentionné, monsieur Rohan, c'est que si un Rom enlève une femme dans son lit, selon la tradition, c'est avec l'intention de l'épouser. Et que le prétendu enlèvement est préparé et encouragé par la future épouse.

Cam lui adressa un sourire délibérément charmeur, pour dissiper la tension.

— Le procédé manque de subtilité, mais il allège considérablement les formalités, non ? Pas besoin de la permission du père, pas de bans, pas de fiançailles prolongées. La cour telle que la pratiquent les bohémiens est très efficace.

La réapparition de Beatrix mit un terme à leur conversation.

— Spot est parti, annonça cette dernière. Il semblait plutôt content de s'installer à Stony Cross Park.

Apparemment soulagée que sa sœur soit de retour, Amelia s'approcha d'elle, brossa les miettes de terre accrochées à sa manche et redressa le nœud dans ses cheveux.

— Bonne chance à Spot. Tu es prête à retourner à table ?

— Non.

— Tout ira bien. Rappelle-toi simplement d'avoir l'air contrit pendant que j'arborerai une expression autoritaire, et je suis certaine qu'on nous donnera la permission de rester jusqu'au dessert.

— Je ne veux pas y retourner, s'entêta Beatrix. C'est mortellement ennuyeux, et je n'aime pas tous ces plats compliqués. En plus, je suis assise à côté du vicaire qui ne parle que de ses propres sermons. Ça ne se fait pas de se citer soi-même, tu ne trouves pas ?

— Je reconnais que ça manque de modestie, admit Amelia avec un sourire en caressant les cheveux de sa sœur. Pauvre Beatrix. Tu n'es pas obligée d'y retourner, si cela t'est vraiment trop pénible. Je suis sûre que l'un des domestiques pourra nous indiquer un endroit agréable où tu pourras attendre la fin du dîner. La bibliothèque, peut-être.

— Oh, merci, fit Beatrix. Mais qui créera une autre distraction si jamais Leo recommence à se montrer désagréable ?

— Moi, lui assura Cam avec gravité. Je peux provoquer un scandale en un claquement de doigts.

— Voilà qui ne me surprend pas, déclara Amelia. En fait, je suis presque certaine que vous y prendriez beaucoup de plaisir.

9

À la table des Westcliff, tout le monde fut soulagé d'apprendre que Beatrix avait choisi de passer le reste de la soirée à méditer dans la solitude. Au moins n'avait-on plus à craindre le surgissement intempestif d'une autre «mascotte», quand bien même Amelia avait assuré qu'un incident de ce genre ne se reproduirait pas.

Seule lady Westcliff parut sincèrement affectée par l'absence de Beatrix. La comtesse s'éclipsa entre le quatrième et le cinquième service pour ne reparaître qu'au bout d'un quart d'heure. Amelia apprit plus tard qu'elle avait non seulement fait porter un plateau à Beatrix, mais lui avait rendu visite en personne dans la bibliothèque.

— Lady Westcliff m'a assuré que lâcher un lézard sur la table du dîner n'était rien comparé à ce que sa sœur et elle faisaient lorsqu'elles étaient petites, raconta Beatrix, le lendemain. Elle m'a dit qu'elles étaient de vraies diablesses pourries jusqu'à la moelle. C'est merveilleux, non ?

— En effet, acquiesça Amelia, qui appréciait de plus en plus cette Américaine si détendue et pleine de vie.

Westcliff, c'était autre chose. Le comte était plus qu'intimidant. Et après le refus grossier de Leo d'assumer ses responsabilités vis-à-vis de ses métayers, il ne devait pas être très bien disposé envers leur famille.

Dieu merci, Leo avait réussi à se tenir tranquille jusqu'à la fin du dîner, en grande partie parce qu'il avait ébauché un flirt avec la jolie femme assise à côté de lui. Même s'il avait toujours plu aux femmes, jamais sa compagnie n'avait été aussi ardemment recherchée que depuis quelques mois.

— Je trouve que les femmes ont quelquefois de drôles de goûts, observa Winnifred alors qu'Amelia et elles se tenaient dans la cuisine de Ramsay House. Pourquoi Leo avait-il moins de succès quand il était gentil ? On dirait que plus il se montre odieux, plus elles l'apprécient.

— Qu'elles ne se gênent pas pour le prendre, grommela Amelia. Je ne comprends pas ce qu'on trouve de séduisant à un homme qui a toujours l'air de sortir du lit ou de se préparer à y retourner.

Tout en parlant, elle s'enveloppa la tête d'un morceau de tissu à la manière d'un turban, se préparant à affronter une nouvelle journée de nettoyage. Malheureusement, les femmes engagées pour l'aider ne venaient jamais à l'heure dite, quand elles venaient… Comme Leo était encore couché après une nuit de beuverie, et ne se lèverait sans doute pas avant midi, Amelia était particulièrement irritée contre lui. Après tout, c'était sa maison et son domaine, et il aurait pu au moins aider à les remettre en état. Ou engager des domestiques fiables.

— Ses yeux ont changé, murmura Winnifred. Pas seulement leur expression, mais leur couleur. Tu as remarqué ?

Amelia se figea. Puis répondit après un silence :

— Je croyais que c'était mon imagination.

— Non. Ils ont toujours été bleu foncé comme les tiens. Maintenant, la plupart du temps, ils sont gris clair. Comme une mare sous un ciel hivernal.

— J'imagine que les yeux de certaines personnes changent de couleur avec l'âge.

— Tu sais bien que c'est à cause de Laura.

Un étau parut se refermer autour de la poitrine d'Amelia tandis qu'elle songeait à l'amie qu'elle avait perdue, et au frère qu'elle semblait avoir perdu avec elle. Mais elle ne pouvait s'appesantir sur tout cela maintenant, il y avait trop à faire.

— Je ne crois pas qu'une telle chose soit possible. Je n'ai jamais entendu parler de…

Elle s'interrompit en voyant Winnifred envelopper ses tresses dans un morceau de tissu identique au sien.

— Que fais-tu ? s'enquit-elle.

— Je vais aider, aujourd'hui.

Son ton était placide, mais sa mâchoire délicate crispée.

— Je me sens tout à fait bien et…

— Oh que non ! Tu vas faire une rechute, et il te faudra des jours pour te remettre. Trouve-toi un endroit tranquille où t'asseoir pendant que nous…

— J'en ai assez d'être assise. J'en ai assez de regarder les autres travailler. Je connais mes limites, Amelia. Laisse-moi faire ce que je souhaite.

— Non.

Incrédule, Amelia la regarda s'emparer d'un balai.

— Winnifred, pose ça immédiatement et arrête de te comporter sottement ! Tu n'aideras en rien en t'épuisant à des tâches ménagères.

— Je peux le faire, s'entêta Winnifred en resserrant sa prise sur le manche du balai comme si elle sentait qu'Amelia était sur le point de le lui arracher. Je ne me surmènerai pas.

— Pose ce balai.

— Laisse-moi tranquille !

— Winnifred, si tu ne…

Amelia s'interrompit comme sa sœur fixait le seuil de la cuisine.

Merripen se tenait là, emplissant le chambranle de son imposante carrure. En dépit de l'heure matinale, il était déjà en nage, et sa chemise collait à son torse puissant. Il arborait une expression qu'elles connaissaient bien – implacable, elle signifiait qu'il serait plus facile de déplacer une montagne avec une petite cuillère que de le faire changer d'avis. Sans un mot, il s'approcha de Winnifred et tendit la main.

Tous deux demeurèrent immobiles. Pourtant, en dépit de leur opposition obstinée, Amelia perçut un lien singulier, comme s'ils étaient prisonniers d'une impasse dont aucun des deux ne voulait s'échapper.

Winnifred céda, le visage renfrogné.

— Je n'ai rien à faire, se plaignit-elle d'un ton maussade qui ne lui était pas habituel. J'en ai assez d'être assise, de lire et de regarder par la fenêtre. Je veux me rendre utile. Je veux…

Sa voix mourut quand elle constata que Merripen gardait son expression sévère.

— Bon, très bien. Prends-le ! fit-elle en lui jetant le balai, qu'il attrapa spontanément. Je n'ai plus qu'à trouver un coin quelconque où je pourrai tranquillement devenir folle. Je…

— Viens avec moi, coupa Merripen avec calme.

Après avoir posé le balai, il pivota sur ses talons et sortit.

Winnifred échangea un regard perplexe avec Amelia.

— Que compte-t-il faire ? dit-elle, sa colère évanouie.

— Aucune idée.

Les deux sœurs lui emboîtèrent le pas et pénétrèrent dans la salle à manger. Les hautes fenêtres alignées le long d'un des murs dessinaient de grands rectangles de lumière sur le parquet. Sur une table dressée au milieu de la pièce s'empilaient dans le plus grand désordre des assiettes, des soucoupes, des tasses, des plats plus ou moins enveloppés de chiffons grisâtres. Il y avait là au moins trois services en porcelaine.

— Toute cette vaisselle est à trier, expliqua Merripen en poussant doucement Winnifred vers la table. Il y a de nombreuses pièces ébréchées qu'il faut éliminer.

C'était là une tâche idéale pour Winnifred, suffisante pour l'occuper mais pas assez pénible pour l'épuiser. Reconnaissante, Amelia regarda sa sœur ramasser une tasse à thé et la retourner. Le cadavre desséché d'une minuscule araignée tomba sur le sol.

— Quelle pagaille ! s'exclama Winnifred d'un air ravi. Il faudra aussi que je la lave, je suppose.

— Si tu souhaites que Poppy vienne t'aider... commença Amelia.

— Ne t'avise pas de le lui demander, coupa Winnifred. Je peux fort bien me débrouiller seule.

Elle s'assit sur une chaise et commença à déballer des assiettes.

Merripen baissa les yeux sur sa tête enturbannée et ses doigts frémirent comme s'il mourait d'envie de toucher une mèche blonde échappée de la coiffe improvisée. Son visage durci exprimait la patience de celui qui sait qu'il n'obtiendra jamais ce qu'il désire vraiment. Finalement, du bout de l'index, il repoussa une soucoupe dangereusement proche du bord de la table.

Amelia le suivit lorsqu'il retourna dans la cuisine.

— Merci, Merripen, dit-elle lorsqu'ils furent hors de portée de voix. J'étais si inquiète à l'idée que Winnifred abuse de ses forces que je n'ai pas pensé qu'elle s'ennuyait à ce point.

Merripen ramassa une lourde caisse remplie de bric-à-brac et la hissa sur son épaule d'un geste aisé.

— Elle va mieux, assura-t-il avec un bref sourire avant de se diriger vers la porte.

Il ne s'agissait pas vraiment d'un avis médical autorisé, mais Amelia était certaine qu'il avait raison. Parcourant la cuisine délabrée d'un regard circulaire, elle éprouva une brusque bouffée de joie. Ils avaient fait le bon choix en venant ici. À lieu nouveau, nouvelles possibilités. Peut-être que la chance allait enfin tourner.

Armée d'un balai, d'une pelle, d'un seau et d'une poignée de chiffons, elle gagna l'étage dans l'intention de nettoyer l'une des pièces encore inexplorées. Elle dut peser de tout son poids pour ouvrir la première porte, qui céda avec un craquement suivi d'un grincement de gonds rouillés. Elle se retrouva dans ce qui devait être un petit salon privé, avec des bibliothèques encastrées dans les boiseries.

Il ne restait que deux volumes couverts de poussière sur l'une des étagères. *La pêche à la ligne : un compendium sur l'art du pêcheur plus particulièrement intéressé par le gardon et le brochet*, lut-elle sur la couverture de cuir craquelée du premier. Pas étonnant qu'il ait été abandonné par son propriétaire ! Le second titre se révélait plus prometteur : *Les Exploits amoureux à la cour d'Angleterre sous le règne de Charles II*. Avec un peu de chance, il contiendrait quelques révélations grivoises dont Winnifred et elle pourraient se divertir un peu plus tard.

Après avoir reposé les livres, Amelia se dirigea vers les fenêtres pour aérer la pièce. Les rideaux de velours grisâtres étaient râpés et mangés aux mites, constata-t-elle.

Comme elle tentait de les écarter davantage, la tringle de cuivre se décrocha du plafond et s'abattit bruyamment sur le sol. Enveloppée d'un nuage de poussière, Amelia se mit à éternuer et à tousser.

Un appel lui parvint du rez-de-chaussée. Sans doute Merripen s'inquiétait-il.

— Je n'ai rien, cria-t-elle en réponse.

Après s'être essuyé le visage avec un chiffon, elle s'efforça d'ouvrir la fenêtre, mais celle-ci résista. Elle poussa sur le chambranle, de plus en plus fort, puis donna un coup violent. Avec une soudaineté qui la surprit, la fenêtre s'ouvrit. Déséquilibrée, Amelia tituba, puis se vit partir la tête la première. Elle essaya bien de se raccrocher au bord de la fenêtre, mais le bois céda. Dans un éclair de panique, elle entendit un son étouffé derrière elle.

La seconde d'après, elle sentit qu'on l'empoignait et qu'on la tirait en arrière avec une telle force que tout son corps protesta. Elle heurta durement une surface à la fois solide et souple, puis s'effondra sur le sol dans un fouillis d'étoffes et de membres dont certains ne lui appartenaient pas.

S'apercevant qu'elle était affalée sur un torse masculin solide, elle murmura, embarrassée :

— Merrip…

Mais ce ne furent pas les yeux noirs de Merripen qu'elle croisa en relevant la tête. Non, ceux-là étaient d'un ambre chaud. Un frisson de plaisir lui crispa le ventre.

— Si je dois continuer à voler ainsi à votre secours, il faudrait vraiment que nous discutions d'une récompense, déclara Cam Rohan d'un ton désinvolte.

Il tendit la main pour la débarrasser de son turban de guingois, et ses nattes lui tombèrent sur les épaules. Ce fut l'humiliation qui l'emporta sur tout autre sentiment. Elle était échevelée et maculée de poussière. Pourquoi ne manquait-il jamais une occasion de la surprendre à son désavantage ?

Bredouillant des excuses, elle fit une tentative pour se relever, mais le poids de ses jupes et son corset rigide entravait ses mouvements.

— Non... attendez... l'arrêta Rohan, qui prit une brusque inspiration comme elle se tortillait sur lui.

Il roula sur le flanc, l'entraînant avec lui.

— Qui vous a fait entrer ? réussit à demander Amelia.

Rohan lui jeta un regard innocent.

— Personne. La porte n'était pas fermée et le vestibule était désert.

Repoussant les jupes encombrantes d'Amelia pour se libérer les jambes, il se redressa, puis l'aida à s'asseoir. Jamais elle n'avait vu quelqu'un se mouvoir avec une telle aisance.

— Vous avez fait inspecter cet endroit ? s'enquit-il. La charpente est sur le point de s'effondrer. Je ne pouvais pas prendre le risque de venir ici sans adresser une rapide prière à Butyakengo.

— À qui ?

— C'est un esprit protecteur. Mais à présent que je suis ici, ajouta-t-il en lui souriant, je suis prêt à braver les dangers. Laissez-moi vous aider à vous relever.

Il la tira sur ses pieds, ne la lâchant que lorsqu'elle eut recouvré son équilibre. Ses mains chaudes firent courir des frissons le long des bras d'Amelia, et ce fut d'une voix mal assurée qu'elle demanda :

— Pourquoi êtes-vous ici ?

Rohan haussa les épaules.

— Je vous rendais juste visite. Il n'y a pas grand-chose à faire à Stony Cross Park. La saison de la chasse au renard débute aujourd'hui.

— Vous ne vouliez pas y prendre part ?

Il secoua la tête.

— Je ne chasse que pour manger, pas pour le sport. Et je suis enclin à éprouver de la sympathie pour le renard, m'étant retrouvé dans sa situation une ou deux fois.

Il devait faire allusion à la chasse aux bohémiens, devina Amelia. Elle l'aurait bien interrogé
à ce sujet, mais...

— Monsieur Rohan, commença-t-elle, gênée,
j'aimerais pouvoir jouer les hôtesses, vous inviter
au salon et vous offrir des rafraîchissements. Mais
je n'ai pas de rafraîchissements, et je n'ai même
pas de salon. Pardonnez ma grossièreté, mais le
moment est mal choisi pour une visite...

— Je peux vous aider, proposa-t-il en s'appuyant
de l'épaule contre le mur. Je suis habile de mes
mains.

Il n'y avait pas de sous-entendus dans son ton,
mais Amelia n'en rougit pas moins.

— Non, merci. Je suis sûre que Butayenko désapprouverait.

— *Butyakengo*.

Soucieuse de lui prouver son efficacité, Amelia
s'approcha de l'autre fenêtre et commença à tirer
sur les rideaux fermés.

— Je vous remercie, monsieur Rohan, mais,
comme vous le voyez, j'ai la situation bien en main.

— Je pense que je vais rester. Après vous avoir
empêchée de passer par une fenêtre, je serais
désolé que vous tombiez par l'autre.

— Cela n'arrivera pas. Tout ira bien. Je n'ai pas
besoin...

Elle tira plus fort et la tringle s'écrasa au sol,
exactement comme la première. Toutefois, à la différence de l'autre rideau, celui-ci n'était pas doublé de velours pelé, mais d'un tissu si épais et
chatoyant qu'il semblait presque... qu'il...

Amelia se pétrifia. L'intérieur du rideau était
tapissé d'abeilles... De centaines, non, de milliers
d'abeilles dont les ailes irisées produisaient un
bourdonnement furieux, et qui s'élevèrent soudain
en nuage au-dessus du tissu froissé tandis que
d'autres surgissaient d'une fente dans le mur. Elles

avaient dû trouver un moyen de pénétrer par une crevasse extérieure et établir leur ruche dans un trou du mur. Telles des langues de feu, les insectes environnèrent Amelia, transformée en statue.

Elle sentit le sang refluer de son visage.

— Ô mon Dieu…

— Ne bougez pas, lui conseilla Rohan d'une voix étonnamment calme. Ne tentez pas de les écarter.

Jamais Amelia n'avait connu une peur aussi primitive. Elle enflait sous sa peau, irradiait par tous ses pores, prenait le contrôle de tout son corps. L'air ne cessait de s'épaissir sous l'affluence d'abeilles, toujours plus d'abeilles.

Ça n'allait pas être une façon agréable de mourir. Fermant les yeux, Amelia s'obligea à rester immobile alors que chacun de ses muscles se bandait pour passer à l'action. Elle sentait les insectes se déplacer autour d'elle, frôlant de leur corps minuscule ses manches, ses mains, ses épaules.

— Elles sont encore plus effrayées que vous, entendit-elle Rohan affirmer.

Amelia en doutait fortement.

— Ce ne sont pas des abeilles ef… effrayées, balbutia-t-elle d'une voix qu'elle ne reconnut pas. Ce sont des abeilles fu… furieuses.

— C'est vrai qu'elles ont l'air un peu irritées, concéda Rohan en s'approchant d'elle à pas lents. C'est peut-être votre robe – elles ont tendance à ne pas apprécier les couleurs sombres. Ou alors, ajouta-t-il après une courte pause, c'est parce que vous venez juste de démolir la moitié de leur ruche.

— Si vous avez le… le culot de trouver cela *amusant*…

Elle s'interrompit et se couvrit le visage des mains, tremblant de la tête aux pieds.

— Ne bougez pas, reprit-il d'une voix apaisante. Tout va bien se passer. Je suis là, avec vous.

— Sortez-moi d'ici, chuchota-t-elle, au désespoir.

Son cœur tambourinait si fort dans sa poitrine qu'elle n'arrivait plus à penser. Elle sentit qu'il chassait doucement quelques insectes de ses cheveux et de son dos, puis qu'il refermait les bras autour d'elle. Sa joue reposait à présent contre son épaule solide.

— C'est ce que je vais faire, mon ange, murmura-t-il, répondant à sa supplication. Passez les bras autour de mon cou.

Elle s'exécuta à tâtons, éperdue, le cœur au bord des lèvres. Les muscles de Rohan se tendirent sous ses doigts quand il se pencha vers elle et la souleva aussi aisément qu'une enfant.

— Voilà, souffla-t-il. Je vous tiens.

Ses pieds quittèrent le sol, et elle eut la sensation de flotter dans les airs tout en étant solidement maintenue. Rien de tout cela ne semblait réel : ni l'incessant vrombissement des abeilles ni le torse et les bras puissants qui la protégeaient. La pensée qu'elle aurait pu mourir s'il n'avait pas été là lui traversa l'esprit. Mais il était si calme, si fiable, si imperméable à la peur… L'étau de panique qui lui contractait la gorge commença à se desserrer. Enfouissant le visage au creux de son épaule, elle se détendit légèrement.

Le souffle de Rohan, tiède et régulier, lui frôlait la joue.

— Pour certaines personnes, l'abeille est un insecte sacré, dit-il. C'est un symbole de réincarnation.

— Je ne crois pas à la réincarnation, marmonna-t-elle.

— Quelle surprise ! répliqua-t-il, et elle devina qu'il souriait. Disons au moins que la présence d'abeilles dans votre maison signifie que de bonnes choses vont arriver.

— Que… que signifie le fait d'avoir *des milliers* d'abeilles dans sa maison ? demanda-t-elle d'une voix étouffée.

Il la remonta légèrement dans ses bras, et ses lèvres effleurèrent l'ourlet glacé de son oreille.

— Probablement que vous aurez beaucoup de miel pour accompagner votre thé. Nous allons franchir le seuil. Dans un instant, je vais vous reposer sur le sol.

Amelia ne tourna pas la tête et continua de se cramponner à lui.

— Elles nous suivent ? risqua-t-elle.

— Non. Elles veulent rester près de la ruche. Leur souci principal est de protéger la reine des prédateurs.

— La reine n'a rien à craindre de moi, bonté divine !

Un petit rire roula dans la gorge de Cam. Avec précaution, il remit Amelia debout et, gardant un bras autour d'elle, il tendit l'autre pour refermer la porte.

— Voilà, nous sommes sortis de la pièce. Vous êtes en sécurité. Vous pouvez rouvrir les yeux, à présent, ajouta-t-il en passant la main sur ses cheveux.

Accrochée aux revers de son manteau, Amelia se redressa et attendit d'être submergée par le soulagement. En vain. Son cœur battait trop fort, trop vite. Sa poitrine contractée rendait sa respiration laborieuse. Quand elle releva les paupières, elle ne distingua qu'une pluie d'étincelles.

— Amelia… du calme. Vous n'avez rien. Respirez doucement, dit-il en lui frottant le dos pour dissiper son tremblement.

Mais elle n'y parvenait pas. Ses poumons allaient éclater. Elle avait beau essayer de toutes ses forces, elle n'arrivait plus à inspirer suffisamment d'air. *Les abeilles*… Leur bourdonnement résonnait encore dans ses oreilles. Elle entendit Rohan lui parler, mais sa voix semblait venir de très loin, et alors qu'il refermait de nouveau les bras autour d'elle, elle s'enfonça dans une grise et douce inconscience.

Après ce qui avait pu durer une minute comme une heure, des sensations plaisantes percèrent la brume de son esprit. On lui caressait doucement le front et les paupières. On lui tapotait les joues. Des bras solides la maintenaient contre une surface dure mais confortable, et une odeur fraîche, un peu salée, lui chatouillait les narines. Battant des paupières, elle se tourna vers la source de chaleur avec un vague plaisir.

— Vous revenez à vous, murmura une voix.

Ouvrant les yeux, Amelia aperçut le visage de Cam Rohan au-dessus du sien. Ils étaient par terre dans le couloir, et il la tenait sur ses genoux. Pour ajouter à son humiliation, le devant de son corsage bâillait et son corset était dégrafé. Seule sa chemise chiffonnée lui couvrait la poitrine.

Amelia se raidit dans un sursaut. Elle n'aurait jamais imaginé qu'il existât quelque chose de pire que l'embarras, quelque chose qui vous donnait envie d'être réduite à l'état de cendres.

— Ma… ma robe…

— Vous aviez du mal à respirer. J'ai pensé qu'il valait mieux desserrer votre corset.

— Je ne m'étais jamais évanouie, murmura-t-elle, hébétée, en tentant de s'asseoir.

— Vous avez eu peur. Reposez-vous encore une minute ou deux, dit-il en la retenant doucement. Nous pouvons conclure, je pense, que vous n'aimez pas beaucoup les abeilles.

— Je les hais depuis l'âge de sept ans.

— Pourquoi ?

— Un jour que je jouais dehors avec Winnifred et Leo, j'ai trébuché près d'un rosier. Une abeille m'a piquée au visage, juste ici, précisa-t-elle en posant le doigt sous son œil droit. Tout ce côté a tellement enflé que mon œil s'est fermé… Pendant près de deux semaines…

Il lui effleura la pommette du doigt comme pour effacer cette blessure ancienne.

— Mon frère et ma sœur m'ont surnommée Cyclope. Ils continuent de m'appeler ainsi chaque fois qu'une abeille vole un peu trop près.

Elle remarqua qu'il luttait pour ne pas sourire. Ce qui ne l'empêcha pas d'ajouter, avec un regard de compassion amicale :

— Tout le monde a peur de quelque chose.

— De quoi avez-vous peur ?

— Des plafonds et des murs, principalement.

Elle l'observa avec ahurissement, son esprit fonctionnant encore un peu au ralenti.

— Vous voulez dire que… vous préféreriez vivre dehors comme une créature sauvage ?

— Oui, c'est ce que je veux dire. Avez-vous déjà dormi à la belle étoile ?

— Par terre ?

Son étonnement le fit sourire.

— Sur une paillasse, près d'un feu.

Amelia essaya d'imaginer la scène. Elle, étendue sans défense sur le sol dur, à la merci de n'importe quelle créature rampante ou volante…

— Je ne crois pas que je réussirais à m'endormir dans ces conditions.

Il joua doucement avec une mèche échappée de sa coiffure avant de répondre d'une voix douce :

— Mais si. Je vous y aiderais.

Elle ne voyait pas ce qu'il voulait dire par là. Elle eut, en revanche, une conscience aiguë du frisson sensuel qui la parcourut quand elle sentit ses doigts sur sa nuque. D'un geste maladroit, elle s'efforça de rapprocher les bords de son corsage.

— Je vais vous aider. Vous n'êtes pas encore bien remise.

Après lui avoir écarté les mains, il entreprit de ragrafer son corset avec des gestes sûrs, en homme habitué aux subtilités des sous-vêtements féminins.

Les femmes ne se faisaient sans doute pas prier pour le laisser s'exercer.

— Est-ce que j'ai été piquée ? demanda-t-elle, troublée.

— Non. J'ai vérifié avec soin, précisa-t-il, le regard espiègle.

Amelia réprima un gémissement de détresse. Elle était tentée de repousser ses mains mais, malheureusement, il rajustait ses vêtements avec bien plus d'efficacité qu'elle ne l'aurait fait elle-même. Elle ferma les yeux, vaine tentative pour nier le fait qu'elle gisait entre les bras d'un homme alors qu'il rattachait son corset.

— Vous allez avoir besoin d'un apiculteur pour enlever cet essaim, reprit-il.

— Comment va-t-il toutes les supprimer ? s'enquit-elle en songeant à l'énorme colonie.

— Il se peut qu'il n'ait pas à le faire. Si c'est possible, il les engourdira avec de la fumée et transférera la reine dans une ruche. Les autres suivront. Mais s'il n'y parvient pas, il faudra qu'il supprime la colonie avec de l'eau savonneuse. Le plus gros problème sera d'enlever les rayons et le miel. Si vous ne vous débarrassez pas du tout, ça va fermenter et attirer toute sorte de vermine.

Amelia rouvrit les yeux et le regarda avec inquiétude.

— Il faudra démolir le mur ?

Avant que Rohan puisse répondre, une nouvelle voix se mêla à la conversation.

— Que se passe-t-il ?

C'était Leo, qui venait de se lever et d'enfiler ses vêtements à la hâte, comme en témoignaient ses pieds nus. Il posa sur eux ses yeux injectés de sang.

— Que fais-tu par terre, à moitié déboutonnée ?

Amelia fit mine de réfléchir à la question.

— J'ai décidé d'avoir un rendez-vous galant au milieu du couloir avec un homme que je connais à peine.

— Eh bien, essaye de faire moins de bruit la prochaine fois. Il y en a qui ont besoin de sommeil.

Amelia le fixa d'un air confondu.

— Pour l'amour du ciel, Leo, tu ne te soucies pas de savoir si j'ai été compromise?

— Tu l'as été?

— Je... commença Amelia, qui rougit en interrogeant Rohan du regard. Je ne crois pas.

— Si tu n'en es pas sûre, déclara Leo, tu ne l'as probablement pas été.

Il s'approcha d'elle, s'accroupit, l'étudia un instant, puis demanda d'une voix radoucie :

— Que s'est-il passé, petite sœur?

Elle pointa un doigt tremblant vers la porte fermée.

— Il y a des *abeilles* là-dedans, Leo.

— Des abeilles. Grands dieux! fit-il en lui adressant un sourire à la fois moqueur et affectueux. Quelle poltronne tu fais, Cyclope.

Fronçant les sourcils, Amelia se redressa. Spontanément, Rohan cala le bras dans son dos pour la soutenir.

— Va voir toi-même.

Leo se releva, s'approcha de la porte d'un pas nonchalant, l'ouvrit et pénétra dans le petit salon.

Deux secondes plus tard il en jaillissait comme un diable sortant de sa boîte, claquait la porte et s'adossait au panneau, les yeux exorbités.

— Il doit y en avoir des milliers!

— Je dirais qu'il y en a au moins deux cent mille, dit Rohan.

Quand il eut fini de reboutonner la robe d'Amelia, il l'aida à se mettre debout.

— Lentement, murmura-t-il. Vous risquez d'avoir encore la tête qui tourne un peu.

Elle lui permit de la soutenir le temps de s'assurer qu'elle avait recouvré son équilibre.

— Je me sens bien, à présent. Merci.

Il tenait toujours sa main entre ses longs doigts effilés.

Mal à l'aise, Amelia se dégagea.

— M. Rohan m'a sauvé la vie deux fois aujourd'hui, lança-t-elle à son frère. D'abord, j'ai failli passer par la fenêtre, et ensuite, j'ai reçu la moitié de l'essaim sur la tête.

— Cette masure devrait être rasée et transformée en allumettes, marmonna Leo.

— Il faudrait faire inspecter la charpente, conseilla Rohan. La maison a bougé. Quelques-unes des cheminées penchent, et le plafond de l'entrée est affaissé. Il y a certainement des poutres endommagées.

— Je sais quels sont les problèmes.

Leo n'avait pas apprécié ce constat énoncé avec détachement. Il avait gardé suffisamment de souvenirs de ses études d'architecte pour évaluer lui-même l'état du bâtiment.

— Votre famille n'est peut-être pas en sécurité ici.

— Mais c'est moi que cela regarde. N'est-ce pas ? ajouta-t-il avec un ricanement.

Sensible à la tension croissante, Amelia tenta d'intervenir avec diplomatie.

— Monsieur Rohan, lord Ramsay est convaincu que la maison ne présente pas de danger immédiat pour la famille.

— Je n'en serais pas si aisément convaincu, répliqua Rohan. Pas avec quatre sœurs à ma charge.

— Ça vous intéresse de m'en débarrasser ? lança Leo. Vous pouvez les prendre toutes.

Le silence de Rohan lui arracha un sourire sans joie.

— Non ? Dans ce cas veuillez garder pour vous les conseils qu'on ne vous demande pas.

Son frère arborait un visage si sombre que l'inquiétude et le découragement submergèrent Amelia. Il devenait un étranger. Le désespoir et la fureur le rongeaient si profondément que ses fondations mêmes en étaient ébranlées. Comme la maison, il finirait par s'effondrer lorsque les parties affaiblies de sa structure céderaient.

Imperturbable, Rohan se tourna vers Amelia.

— À défaut de conseil, laissez-moi vous fournir une information : dans deux jours, la Foire au chiffon se tiendra au village.

— Qu'est-ce que c'est ?

— C'est une foire à l'embauche traditionnelle, fréquentée par les gens de la région qui cherchent un emploi. Ils portent des objets ayant un rapport avec leur métier. Une servante sans qualification particulière portera un chiffon – d'où le nom donné à cette manifestation –, un couvreur une touffe de chaume, etc. Vous donnez un shilling à ceux que vous voulez engager pour sceller le contrat et ils resteront à votre service pendant un an.

Amelia jeta un regard circonspect à son frère.

— Nous avons besoin de vrais domestiques, Leo.

— Eh bien, vas-y et engage qui tu veux. Je m'en contrefiche.

Amelia se contenta de hocher la tête.

Qu'il faisait froid ! songea-t-elle en se frottant les bras. Un courant d'air glacé semblait s'infiltrer sous ses vêtements, glisser sur sa nuque humide de sueur. Tous ses muscles se tendaient pour lutter contre ce froid soudain si étrange.

Les deux hommes demeuraient silencieux. Dans son visage sans expression, le regard de Leo paraissait tourné vers l'intérieur.

C'était comme si l'espace autour d'eux se rétractait, s'épaississait jusqu'à prendre la densité de l'eau. Toujours plus froid, plus pesant, plus oppressant… D'instinct, Amelia recula pour s'éloigner de son frère. Et buta contre le torse de Rohan. Elle sentit sa main se poser sur son bras, puis se refermer sur son coude. Parcourue de frissons, elle s'appuya davantage contre lui, savourant sa chaleur, l'énergie vitale qui émanait de son corps.

Leo n'avait pas bougé. Il attendait, le regard vague, comme s'il cherchait à se perdre dans la froidure, comme s'il la désirait, l'accueillait. Son visage était dur et creusé d'ombres.

Quelque chose glissa dans l'espace entre son frère et elle. Elle perçut l'écho d'un mouvement, plus doux qu'une brise, plus délicat qu'une plume…

— Leo ? murmura-t-elle d'une voix incertaine.

Le son de sa voix parut le ramener à lui. Il cligna des yeux et fixa sur elle ses iris presque décolorés.

— Raccompagne Rohan, dit-il sèchement. Si tu juges toutefois avoir été suffisamment compromise pour la journée.

Il tourna les talons et regagna sa chambre dont il referma la porte d'un geste maladroit.

Déroutée par le comportement de son frère et, plus encore, par le froid glacial du couloir, Amelia resta un instant sans bouger. Quand elle pivota pour faire face à Rohan, celui-ci fixait la porte de la chambre de Leo.

Il baissa les yeux sur elle, s'efforçant de conserver une expression soigneusement impassible.

— Je répugne à vous quitter, dit-il d'un ton gentiment moqueur. Vous avez besoin que quelqu'un vous suive partout pour prévenir tout accident. D'un autre côté, il faut aussi que quelqu'un s'occupe de trouver un apiculteur.

Comprenant qu'il ne parlerait pas de Leo, Amelia enchaîna :

— Vous pourriez vous en charger ? Vous nous rendriez là un grand service.

— Bien sûr. Encore que… comme je l'ai dit tout à l'heure, continua-t-il, une étincelle malicieuse dans le regard, je ne peux continuer à vous rendre service sans en être récompensé. Un homme a besoin d'être encouragé.

— Si… si vous voulez de l'argent, je serai heureuse de…

Cette fois, il rit franchement.

— Seigneur, non ! Je ne veux pas d'argent.

Tendant la main, il repoussa les cheveux d'Amelia. Sa paume lui effleura la pommette. La caresse était si légère, si sensuelle, qu'elle dut se retenir pour ne pas fermer les yeux.

— Au revoir, mademoiselle Hathaway. Inutile de me raccompagner.

Avec un grand sourire, il ajouta :

— Et tenez-vous éloignée des fenêtres.

Alors qu'il descendait l'escalier, Rohan croisa Merripen.

À sa vue, le visage de ce dernier s'assombrit.

— Que fais-tu ici ?

— Apparemment, je prête la main à l'éradication des nuisibles.

— Dans ce cas, tu peux commencer par partir, gronda Merripen.

Rohan se contenta de sourire avec nonchalance et poursuivit son chemin.

Après avoir informé le reste de la famille des dangers du petit salon, qui fut promptement baptisé « la chambre aux abeilles », Amelia explora les autres pièces de l'étage avec d'extrêmes précautions. Elle n'eut heureusement pas d'autres mauvaises surprises.

Bien que poussiéreuse et en mauvais état, la maison n'était toutefois pas hostile. Lorsque, par les fenêtres grandes ouvertes, la lumière se déversait sur les sols négligés depuis des années, on avait l'impression qu'elle était avide de s'ouvrir, de respirer et d'être restaurée. En vérité, avec ses excentricités, ses recoins secrets et ses particularités, Ramsay House était un endroit charmant, qui n'avait besoin que d'attentions et de soins. Ce en quoi elle n'était pas vraiment différente de la famille Hathaway elle-même.

En fin d'après-midi, Amelia se laissa tomber sur une chaise dans la cuisine pendant que Poppy préparait du thé.

— Où est Winnifred ? s'enquit-elle.

— Elle se repose dans sa chambre. Elle était épuisée après sa matinée de travail. Elle a refusé de l'admettre, bien sûr, mais ça se voyait à sa pâleur et à ses traits tirés.

— Elle était contente ?

— Elle en avait l'air.

Tout en versant l'eau bouillante dans une théière ébréchée, Poppy lui raconta quelques-unes de ses découvertes. Elle avait notamment trouvé dans l'une des chambres un joli petit tapis qui, après une heure de battage, s'était révélé en bon état et richement coloré.

— Je pense que la plus grande partie de la poussière a été transférée du tapis sur toi, commenta Amelia.

Poppy ayant couvert la moitié inférieure de son visage avec un mouchoir durant l'opération de battage, la poussière s'était déposée sur son front, ses yeux et le haut de son nez. Le mouchoir enlevé, son visage se retrouvait curieusement bicolore, moitié gris, moitié blanc.

— J'y ai pris un plaisir immense, avoua Poppy avec un grand sourire. Rien de tel que de frapper un tapis pour évacuer ses contrariétés.

Amelia s'apprêtait à l'interroger sur lesdites contrariétés lorsque Beatrix entra.

L'adolescente, d'ordinaire si pleine de vie, était silencieuse et abattue.

— Le thé sera bientôt prêt, annonça Poppy tout en tranchant du pain. Tu prendras une tartine, Beatrix ?

— Non, merci. Je n'ai pas faim, répondit sa sœur en s'asseyant à côté d'Amelia, les yeux fixés sur le sol.

— Tu as toujours faim, fit remarquer cette dernière. Qu'y a-t-il, ma grande ? Tu ne te sens pas bien ? Tu es fatiguée ?

Silence. Puis un vigoureux mouvement de dénégation. Le doute n'était plus permis, quelque chose tracassait Beatrix.

Amelia posa la main sur l'épaule mince de sa cadette et se pencha vers elle.

— Beatrix, qu'y a-t-il ? Dis-le-moi. Est-ce que tes amies te manquent ? Ou Spot ? Tu te sens…

— Non, ce n'est pas ça, murmura Beatrix en baissant la tête.

— Alors, c'est quoi ?

— Il y a quelque chose qui ne tourne pas rond chez moi, répondit-elle d'une voix enrouée. Ça a recommencé, Amelia. Je n'ai pas pu m'en empêcher. Je m'en souviens à peine, mais je…

— Oh, non, murmura Poppy.

— C'est le même problème qu'auparavant ? s'enquit Amelia sans lui lâcher l'épaule.

Beatrix hocha la tête.

— Je vais me tuer ! déclara-t-elle avec véhémence. Je vais m'enfermer dans la chambre aux abeilles. Je vais…

— Chut. Tu ne feras rien de tout ça, coupa Amelia en lui frottant tendrement le haut du dos. Calme-toi, et laisse-moi réfléchir un instant.

Par-dessus la tête de Beatrix, elle croisa le regard soucieux de Poppy.

Le « problème » s'était manifesté épisodiquement au cours des quatre dernières années, autrement dit depuis la mort de leur mère. De temps à autre,

Beatrix était en proie à une irrésistible envie de voler quelque chose, soit chez un commerçant, soit au domicile de quelqu'un. En général, il s'agissait d'objets insignifiants : une paire de minuscules ciseaux à broder, des épingles à cheveux, un bout de crayon, un bâton de cire. Mais il était arrivé qu'elle prenne des objets de valeur, comme une tabatière ou une boucle d'oreille. Pour autant qu'Amelia pût en juger, ces petits délits n'étaient jamais prémédités. Le plus souvent, sa sœur ne prenait conscience que tardivement de son acte. Elle était alors torturée par le remords, auquel s'ajoutait une bonne dose de peur. Découvrir que l'on ne contrôlait pas toujours ses actions avait quelque chose d'inquiétant.

Les Hathaway avaient gardé secret le problème de Beatrix, évidemment, se débrouillant pour remettre discrètement les objets volés à leur place. Comme il n'y avait pas eu de nouvel incident depuis près d'un an, tous avaient supposé que Beatrix était guérie de cette pulsion inexplicable.

— Je présume que tu as pris quelque chose à Stony Cross Manor, reprit Amelia avec un calme forcé. C'est le seul endroit où tu t'es rendue.

Beatrix acquiesça d'un air affligé.

— C'était après avoir relâché Spot. En gagnant la bibliothèque, j'ai jeté un coup d'œil dans quelques pièces et... Ce n'était pas mon intention, Amelia ! Je ne voulais pas !

— Je sais.

Amelia l'entoura du bras, dans un élan maternel qui la poussait à consoler et à protéger.

— Nous arrangerons ça, Beatrix. Nous remettrons tout en place et personne n'en saura jamais rien. Dis-moi simplement ce que tu as pris, et essaye de te souvenir dans quelles pièces.

— Voilà... Tout est là, fit Beatrix qui, après avoir plongé les mains dans les poches de son tablier, laissa tomber une petite collection d'objets sur ses genoux.

Amelia se saisit du premier. Il s'agissait d'un cheval en bois, pas plus gros que le poing, avec une crinière en soie et une tête délicatement peinte. Il était fort usé d'avoir été manipulé, et il y avait des marques de dents sur son corps.

— Les Westcliff ont une fille qui est encore petite, murmura-t-elle. Il doit lui appartenir.

— J'ai pris son jouet à un bébé, gémit Beatrix. C'est la chose la plus minable que j'aie jamais faite. Je mérite d'aller en prison.

Amelia s'empara ensuite d'une carte sur laquelle deux images identiques étaient imprimées côte à côte. Sans doute était-elle destinée à être insérée dans un stéréoscope, un instrument qui, en superposant les deux images, donnerait une impression de relief et de profondeur.

Il y avait aussi une clé tout ce qu'il y avait de banale. Et enfin… Seigneur! Le dernier objet était un cachet en argent dont le sceau portait une couronne gravée. On l'utilisait pour sceller le courrier en l'apposant sur de la cire prévue à cet usage. Il était lourd, sans doute coûteux, le genre d'objet que l'on se transmettait de génération en génération.

— Il était dans le bureau de lord Westcliff, marmonna Beatrix. Sur sa table de travail. Il l'utilise probablement pour sa correspondance officielle. Je peux aller me pendre, maintenant.

— Nous devons le rendre immédiatement, déclara Amelia, le front soudain emperlé de sueur. Si quelqu'un s'aperçoit de sa disparition, on pourrait accuser un domestique.

Les trois femmes gardèrent un silence horrifié à cette idée.

— Nous rendrons visite à lady Westclif demain matin, décréta Poppy d'une voix un peu crispée. Est-ce que c'est l'un des jours où elle reçoit?

— Peu importe, répliqua Amelia, qui luttait pour paraître calme. Nous n'avons pas de temps à perdre. Toi et moi irons la voir demain, qu'elle reçoive ou pas.

— J'irai aussi ? hasarda Beatrix.

— Non ! répondirent Amelia et Poppy en chœur.

Le risque que Beatrix ne soit pas capable de se contrôler était trop grand.

— Merci, fit-elle, visiblement soulagée. Je suis désolée que vous ayez à réparer mes bêtises. Je devrais être punie d'une manière ou d'une autre. Peut-être que je pourrais aller confesser ma faute et présenter des exc…

— Nous en viendrons là si nous sommes découvertes, répondit Amelia. Dans un premier temps, essayons d'étouffer l'affaire.

— Faudra-t-il le dire à Leo, à Winnifred et à Merripen ? voulut savoir Beatrix.

— Non, murmura Amelia en déposant un rapide baiser sur ses cheveux en désordre. Nous garderons cela pour nous. Poppy et moi nous chargerons de tout, ne t'en fais pas.

— Très bien. Merci.

Un peu rassurée, Beatrix se blottit contre elle avec un soupir.

— J'espère simplement que vous ne vous ferez pas prendre.

— N'aie aucune crainte, nous nous débrouillerons pour que ça n'arrive pas, assura Poppy.

— Problème résolu, conclut Amelia.

Par-dessus la tête de leur sœur, elle échangea néanmoins un regard anxieux avec Poppy.

10

— Je ne comprends pas pourquoi Beatrix fait ce genre de choses, soupira Poppy le lendemain matin, alors qu'Amelia s'emparait des rênes de la voiture.

Elles se rendaient à Stony Cross Manor, les objets volés dissimulés dans les poches de leurs plus belles robes.

— Je suis certaine que ce n'est pas intentionnel, répondit Amelia, le front soucieux. Si ça l'était, elle volerait des choses qu'elle désire vraiment, comme des rubans pour les cheveux, des gants ou des bonbons, et elle ne l'avouerait pas ensuite. J'ai l'impression que cela survient quand il y a eu un changement significatif dans son existence. Quand papa et maman sont morts, puis quand Leo et Winnifred sont tombés malades… et maintenant, alors que nous venons de tout quitter pour nous installer dans le Hampshire. Il nous faut simplement essayer de régler le problème le plus discrètement possible, puis faire en sorte que Beatrix vive dans une atmosphère calme et sereine.

— Il n'y a rien de calme et de serein chez nous, répliqua Poppy sombrement. Oh, Amelia, pourquoi faut-il que notre famille soit si bizarre ?

— Nous ne sommes pas bizarres.

— Les gens bizarres ne pensent jamais qu'ils le sont.

— Je suis parfaitement ordinaire, protesta Amelia.

— Pff !

Amelia jeta un regard surpris à sa sœur.

— Au nom du ciel, que signifie ce « Pfff » ?

— Tu essayes de diriger tout et tout le monde. Et tu ne fais confiance à personne en dehors de la famille. Tu es comme un porc-épic. Personne ne peut aller au-delà des piquants.

— Eh bien, je suis gâtée ! commenta Amelia, indignée. Être comparée à un gros rongeur irritable alors que j'ai décidé de passer le reste de mon existence à veiller sur la famille…

— Personne ne te l'a demandé.

— Il faut bien que quelqu'un s'en charge. Et je suis l'aînée des Hathaway.

— C'est Leo, l'aîné.

— Je suis l'aînée *sobre* des Hathaway.

— Ce qui ne t'oblige pas pour autant à te sacrifier.

— Je ne me sacrifie pas. Je prends simplement mes responsabilités. Et tu es d'une ingratitude !

— Tu préfères de la gratitude ou un mari ? Personnellement, je choisirais le mari.

— Je ne veux pas d'un mari.

Elles se chamaillèrent ainsi durant tout le trajet. Quand elles arrivèrent à Stony Cross Park, elles étaient toutes deux fâchées et énervées.

On les fit attendre dans le vestibule pendant qu'un valet allait prévenir de leur arrivée. Au grand soulagement d'Amelia, il les fit entrer ensuite au salon en les informant que lady Westcliff les y rejoindrait sous peu.

La pièce était claire et spacieuse, avec des vases garnis de fleurs fraîches, d'élégants fauteuils en citronnier tendus de soie bleu ciel et une cheminée de marbre blanc dans laquelle crépitait une bonne flambée.

— Dieu que c'est joli ici, et ça sent si bon ! s'exclama Poppy. Et regarde comme les vitres brillent !

Amelia garda le silence, mais elle ne pouvait qu'être d'accord. À voir la splendeur immaculée de ce salon, à l'opposé de celui de Ramsay House, elle éprouvait une culpabilité qui la rendait morose.

— Ne l'enlève pas, dit-elle à sa sœur, qui dénouait les brides de son bonnet. Tu es censée le garder lorsque tu es en visite.

— Seulement en ville, argua Poppy. À la campagne, l'étiquette est moins stricte. Franchement, je ne pense pas que lady Westcliff s'en offusquerait.

— S'offusquerait de quoi ? s'enquit une voix féminine.

Lady Westcliff se tenait sur le seuil, vêtue d'une robe rose qui soulignait la finesse de sa taille, sa chevelure brune rassemblée en une masse luxuriante. Son sourire étincelait de malice et de charme. Elle tenait par la main une petite fille brune en robe bleue qui lui ressemblait trait pour trait.

— Milady, la saluèrent Amelia et Poppy en s'inclinant. Lady Westcliff, enchaîna Amelia, nous étions simplement en train de nous demander s'il n'était pas incorrect d'enlever nos bonnets.

— Au diable les cérémonies ! Débarrassez-vous de vos bonnets, bien sûr. Et appelez-moi Lillian. Voici ma fille, Merritt. Nous jouions un peu ensemble avant sa sieste matinale.

— J'espère que nous ne vous dérangeons pas, commença Poppy d'un ton d'excuses.

— Pas du tout. Si vous voulez bien supporter nos jeux un peu bruyants, nous serons ravies de votre compagnie. J'ai fait demander du thé.

Elles s'assirent et ne tardèrent pas à bavarder amicalement. Merritt perdit très vite toute timidité et leur montra sa poupée préférée, qui s'appelait Annie, ainsi que la collection de cailloux et de feuilles qu'elle gardait dans sa poche. Lady Westcliff était une mère visiblement joueuse et aimante, qui n'hésitait pas à se mettre à quatre pattes sur le tapis pour aller chercher un caillou ayant roulé sous la table.

Des relations comme celles que Lillian entretenait avec sa fille étaient plutôt rares dans l'aristocratie. D'une manière générale, les invités étaient rarement en présence des enfants, sinon pour une brève présentation, accompagnée d'un tapotement sur la tête. La plupart des femmes du rang de la comtesse ne voyaient leur progéniture qu'une ou deux fois par jour, et abandonnaient l'essentiel des soins et de l'éducation à la nourrice et aux bonnes.

— Je ne peux me passer de ma fille, expliqua Lillian avec franchise. Sa nounou a donc dû apprendre à supporter mes ingérences.

Lorsque l'on apporta le thé, Annie fut installée sur le sofa entre Poppy et Merritt. La petite fille pressa le bord de sa tasse de lait contre les lèvres peintes de la poupée.

— Annie veut plus de sucre, maman, annonça-t-elle.

Lillian sourit, sachant très bien qui boirait le lait.

— Dis à Annie qu'on ne met jamais plus de deux morceaux dans sa tasse, ma chérie. Sinon, elle risque d'être malade.

— Mais elle adore les sucreries, protesta l'enfant, qui ajouta, menaçante : Et, des fois, elle se met en colère.

— *Tsss, tsss,* fit Lillian en secouant la tête. C'est vraiment une forte tête, cette poupée. Il faut être ferme avec elle, Merritt.

Poppy, qui avait suivi cet échange en souriant, prit soudain une expression perplexe et se tortilla légèrement sur le canapé.

— Mon Dieu, je crois que je suis assise sur quelque chose...

146

Après avoir passé la main derrière elle, elle brandit le petit cheval en bois en affectant de l'avoir trouvé entre les coussins.

— Mon cheval! s'écria Merritt en refermant les doigts sur le jouet. Je croyais qu'il s'était sauvé!

— Je remercie le ciel, intervint Lillian. C'est l'un de ses jouets préférés, et toute la maison s'était mobilisée pour le retrouver.

Amelia croisa le regard de Poppy et son sourire vacilla. Avait-on découvert que d'autres objets avaient disparu? Il fallait vraiment les remettre à leur place le plus rapidement possible.

Elle s'éclaircit la voix.

— Milady... je veux dire, Lillian... si cela ne vous ennuie pas... j'aimerais savoir où se trouvent les commodités...

— Oh, bien sûr! Voulez-vous que je demande à une domestique de vous y conduire?

— Non, merci, je devrais réussir à me débrouiller seule, assura Amelia.

Après avoir écouté les indications de Lillian, elle s'excusa et quitta le salon.

D'abord la bibliothèque, décida-t-elle. S'efforçant de se remémorer la description du rez-de-chaussée faite par Beatrix, elle s'élança dans un couloir. Elle ralentit le pas en apercevant une servante en train de balayer le tapis et feignit d'avoir l'air de savoir où elle allait. La jeune domestique cessa de balayer et se tint respectueusement sur le côté pour la laisser passer.

Après avoir bifurqué, Amelia se trouva face à une bibliothèque de belle dimension dont la porte était grande ouverte. Par chance, elle était vide. Elle se précipita à l'intérieur et aperçut un stéréoscope posé sur une table. Non loin se trouvait un coffret en bois rempli de cartes identiques à celle qu'elle tenait à la main. Après l'avoir fourrée au milieu des autres, elle s'élança hors de la pièce, ne s'arrêtant que le temps d'insérer la clé dans la serrure.

Il ne lui restait plus qu'à trouver le bureau de lord Westcliff. Consciente du poids du cachet en argent contre sa cuisse, elle pria pour que ce dernier ne soit pas là.

Beatrix lui avait dit que le bureau se trouvait près de la bibliothèque. Mais la première porte qu'Amelia poussa était celle d'un salon de musique. La deuxième, de l'autre côté, donnait dans un placard rempli de seaux, de balais, de chiffons et de pots d'encaustique.

— Flûte, flûte et flûte! marmonna-t-elle en courant vers une autre porte.

Une salle de billard. Occupée, de plus, par une demi-douzaine de messieurs absorbés par le jeu. Pire... l'un d'eux était Christopher Frost. Son visage séduisant prit une expression interdite quand leurs yeux se croisèrent.

Amelia s'immobilisa, les joues en feu.

— Veuillez m'excuser, murmura-t-elle avant de s'éclipser en hâte.

Elle eut néanmoins le temps de remarquer, consternée, que Christopher esquissait un mouvement, comme pour la suivre. Mais elle était si pressée de se sauver qu'elle ne vit pas quelqu'un passer devant Frost, le prenant de vitesse.

— Mademoiselle Hathaway!

En entendant une voix masculine, Amelia fit volte-face. Elle s'attendait à voir Christopher Frost, aussi sa surprise fut-elle considérable quand elle découvrit Cam Rohan.

— Monsieur.

Il était en manches de chemise, le col un peu lâche comme s'il avait tiré dessus. Il avait dû aussi se passer les doigts dans les cheveux, car leur masse soyeuse était quelque peu en désordre. Le pouls d'Amelia s'emballa. Elle attendit, un peu raide, tandis qu'il la rejoignait d'un pas souple.

Christopher Frost s'encadra sur le seuil de la salle de billard, leur jeta un regard renfrogné, puis battit en retraite à l'intérieur.

S'arrêtant devant Amelia, Rohan la salua d'un signe de tête.

— Puis-je vous aider? s'enquit-il poliment. Avez-vous perdu votre chemin?

Renonçant à toute prudence, Amelia murmura d'un ton pressant:

— Monsieur Rohan, savez-vous où se trouve le bureau de lord Westcliff?

— Oui, bien sûr.

— Montrez-le-moi.

Rohan eut un sourire perplexe.

— Pourquoi?

— Je n'ai pas le temps de vous expliquer. Conduisez-moi là-bas, s'il vous plaît. Vite!

Obligeamment, il la guida jusqu'à une petite pièce lambrissée de bois de rose, un peu plus loin dans le couloir. C'était un bureau masculin plutôt austère, abstraction faite des vitraux de couleur qui garnissaient la rangée de fenêtres rectangulaires.

Rohan referma la porte derrière eux.

Glissant la main dans sa poche, Amelia en sortit le lourd cachet.

— Où est sa place habituelle?

— À droite du bureau, près de l'encrier, répondit Rohan. Comment s'est-il retrouvé en votre possession?

— Je vous expliquerai plus tard. Je vous en supplie, n'en parlez à personne. J'espère simplement que lord Westcliff n'a pas remarqué sa disparition, ajouta-t-elle après avoir replacé le cachet sur le bureau.

— Quel usage comptiez-vous en faire, au départ?

s'enquit Rohan d'un ton négligent. Vous vous adonnez à la contrefaçon, c'est ça ?

— À la contrefaçon ! s'écria Amelia en pâlissant.

Une lettre signée du nom de Westcliff, portant le sceau de sa famille, serait un instrument puissant, à n'en pas douter. Comment interpréter autrement l'emprunt de ce cachet ?

— Oh, non, je n'aurais pas… C'est-à-dire, je n'avais pas l'intention…

Elle s'interrompit brutalement, le cœur battant, en entendant la poignée de la porte tourner. Durant cet infime laps de temps, l'angoisse et la résignation la transpercèrent simultanément. C'était fini. Se faire prendre si près du but, c'était trop bête ! Et impossible d'expliquer sa présence dans le bureau de Westcliff sans révéler le problème de Beatrix. La famille serait déshonorée, et l'avenir de sa sœur dans la bonne société compromis. Avoir un lézard comme animal domestique était une chose, voler en était une autre.

Toutes ces pensées déferlèrent en même temps dans l'esprit d'Amelia. Mais alors qu'elle se raidissait, attendant le coup de grâce, Rohan la rejoignit en deux enjambées. Avant qu'elle puisse esquisser un geste, il l'avait violemment attirée contre lui et s'était emparé de sa bouche.

Il l'embrassa avec une impétuosité indécente qui lui fit tourner la tête. Elle esquissa un geste pour s'écarter, et ses paumes rencontrèrent le mur de muscles de son torse. C'était, lui sembla-t-il, le seul élément solide dans un monde kaléidoscopique. Elle cessa de le repousser à mesure que son corps épousait les durs contours du sien, reconnaissait son frais parfum boisé et la caresse sensuelle de sa bouche. Elle avait revécu son baiser un millier de fois dans ses rêves, et ne s'en était pas rendu compte jusqu'à cet instant.

150

Il la força doucement à lever le visage vers lui, le bout de ses doigts frôlant la peau sensible derrière ses oreilles, tout en continuant à la nourrir d'un feu concentré jusqu'à ce que sa bouche la picote délicieusement et que ses jambes se mettent à trembler. Il jouait délicatement de la langue, l'explorait sans hâte tandis qu'elle s'accrochait à lui, en proie à un plaisir ahurissant.

Puis il lâcha sa bouche, son souffle comme une caresse sur ses lèvres, et tourna la tête pour s'adresser à la personne qui venait d'entrer.

— Je vous demande pardon, milord. Nous voulions un moment d'intimité.

Amelia devint écarlate quand, suivant son regard, elle découvrit lord Westcliff sur le seuil, l'expression indéchiffrable.

Un silence absolu régna pendant une seconde. Le regard du comte se posa sur le visage d'Amelia, puis revint à Rohan. Une étincelle amusée s'alluma dans ses yeux sombres.

— J'ai l'intention de revenir dans une demi-heure environ. Il vaudrait sans doute mieux que mon bureau soit libre à ce moment-là.

D'un hochement de tête courtois, il prit congé.

Aussitôt la porte refermée derrière lui, Amelia appuya le front contre l'épaule de Rohan en laissant échapper un gémissement. Elle se serait volontiers écartée de lui, mais elle redoutait que ses genoux ne la trahissent.

— Pourquoi avez-vous fait cela ?

— Il fallait justifier notre présence ici, répondit-il sans paraître le moins du monde repentant. Cela m'a semblé la meilleure solution.

Amelia secoua lentement la tête, le front toujours contre son épaule. Son odeur à la fois douce et sèche lui rappelait une prairie baignée de soleil.

— Vous pensez qu'il en parlera à quelqu'un ?

— Non, la rassura-t-il aussitôt. Westcliff n'est pas porté sur les commérages. Il n'en soufflera mot à quiconque sauf à…

— Sauf à ?

— Lady Westcliff. Il le lui racontera probablement.

Après réflexion, Amelia jugea que ce n'était peut-être pas si terrible. Lady Westcliff ne semblait pas être du genre à la condamner pour cela. Elle donnait même l'impression d'être assez tolérante en matière de comportements scandaleux.

— Évidemment, poursuivit Rohan, si lady Westcliff est au courant, il y a de fortes chances pour qu'elle en parle à lady Saint-Vincent, qui est attendue avec lord Saint-Vincent à la fin de la semaine. Et comme lady Saint-Vincent raconte tout à son mari, il l'apprendra, lui aussi. À part eux, personne ne le saura. À moins que…

Amelia releva vivement la tête, telle une marionnette dont on aurait brusquement tiré le fil.

— À moins que quoi ?

— À moins que lord Saint-Vincent n'y fasse allusion devant M. Hunt qui, sans aucun doute, en parlera à Mme Hunt, et là… tout le monde sera au courant.

— Oh, non… Je ne le supporterai pas.

Il lui jeta un regard aigu.

— Pourquoi ? Parce que vous avez été surprise en train d'embrasser un bohémien ?

— Non, parce que je ne suis pas le genre de femme à être surprise en train d'embrasser *qui que ce soit*. Je n'ai pas de rendez-vous galants ! Quand tout le monde sera au courant, il ne me restera plus la moindre parcelle de dignité. Ma réputation sera ruinée. Je… Qu'est-ce qui vous fait sourire ?

— Vous. Je ne m'attendais pas à un tel mélodrame.

Sa réflexion agaça Amelia, qui n'était pas femme à s'adonner aux scènes théâtrales. Elle glissa une main ferme entre eux pour le repousser.

— Ma réaction est parfaitement raisonnable si l'on considère…

— Vous vous en sortez bien.

Elle cligna des yeux, déconcertée.

— En matière de mélodrame ?

— Non, de baiser. Avec un peu d'entraînement, vous pourriez être exceptionnelle. Mais il faut que vous vous détendiez.

— Je ne veux pas me détendre. Je ne veux pas… Ô Dieu !

Il avait penché la tête, et sa bouche chercha l'endroit sensible où battait son pouls. Une onde brûlante la traversa.

— Ne faites pas ça, dit-elle d'une voix faible.

Mais il insista, ses lèvres perversement douces, et le souffle d'Amelia se bloqua dans sa gorge quand elle sentit sa langue l'effleurer.

Elle posa en toute hâte les mains sur ses larges épaules.

— Monsieur Rohan, vous ne devez pas…

— Voilà comment on embrasse, Amelia, coupa-t-il en lui inclinant la tête d'un geste adroit. Les nez vont par là…

De nouveau, la sensation déconcertante de sa bouche sur la sienne, suivie d'un déferlement de chaleur sensuelle.

— Vous avez un goût de sucre et de thé.

— Je sais déjà embrasser !

— Vraiment ? murmura-t-il en passant le pouce sur ses lèvres pour les inciter à s'ouvrir. Alors, montrez-moi… Laissez-moi entrer, Amelia.

Jamais, au cours de son existence, elle n'aurait imaginé qu'un homme lui tiendrait un jour des propos aussi scandaleux. Et si les mots étaient inconvenants, l'étincelle dans ses yeux était proprement indécente.

— Je… je suis une vieille fille !

Elle avait lancé cela comme s'il s'agissait d'un talisman. Chacun savait que les débauchés étaient censés laisser les vieilles filles tranquilles.

Mais, apparemment, personne n'en avait averti Cam Rohan, car il esquissa un sourire et déclara :

— Cela ne vous protégera pas de moi.

Elle essaya de se détourner, mais il ramena son visage vers le sien.

— Je ne peux pas m'empêcher de vous toucher, semble-t-il. En vérité, je suis en train de reconsidérer toute ma politique en matière de vieilles filles.

Avant qu'elle puisse lui demander en quoi consistait sa politique, sa bouche s'empara de nouveau de la sienne tandis que, des doigts, il caressait sa mâchoire crispée pour l'inciter à se détendre. Même dans les moments les plus ardents, Christopher Frost ne l'avait jamais embrassée ainsi, d'une manière qui semblait la consumer lentement. Les lèvres de Cam frottèrent les siennes, puis leur imposèrent leur sceau brûlant tandis que sa langue lui fouaillait la bouche, joueuse et caressante tout à la fois. Il l'attira tout contre lui, ses mains se promenèrent sur son dos, ses épaules, et quand il interrompit leur baiser, ce fut pour explorer son cou de ses lèvres. Elle frissonna, et laissa échapper un gémissement involontaire.

Rohan releva la tête. Ses yeux étincelaient comme si ses iris cernés de noir contenaient du soufre.

— C'est probablement une mauvaise idée, articula-t-il lentement, semblant ramasser les mots comme autant de feuilles mortes.

Amelia acquiesça d'un signe de tête tremblant.

— Oui, monsieur Rohan.

— Je m'appelle Cam, fit-il en lui frôlant les pommettes du bout des doigts.

— Je ne peux vous appeler ainsi.

— Pourquoi ?

— Vous savez pourquoi, répondit-elle d'une voix qui chevrota quand elle sentit sa bouche descendre sur sa joue. Que signifie-t-il ?

— Mon prénom ? C'est le terme rom qui désigne le soleil, répondit-il avant d'embrasser l'extrémité de son sourcil. Savez-vous qu'un Rom a trois prénoms ?

Elle secoua lentement la tête.

— Le premier est un nom secret que la mère murmure à l'oreille de son enfant à sa naissance, chuchota-t-il contre sa tempe. Le deuxième est un nom tribal utilisé uniquement par les autres bohémiens. Le troisième est celui qu'utilisent ceux qui ne sont pas roms.

Elle baignait dans son parfum, discret, frais et délicieux.

— Quel est votre nom tribal ?

Il sourit contre sa joue.

— Je ne peux pas vous le dire. Je ne vous connais pas encore assez.

Pas encore. La promesse contenue dans ces deux mots lui coupa le souffle.

— Lâchez-moi, chuchota-t-elle. Je vous en prie, nous ne devons pas…

Mais il se pencha pour s'emparer de sa bouche avec avidité, et le reste de sa phrase se perdit.

Submergée de plaisir, Amelia enfouit les doigts dans ses cheveux, et éprouva une satisfaction aiguë à les sentir glisser entre ses doigts. Sentant qu'elle le touchait, Rohan l'encouragea d'un murmure. Le rythme de sa respiration s'altéra ; elle se fit plus rauque, tandis que ses baisers devenaient durs et langoureux.

Il prit ce qu'elle lui offrait, et même davantage, plongeant la langue plus profondément, éveillant en elle des sensations inédites, jusqu'à ce qu'elle ne soit plus capable d'aligner deux pensées cohérentes.

D'un geste abrupt, Rohan arracha sa bouche à la sienne et la tint étroitement – trop étroitement – serrée contre lui. Le corps tremblant d'Amelia se tendit, ondula imperceptiblement, cherchant à satisfaire un besoin inconnu.

Au bout d'un long moment, Rohan desserra son étreinte, la lâcha doucement, comme à contrecœur, puis la repoussa.

— Pardon, murmura-t-il, le regard embrumé. D'ordinaire, je n'ai pas autant de mal à me contenir.

Amelia hocha la tête machinalement et referma les bras autour d'elle. Elle ne se rendit compte qu'elle frappait nerveusement le sol du pied que lorsque Rohan l'immobilisa du sien.

— Vous devriez partir, à présent, reprit-il. Sinon, je vais finir par vous compromettre d'une manière dont vous n'imaginez pas qu'elle soit possible.

Amelia ne sut trop comment elle parvint à regagner le salon sans se perdre. Elle avait l'impression de se mouvoir dans les brumes d'un rêve.

Une fois assise sur le sofa, elle accepta une autre tasse de thé, sourit à la petite Merritt qui essayait de repêcher un morceau de biscuit dans sa propre tasse, et répondit évasivement à Lillian qui suggérait que tous les Hathaway se joignent à eux pour un pique-nique à la fin de la semaine.

— J'aurais bien aimé que nous puissions accepter son invitation, dit Poppy tristement, sur le chemin du retour. Mais je suppose que ce serait chercher les ennuis, entre Leo qui risque de se montrer désagréable et Beatrix, de voler quelque chose.

— Et nous avons beaucoup trop à faire à Ramsay House, ajouta Amelia, l'esprit ailleurs.

Elle n'avait qu'une pensée en tête : Cam Rohan retournerait bientôt à Londres. Pour son bien à elle – et peut-être celui de Cam –, elle devrait éviter Stony Cross Park jusqu'à son départ.

Peut-être était-ce parce qu'ils étaient las de nettoyer, de réparer et de réaménager la maison, mais tous les Hathaway se sentirent d'humeur paresseuse ce soir-là. À l'exception de Leo, ils se retrouvèrent autour du feu, dans l'un des salons du rez-de-chaussée où Winnifred lut à voix haute un roman de Dickens. Installé un peu à l'écart, Merripen l'écoutait d'un air absorbé. Mais elle aurait pu lire la liste des noms d'un registre d'assurance qu'il aurait trouvé cela captivant.

Poppy brodait une paire de pantoufles masculines. Quant à Beatrix, allongée sur le sol près de l'âtre, elle faisait des réussites.

— Beatrix, s'esclaffa Amelia quand Winnifred arriva à la fin d'un chapitre, pourquoi diable triches-tu ? Tu joues avec toi-même.

— Justement ! Il n'y a personne pour protester quand je triche.

— Ce n'est pas de gagner qui est important, mais la manière dont tu gagnes.

— On me l'a déjà dit et je ne suis pas du tout d'accord. C'est bien mieux de gagner.

Poppy secoua la tête sans lâcher sa broderie.

— Beatrix, tu n'as pas honte ?

— Et je gagne ! déclara l'adolescente avec satisfaction en posant la carte qu'elle convoitait.

— Où avons-nous commis une erreur dans son éducation ? demanda Amelia sans s'adresser à quelqu'un en particulier.

Winnifred sourit.

— Elle n'a pas beaucoup de divertissements. Un jeu de patience fantaisiste ne fait de mal à personne.

— J'imagine que non.

Amelia était sur le point d'en dire plus quand une bouffée d'air froid lui lécha les chevilles. Elle frissonna tout en resserrant son châle autour d'elle.

— Brrr... Il fait froid, ici !

— Tu dois être dans un courant d'air, suggéra Poppy. Viens à côté de moi, je suis plus près du feu.

— Je te remercie, mais je crois que je vais aller me coucher.

Toujours frissonnante, Amelia réprima un bâillement, et souhaita une bonne nuit à tout le monde.

En remontant le couloir, elle passa devant une petite pièce qui, avaient-ils supposé, devait être autrefois un salon réservé aux messieurs. Il y avait là une alcôve juste assez large pour une table de billard, un tableau de guingois représentant une scène de chasse, et un énorme fauteuil au velours élimé entre les deux fenêtres. La lumière d'une haute lampe jetait un halo sur le sol.

Leo dormait dans le fauteuil, un bras pendant mollement par-dessus l'accoudoir, une bouteille vide à ses pieds.

Amelia aurait continué son chemin si quelque chose, dans l'attitude de son frère, ne l'avait arrêtée. La tête inclinée sur l'épaule, les lèvres entrouvertes, Leo dormait comme lorsqu'il était enfant. Son visage libéré de la douleur et de la colère avait quelque chose de juvénile, de vulnérable, qui lui rappela le garçon séduisant qu'il avait été un jour. Son cœur se contracta de pitié.

S'avançant dans la pièce, Amelia fut saisie par le brusque changement de température. Le froid était mordant, et ce n'était pas son imagination qui lui jouait des tours, car de la buée blanche sortait de sa bouche. Frissonnant de plus belle, elle s'approcha de son frère. Le froid se concentrait autour de lui, si intense qu'il lui coupa presque le souffle. Alors qu'elle se penchait sur son corps prostré, elle eut le sentiment de baigner dans un désespoir, un chagrin sans nom.

— Leo ?

Il avait le visage gris, les lèvres bleues et sèches, et quand elle lui toucha la joue, elle n'en sentit pas la chaleur.

— Leo !

Pas de réaction.

Affolée, Amelia le secoua, lui donna des coups sur la poitrine, saisit son visage raidi entre ses doigts. Elle sentit alors comme une force invisible la tirer en arrière. Elle résista, et agrippa le devant de sa chemise.

— Leo, réveille-toi !

À son indicible soulagement, il remua, émit un son étouffé, puis ouvrit les yeux. Ses iris étaient d'une pâleur de glace. Il posa les mains sur les épaules d'Amelia et marmonna :

— Je suis réveillé. Je suis réveillé. Seigneur ! Arrête de crier ! Tu fais un bruit à réveiller les morts.

— Pendant un instant, j'ai cru que c'était exactement ce que je faisais, répliqua-t-elle en se laissant tomber sur l'accoudoir du fauteuil, les nerfs encore à vif.

Le froid refluait, à présent.

— Oh, Leo, tu étais si immobile, si pâle ! J'ai vu des cadavres qui avaient l'air plus vivant.

Son frère se frotta les yeux.

— Je suis simplement un peu abruti. Pas mort.

— Mais tu ne te réveillais pas.

— Je ne le voulais pas. Je…

Il s'interrompit, l'air troublé.

— Je rêvais, reprit-il d'une voix douce, comme étonnée. Des rêves si vivaces…

— Tu rêvais de quoi ?

Il ne répondit pas.

— De Laura ? insista Amelia.

Son visage se ferma, et se creusa de rides profondes, telles les fissures que la glace provoque sur les rochers.

— Je t'ai dit de ne jamais mentionner son nom devant moi.

— Parce que tu ne voulais pas qu'on te la rappelle. Mais quelle importance, Leo ? Tu ne cesses de penser à elle, qu'on prononce ou pas son prénom.

— Je n'ai pas l'intention de parler d'elle.

— Pourtant, il est évident qu'éviter le sujet ne sert à rien.

Les rouages du cerveau d'Amelia s'activaient fébrilement tandis qu'elle cherchait quelle tactique adopter pour réussir à atteindre son frère.

— Je ne te laisserai pas te détruire, Leo, lâcha-t-elle finalement d'un ton déterminé.

Au regard qu'il lui lança, elle comprit qu'elle avait fait le mauvais choix.

— Un jour ou l'autre, dit-il avec une froide amabilité, tu seras peut-être obligée d'admettre que certaines choses échappent à ton contrôle. Si je veux me détruire, je le ferai sans te demander ta satanée permission.

Amelia tenta alors la compassion.

— Leo… Je sais par quoi tu es passé depuis la mort de Laura. Mais d'autres personnes ayant connu la même épreuve ont réussi à surmonter leur chagrin et à connaître de nouveau le bonheur…

— Il n'y a plus de bonheur, riposta-t-il. Elle a tout emporté avec elle. Pour l'amour du ciel, Amelia… va te mêler des affaires de quelqu'un d'autre et fiche-moi la paix.

11

Le lendemain matin, Cam se rendit dans le bureau de lord Westcliff. La porte était ouverte.

— Bonjour, milord, fit-il en s'arrêtant sur le seuil.

Il réprima un sourire en remarquant une poupée adossée à l'un des pieds de la table de travail. À côté d'elle, les restes d'un gâteau. Le comte, qui adorait sa fille, était de toute évidence incapable de se défendre contre ses invasions.

Westcliff leva la tête et lui fit signe d'entrer.

— Est-ce la tribu de Brishen ? demanda-t-il sans préambule.

Cam s'assit dans le fauteuil qu'il lui désignait.

— Non. Celle-ci est menée par un homme nommé Danior. Ils ont vu les marques sur les arbres.

Un peu plus tôt, l'un des métayers de Westcliff était venu l'avertir qu'un camp bohémien avait été dressé près de la rivière. À la différence des autres propriétaires du Hampshire, Westcliff tolérait la présence des Roms sur son domaine dès lors qu'ils ne provoquaient pas de troubles et n'abusaient pas de son hospitalité.

Les fois précédentes, le comte avait fait porter du vin et de la nourriture à ses visiteurs. En retour, ils avaient gravé des signes discrets sur les arbres bordant la rivière pour indiquer qu'il s'agissait d'un territoire amical. Ils ne restaient en général que quelques jours, et partaient sans causer de dégâts.

En apprenant qu'un campement venait d'être dressé, Cam s'était proposé pour aller parler aux nouveaux venus et s'enquérir de leurs intentions. Westcliff avait accepté sans hésiter, heureux d'avoir l'occasion d'envoyer un intermédiaire parlant le romani.

La visite s'était bien passée. La tribu n'était pas grande, et son chef, un homme affable, avait assuré à Cam qu'ils ne causeraient aucun ennui.

— Ils ont l'intention de rester une semaine, pas plus, précisa Cam.

— Très bien.

Le ton satisfait du comte fit sourire Cam.

— Vous n'aimez pas que des Roms vous rendent visite.

— Disons que je ne le souhaiterais pas. Leur présence rend les villageois et mes métayers nerveux.

— Pourtant, vous leur permettez de rester. Pourquoi ?

— La première raison, c'est que leur proximité permet de savoir plus facilement ce qu'ils font. La seconde…

Westcliff s'interrompit, donnant l'impression de choisir ses mots avec un soin inhabituel.

— Pour beaucoup, les Roms sont des bandes de vagabonds et de nomades, voire, dans le pire des cas, de mendiants et de voleurs. Mais certains leur reconnaissent une authentique culture. Si l'on souscrit à ce dernier point de vue, on ne peut les punir parce qu'ils vivent en fils de la nature.

Cam haussa les sourcils, impressionné. Il était rare que quiconque – et surtout un aristocrate – traite les bohémiens avec équité.

— Et c'est à ce point de vue-là que vous souscrivez ?

— Je penche vers lui… tout en reconnaissant, ajouta-t-il avec un sourire ironique, que les fils de la nature peuvent, à l'occasion, se montrer chapardeurs.

Cam sourit à son tour.

— Les Roms considèrent que personne ne possède la terre ou ce qu'elle produit. Techniquement, on ne peut voler ce qui appartient à tout le monde.

— Mes fermiers ont tendance à ne pas être d'accord.

Cam s'adossa à son fauteuil, une main posée sur l'accoudoir. Ses bagues en or étincelèrent contre l'acajou sombre. À la différence du comte, vêtu d'un élégant costume sur mesure et d'une cravate au nœud irréprochable, Cam portait des bottes, un pantalon de grosse toile et une chemise au col ouvert. Il n'aurait pas été approprié de rendre visite à la tribu habillé comme un *gadjo* guindé et conventionnel.

— Que vous êtes-vous dit ? demanda Westcliff en l'observant avec attention. Je suppose qu'ils ont fait montre d'une certaine surprise en rencontrant un Rom vivant au milieu des *gadjé*.

— De la surprise, oui, confirma Cam, et de la pitié.

— De la pitié ?

Le comte avait beau être un esprit éclairé, il ignorait que les Roms se considéraient comme infiniment supérieurs aux *gadjé*.

— Ils ont en pitié les hommes qui mènent ce genre de vie, expliqua Cam avec un geste vague pour désigner leur environnement raffiné. Dormir dans une maison, être esclave de ses possessions, avoir un emploi du temps, porter une montre… Tout cela n'est pas naturel.

Cam se tut, se remémorant le moment où il avait pénétré dans le camp, le sentiment de bien-être qui l'avait envahi. Les roulottes – *vardos* –, avec les chiens endormis entre leurs roues avant, les poulains folâtrant auprès de leur mère, les odeurs de feu de bois et de cendres… Tout cela lui avait évoqué de chaleureux souvenirs d'enfance, mais avait aussi éveillé une profonde nostalgie. C'était cette vie qu'il désirait, qu'il n'avait jamais cessé de désirer. Il n'avait jamais rien trouvé pour la remplacer.

— Je ne vois pas ce qu'il y a de contre-nature à vouloir un toit au-dessus de sa tête quand il pleut, fit remarquer Westcliff. Ni à posséder et à cultiver la terre, ou à mesurer l'avancement du jour en utilisant une pendule. Il est dans la nature de l'homme d'imposer sa volonté à son environnement. Sinon, la société se désintégrerait et il n'y aurait plus rien que la guerre et le chaos.

— Parce que les Anglais, avec leurs pendules, leurs fermes et leurs barrières ne connaissent pas la guerre ?

Le comte fronça les sourcils.

— C'est une façon un peu trop simpliste de voir les choses.

— C'est ainsi que les Roms les voient.

Cam fixa les yeux sur la pointe de ses bottes, dont le cuir patiné était maculé de boue séchée.

— Ils m'ont proposé de me joindre à eux quand ils partiraient, reprit-il d'un air presque absent.

— Vous avez refusé, bien sûr.

— Je voulais accepter. N'étaient mes responsabilités à Londres, j'aurais dit oui.

Westcliff parut déconcerté.

— Vous me surprenez, lâcha-t-il après une pause songeuse.

— Pourquoi ?

— Vous possédez une intelligence et des compétences rares, vous êtes riche et pouvez aisément envisager de l'être davantage. Il n'y aurait aucune logique à gâcher tout cela.

Cam ne put réprimer un sourire. Même si West-cliff était un homme ouvert, il avait une opinion bien arrêtée sur la manière dont les gens devaient vivre. Ses valeurs, parmi lesquelles l'effort, la conquête, le progrès, ne s'accordaient pas avec celles des Roms. Selon lui, la nature devait être aménagée et organisée : les fleurs devaient être contenues dans des plates-bandes, les animaux dressés ou chassés, la terre défrichée. Et on devait inciter un jeune homme à entreprendre, et le pousser à épouser une femme convenable avec qui il fonderait une solide famille anglaise.

— En quoi serait-ce du gâchis ?

— Un homme doit exploiter pleinement ses capa-cités, répondit le comte sans hésiter. Ce que vous ne pourriez jamais faire en tant que Rom. Vos besoins élémentaires – nourriture et abri – seraient à peine satisfaits. Vous auriez à affronter d'incessantes persécutions. Comment, au nom du ciel, une vie pareille peut-elle vous attirer alors que vous possé-dez à peu près tout ce qu'un homme peut désirer ?

Cam haussa les épaules.

— C'est une vie libre.

Westcliff secoua la tête.

— Si vous voulez des terres, vous avez les moyens d'en acheter de vastes étendues. Si ce sont des chevaux que vous voulez, vous pouvez vous offrir une écurie de pur-sang. Et si c'est…

— Ce n'est pas cela, la liberté. Quelle part de votre temps consacrez-vous à gérer votre domaine et vos sociétés, à réfléchir aux investissements, à rencontrer des courtiers et des agents de change, à voyager entre Bristol et Londres ?

Westcliff eut l'air offensé.

— Êtes-vous en train de me dire que vous envi-sagez sérieusement d'abandonner votre emploi, vos ambitions, votre avenir… pour parcourir le monde en roulotte ?

— Oui. Je l'envisage, effectivement.

— Et vous croyez, rétorqua Westcliff, les yeux étrécis, qu'après des années à mener une vie productive à Londres, vous vous adapterez joyeusement à une existence d'errance sans but ?

— C'est la vie à laquelle j'étais destiné. Dans votre monde, je ne suis rien d'autre qu'une nouveauté.

— Une nouveauté qui a sacrément bien réussi. De plus, vous avez l'occasion de représenter votre peuple…

— Que Dieu me vienne en aide, répliqua Cam, qui ne put s'empêcher de rire. Si jamais cela arrivait, je serais mis à mort.

Le comte s'empara du cachet en argent posé sur son bureau et en examina le sceau avec attention. D'un coup d'ongle, il détacha une gouttelette de cire durcie. Cam ne fut pas dupe de ce détachement soudain.

— On ne peut s'empêcher de constater, finit par murmurer Westcliff, que vous envisagez de changer radicalement d'existence alors que vous marquez un intérêt manifeste pour Mlle Hathaway.

Cam s'appliqua à ne pas changer d'expression et à conserver son sourire.

— Mlle Hathaway est une belle femme. Il faudrait que je sois aveugle pour ne pas la remarquer. Mais cela ne va pas changer mes plans pour l'avenir.

— Pour le moment.

— Jamais, riposta Cam.

Il s'interrompit, conscient d'avoir répondu avec trop de force. Ajustant son ton sur-le-champ, il enchaîna :

— J'ai décidé de partir dans deux jours, une fois que lord Saint-Vincent et moi aurons réglé quel-ques problèmes concernant le club. Il est fort probable que je ne reverrai pas Mlle Hathaway.

« Dieu merci », ajouta-t-il à part soi.

166

Ses quelques rencontres avec Amelia Hathaway avaient été exceptionnellement troublantes. Cam ne se souvenait pas d'avoir jamais été aussi touché par une femme. Lui qui n'était pas du genre à s'investir dans les affaires des autres, qui détestait donner des conseils et consacrait très peu de temps aux problèmes qui ne le concernaient pas directement, était attiré par Amelia de manière irrésistible. Elle était si délicieusement sérieuse, si appliquée à essayer de diriger tous ceux qui évoluaient autour d'elle, qu'il éprouvait la tentation impie de la distraire. De la faire rire, de l'entraîner à jouer avec légèreté. Et il y parviendrait, s'il le voulait. Conviction qui aggravait encore sa difficulté à garder ses distances.

Les liens solides qu'elle avait tissés avec ses proches, le mal qu'elle se donnait pour prendre soin d'eux… tout cela le touchait à un niveau instinctif. Les Roms étaient ainsi. Indéfectiblement attachés à leur tribu. Pourtant, sur les points les plus essentiels, Amelia était son contraire : acharnée à créer un foyer et à enraciner sa famille à Ramsay House. Quelle ironie, décidément, qu'il soit fasciné par quelqu'un qui représentait tout ce qu'il lui fallait fuir !

Le comté entier semblait s'être rendu à la Foire au chiffon, qui se tenait, comme le voulait une tradition vieille de plus d'un siècle, le 12 octobre. Le village, avec ses boutiques pimpantes et ses petites maisons noir et blanc à toit de chaume, était absolument charmant. La foule se pressait sur le terrain communal ou déambulait le long de la rue principale, bordée pour l'occasion d'une multitude d'éventaires et de baraques. On y trouvait des jouets à un penny, des friandises, des sacs de sel de Lymington, des tissus et des poteries, ainsi que du miel de la région.

Les chanteurs et les violoneux étaient régulièrement interrompus par les salves d'applaudissements saluant des tours d'acrobatie. La plupart des transactions d'embauche avaient eu lieu plus tôt dans la journée. Alignés sur le terrain communal, les personnes en quête d'ouvrage s'étaient entretenues avec leurs employeurs potentiels. Un shilling suffisait à sceller la conclusion d'un accord, et le reste de la journée était réservé à la distraction.

Merripen était allé dès le matin à la recherche de deux ou trois domestiques fiables. L'affaire faite, il revint au village en fin d'après-midi, accompagné par toute la famille Hathaway. Tous se réjouissaient à l'idée de profiter de la musique, de la nourriture et des divertissements. Leo disparut promptement en compagnie de deux villageoises, laissant ses sœurs à la charge de Merripen.

Tout en se promenant parmi les étals, elles se régalèrent de pâté en croûte, de tourte aux poireaux, de pommes et de poires, et, au grand ravissement des plus jeunes, de « mari en pain d'épice ». La forme de ces gâteaux parfumés, recouverts d'un glaçage, évoquait une silhouette masculine. Le pâtissier leur assura que toute jeune fille se devait de croquer un mari en pain d'épice si elle voulait avoir la chance d'en trouver un vrai un jour.

Amelia et l'homme se disputèrent en riant comme elle refusait tout net d'en prendre un pour elle, arguant qu'elle ne souhaitait pas se marier.

— Allons donc ! riposta-t-il avec un sourire entendu. C'est ce que toute femme espère.

Amelia tendit un pain d'épice à chacune de ses sœurs.

— Pour trois, je vous dois combien, monsieur ?

— Un farthing chacun. Et celui-ci est gratuit, ajouta-t-il en lui en tendant un quatrième. Ce serait vraiment du gâchis qu'une aussi jolie dame n'ait pas de mari.

— Oh, je ne peux pas accepter, protesta Amelia. Je vous remercie, mais je ne veux pas…

Une voix se fit entendre derrière elle :

— Elle le prend.

Elle ne sut ce qui l'emportait, de l'embarras ou du plaisir. Une main hâlée laissa tomber une pièce d'argent sur la paume tendue du pâtissier. Consciente des gloussements de ses sœurs, Amelia pivota, et se retrouva face à une paire d'yeux noisette.

— Vous avez besoin d'un peu de chance, fit Rohan en lui fourrant le bonhomme en pain d'épice dans la main. Mangez-en un morceau.

Elle obéit et, délibérément, lui coupa la tête. Rohan s'esclaffa. Tandis qu'elle le regardait, le pain d'épice qui fondait sur sa langue libérant un riche parfum de mélasse, Amelia songea qu'il aurait dû avoir au moins un ou deux défauts. La peau grêlée… des traits irréguliers… Mais son teint avait le satiné d'un miel doré, et son visage était parfaitement équilibré. Quand il pencha la tête vers elle, le soleil déclinant accrocha des reflets soyeux dans les vagues sombres de ses cheveux.

Après avoir avalé sa bouchée de pain d'épice, Amelia marmonna :

— Je ne crois pas à la chance.

— Ni aux maris, apparemment, répliqua Rohan avec un demi-sourire.

— Pas pour moi, non. Mais pour les autres…

— Peu importe. Vous vous marierez de toute manière.

— Pourquoi dites-vous cela ?

Avant de répondre, Rohan glissa un coup d'œil de biais à ses sœurs, qui les observaient avec un sourire bienveillant. Merripen, quant à lui, fronçait les sourcils.

— Puis-je vous emprunter votre sœur ? demanda-t-il aux trois jeunes filles. J'ai besoin de m'entretenir avec elle au sujet d'un problème apicole.

— Qu'est-ce que ça veut dire ? demanda Beatrix en prenant le bonhomme décapité des mains d'Amelia.

— Je présume que M. Rohan fait allusion à la chambre aux abeilles, répondit Winnifred avant d'inciter d'un geste ses sœurs à la suivre. Venez, allons voir si nous trouvons de la soie brodée.

— Ne vous éloignez pas ! leur cria Amelia, stupéfiée par la célérité avec laquelle sa famille l'abandonnait. Beatrix, ne paye rien sans avoir d'abord marchandé ! Et Winnifred…

Sa voix mourut comme elles se dispersaient entre les étals sans écouter. Seul Merripen lui adressa un regard – mécontent – par-dessus son épaule.

S'amusant visiblement de l'irritation de Merripen, Rohan offrit le bras à Amelia.

— Venez marcher avec moi.

Elle aurait pu se rebeller contre cet ordre énoncé d'une voix douce, mais c'était probablement la dernière fois qu'elle le voyait avant longtemps – si tant est qu'elle le revoie un jour. Et il était difficile de résister à l'étincelle enjôleuse qui brillait dans ses yeux.

— Pourquoi avez-vous dit que je me marierais ? demanda-t-elle alors qu'ils se frayaient un passage dans la foule à pas lents.

Il ne lui échappa nullement que le séduisant bohémien vêtu en gentleman attirait de nombreux regards.

— C'est écrit sur votre paume.

— Prétendre lire les lignes de la main est une imposture. Et ce ne sont pas les hommes qui les lisent, mais les femmes.

— Ce n'est pas parce que nous ne le faisons pas que nous n'en sommes pas capables, répliqua

Rohan gaiement. Et n'importe qui pourrait voir votre ligne de mariage. Elle crève les yeux.

— Ma ligne de mariage ? Où est-elle ?

Ôtant la main du bras de Rohan, Amelia scruta sa paume.

Rohan l'attira à l'ombre d'un gros hêtre à la lisière du terrain. Les derniers rayons de soleil disparaissaient à l'horizon, et l'on allumait déjà les torches et les lampes en prévision de la soirée.

— Celle-ci, fit-il en saisissant sa main gauche, qu'il tourna, paume vers le ciel.

Gênée, Amelia replia les doigts. Elle aurait dû porter des gants, mais sa plus belle paire était tachée, celle un peu moins belle avait un doigt troué, et elle n'avait pas encore trouvé le temps d'en acheter une nouvelle. Pour couronner le tout, elle avait une estafilade sur le pouce, et elle avait dû se couper les ongles à ras après les avoir cassés. Elle avait des mains de domestique, pas de dame. L'espace d'un instant, elle regretta de n'avoir pas les mains de Winnifred, pâles, élégantes, aux doigts effilés.

Rohan l'observa un moment. Quand Amelia essaya de la lui retirer, il la retint.

— Attendez, murmura-t-il.

Elle rougit quand, insinuant le pouce au creux de sa paume, il repoussa doucement ses doigts pour les ouvrir un à un.

Sa voix calme sembla stimuler une zone de plaisir cachée à la base de son crâne.

— Ici, indiqua-t-il en suivant de l'index une ligne horizontale à la base de son auriculaire. Un seul mariage. Il durera longtemps. Et cela, continua-t-il en désignant trois petits traits verticaux qui coupaient la ligne de mariage, indique que vous aurez au moins trois enfants.

Il plissa les yeux, l'air concentré.

— Deux filles et un garçon. Elizabeth, Jane et…
Ignatius.

Amelia ne put s'empêcher de sourire.

— Ignatius ?

— Comme son père, répondit-il avec gravité. Un
éleveur d'abeilles distingué.

L'étincelle taquine dans son regard fit battre le
cœur d'Amelia à coups redoublés. À son tour, elle
lui prit la main et en inspecta la paume.

— Laissez-moi regarder la vôtre.

Même si sa main était détendue, elle éprouva
la puissance de la chair et des os qui jouaient
avec souplesse sous la peau tannée. Il avait des
doigts très soignés, avec des ongles d'une propreté
scrupuleuse, coupés très court. Les bohémiens
se livraient à des ablutions méticuleuses, voire
rituelles. La famille Hathaway s'était longtemps
amusée de l'opinion de Merripen sur ce qu'était
la vraie propreté. Il avait toujours préféré faire
sa toilette avec de l'eau courante plutôt que de
mariner dans un bain.

— Votre ligne de mariage est encore plus profonde que la mienne, fit-elle remarquer.

Il acquiesça d'un unique hochement de tête,
sans quitter son visage des yeux.

— Et vous aurez trois enfants, vous aussi…
ou est-ce quatre ? ajouta-t-elle en effleurant une
ligne presque imperceptible tout au bord de sa
main.

— Seulement trois. La ligne sur le côté signifie
que j'aurai des fiançailles très courtes.

— Vous serez probablement poussé jusqu'à
l'autel à la pointe du fusil par un père outragé.

— Seulement si j'enlève ma fiancée dans sa
chambre, dit-il avec un large sourire.

Amelia le dévisagea.

— J'ai du mal à vous imaginer en mari. Vous
semblez trop solitaire.

— Pas du tout. J'emmènerai ma femme partout avec moi, dit-il en refermant par jeu les doigts autour du pouce d'Amelia, comme s'il s'agissait de la tige d'une fleur. Nous voyagerons tout autour du monde dans notre *vardo*. J'ornerai ses doigts et ses orteils d'anneaux d'or, et ses chevilles de bracelets. Le soir, je lui laverai les cheveux et je les peignerai auprès du feu pour les faire sécher. Et je l'embrasserai tous les matins pour la réveiller.

Amelia détourna le regard, les joues brûlantes. Puis elle s'écarta de lui. Elle avait besoin de marcher, de mettre un terme à ce moment d'intimité troublante. Il lui emboîta le pas comme elle se dirigeait vers la place du village.

— Monsieur Rohan... pourquoi avez-vous quitté votre tribu ?

— Je ne l'ai jamais vraiment su.

Elle lui jeta un regard étonné, et il continua :

— J'avais dix ans. Aussi loin que remontent mes souvenirs, j'avais voyagé dans la roulotte de mes grands-parents. Je n'ai jamais connu mes parents – ma mère est morte à ma naissance, et mon père est un *gadjo* irlandais. Sa famille n'a pas admis son mariage et l'a convaincu d'abandonner ma mère. Je ne crois pas qu'il ait jamais su qu'elle avait eu un enfant.

— Quelqu'un a-t-il essayé de le lui dire ?

— Je l'ignore. Ils ont peut-être décidé que cela n'aurait rien changé. Selon mes grands-parents, il était jeune, et immature, ajouta-t-il en lui adressant un bref sourire malicieux. Même pour un *gadjo*. Un jour, ma grand-mère m'a enfilé une nouvelle chemise qu'elle venait de coudre et m'a dit que je devais quitter la tribu. Elle prétendait que je courais un danger et que je ne pouvais plus vivre avec eux.

— Quel genre de danger ? Qui venait d'où ?

— Elle n'a pas voulu me le dire. Un cousin plus âgé que moi, qui s'appelait Noah, m'a emmené à

Londres et aidé à trouver un travail. Il a promis de revenir un jour, pour me faire savoir quand je pourrais retourner avec les miens en toute sécurité.

— Et en attendant, vous avez travaillé dans le club de jeu ?

— Oui, le vieux Jenner m'a engagé comme garçon de courses. À bien des égards, il a été comme un père pour moi. Bien sûr, il était soupe au lait et toujours prêt à jouer des poings. Mais c'était un homme bon, qui a veillé sur moi.

— Cela n'a pas dû être facile pour vous, observa Amelia, qui compatissait au sort de l'enfant qu'il avait été, abandonné par les siens et contraint de se débrouiller seul. Je suis étonnée que vous n'ayez pas essayé de retourner dans votre tribu.

— J'avais promis de ne pas le faire.

Une feuille se détacha d'une branche et voleta au-dessus de leurs têtes. Rohan l'attrapa d'un geste vif, puis la huma avec un plaisir évident avant de la tendre à Amelia.

— Je suis resté au club pendant des années, reprit-il d'une voix neutre. J'attendais que Noah revienne me chercher.

Amelia frotta la feuille souple et douce entre ses doigts.

— Mais il n'est jamais venu.

Rohan secoua la tête.

— Puis Jenner est mort, et sa fille et son gendre ont pris la direction du club.

— Ils vous traitent bien ?

— Trop bien, répondit-il avec un froncement de sourcils. C'est avec eux que la maudite bonne chance a commencé.

— Oui, j'en ai entendu parler. Mais dans la mesure où je ne crois pas à la chance – bonne ou mauvaise –, je reste sceptique, conclut-elle avec un sourire.

— Il y a de quoi détruire un bohémien. Quoi que je fasse, l'argent vient à moi.

— C'est horrible ! Ça doit vraiment être très pénible.

— C'est sacrément embarrassant, marmonna-t-il avec une sincérité qui ne pouvait être mise en doute.

Mi-amusée, mi-envieuse, Amelia demanda :

— Aviez-vous déjà rencontré ce problème auparavant ?

De nouveau, Rohan secoua la tête.

— Mais j'aurais dû le prévoir. C'est le destin.

S'immobilisant, il indiqua à la base de son index un groupe de minuscules signes en forme d'étoiles.

— Prospérité financière, lâcha-t-il, morose. Et ce n'est pas prêt de finir.

— Vous pourriez donner votre argent. Ce ne sont pas les œuvres charitables qui manquent, ni les personnes défavorisées.

— C'est ce que j'ai l'intention de faire. Bientôt. Après-demain, continua-t-il en lui prenant le coude pour l'aider à franchir une ornière tandis qu'ils se remettaient en marche, je retourne à Londres pour me trouver un remplaçant au club.

— Et qu'allez-vous faire ensuite ?

— Vivre en véritable Rom. Je vais chercher une tribu avec laquelle voyager. C'en sera fini des livres de comptes, des fourchettes à gâteaux et des chaussures cirées. Je serai libre.

Il semblait convaincu qu'il se satisferait d'une vie simple, mais Amelia avait des doutes. Le problème, c'était qu'il n'existait pas de juste milieu. On ne pouvait être à la fois un vagabond et un gentleman. Il fallait choisir, et elle était heureuse d'en être dispensée par l'absence de dualité dans sa propre nature. Elle savait exactement qui et ce qu'elle était.

Rohan l'entraîna vers l'étal disposé devant la boutique du marchand de vin et acheta deux verres de vin de prune. Amelia avait si soif qu'elle vida le sien en quelques gorgées.

— Pas si vite, l'avertit Rohan en riant. Cette boisson est plus forte que vous ne l'imaginez. Encore un peu, et je devrais vous jeter en travers de mon épaule pour vous ramener chez vous.

— Ce n'est pas si fort que cela, protesta Amelia, qui n'avait pas décelé la moindre trace d'alcool sous la saveur fruitée.

C'était délicieux, ce goût de prune qui s'attardait sur la langue. Elle tendit son verre au marchand de vin.

— Je vais en prendre un autre.

Même si, d'ordinaire, une femme convenable ne mangeait ni ne buvait en public, les règles étaient souvent oubliées lors des fêtes rurales, où toutes les classes sociales se mêlaient sans plus prêter attention aux usages.

L'air amusé, Rohan termina son propre verre et attendit patiemment qu'elle ait terminé son second.

— Je vous ai trouvé un apiculteur, lui annonça-t-il. Je lui ai expliqué votre problème. Il a dit qu'il passerait à Ramsay House demain ou après-demain.

— Je vous remercie, fit Amelia avec chaleur. J'ai une dette envers vous, monsieur Rohan. Il lui faudra beaucoup de temps pour enlever l'essaim ?

— Impossible de le savoir avant qu'il l'ait vu. La maison ayant été inoccupée pendant très long-temps, la colonie peut être assez importante. Il m'a raconté qu'il avait trouvé, dans un cottage aban-donné, un essaim qu'il a estimé à un demi-million d'abeilles.

Amelia écarquilla les yeux.

— Un demi-million…

— Je ne pense pas que vous en soyez là. Mais il est pratiquement certain qu'il faudra abattre une partie du mur une fois que vous aurez été débarrassée des abeilles.

Ce qui signifiait encore plus de réparations et de frais.

— Si j'avais su que Ramsay House était en si mauvais état, déclara-t-elle sans réfléchir, je n'aurais pas déménagé. Je n'aurais pas dû écouter l'avoué quand il m'a assuré que la maison était habitable. Mais j'étais si pressée d'emmener Leo loin de Londres. Et je voulais tellement que nous prenions tous un nouveau départ…

— Vous n'êtes pas responsable de tout. Votre frère est adulte, de même que Winnifred et Poppy. Ils étaient d'accord pour venir, non ?

— Oui, bien sûr. Mais Leo n'était pas dans son état normal. Il ne l'est toujours pas. Et Winnifred est fragile, et…

— Vous aimez vous blâmer vous-même, n'est-ce pas ? Venez, marchons un peu.

Un peu étourdie, Amelia reposa son verre vide au coin de l'étal. Ce second verre de vin avait été une erreur. Et accompagner Rohan où que ce soit, dans cette atmosphère de liesse, alors que la nuit s'épaississait, en serait une autre. Mais quand elle plongea le regard dans ses yeux ambrés, elle se sentit absurdement téméraire. Juste quelques minutes… Impossible de résister à l'effronterie malicieuse de son sourire.

— Ma famille va s'inquiéter si je ne la rejoins pas bientôt, argua-t-elle néanmoins.

— Ils savent que vous êtes avec moi.

— C'est pourquoi ils vont s'inquiéter, répliqua-t-elle, ce qui le fit rire.

Ils s'arrêtèrent devant une table supportant une collection de lanternes magiques – des petites lampes en métal martelé munies de lentilles convergentes dans lesquelles on glissait une plaque de verre peinte. Quand on allumait la lampe, une image se projetait sur le mur. Rohan insista pour en offrir une à Amelia, ainsi qu'un lot de plaques.

— Mais c'est un jouet pour enfant, protesta-t-elle, tenant la lanterne par sa poignée en fil de fer. Que vais-je en faire ?

— Vous autoriser un peu de distraction. Jouer. Vous devriez essayer, quelquefois.

— Ce sont les enfants qui jouent, pas les adultes.

— Oh, mademoiselle Hathaway, murmura-t-il en l'entraînant à sa suite. Les jeux les plus intéressants sont réservés aux adultes.

Ils s'éloignèrent lentement, laissèrent derrière eux le bruit et la foule pour trouver refuge sous la ramure sombre d'un bosquet de hêtres.

— Me direz-vous pourquoi le cachet en argent de Westcliff était en votre possession ? demanda-t-il après un instant.

— Je préférerais m'abstenir, si cela ne vous ennuie pas.

— Parce que vous voulez protéger Beatrix ?

Elle lui lança un regard interloqué.

— Comment savez-vous… je veux dire, pourquoi mentionnez-vous ma sœur ?

— Le soir du dîner, Beatrix a eu à la fois le temps et l'occasion de s'en emparer. La question est, pourquoi faire ?

— Beatrix est une bonne fille, assura Amelia promptement. Une fille merveilleuse. Elle ne ferait jamais délibérément quelque chose de mal et… Vous n'en avez parlé à personne, n'est-ce pas ?

— Bien sûr que non, répondit-il, avant de lui caresser la joue. Du calme, je n'ai pas l'intention de trahir vos secrets. Je suis votre ami. Je pense que… dans une autre vie, continua-t-il après une brève pause, nous serions plus que des amis.

Le cœur d'Amelia effectua une cabriole douloureuse.

— Une autre vie, ça n'existe pas. Ça ne peut pas exister.

— Pourquoi pas ?

— Le rasoir d'Ockham.

Surpris, il garda un instant le silence. Puis il laissa échapper un petit rire perplexe.

— Le principe médiéval ?

— Ou principe de simplicité, oui. L'explication la plus simple est la plus probable.

— Et c'est pourquoi vous ne croyez pas à la magie, au destin ou à la réincarnation ? Parce que ce sont des hypothèses trop compliquées, théoriquement parlant ?

— Oui.

— Comment connaissez-vous le rasoir d'Ockham ?

— Mon père était un spécialiste du Moyen Âge. Il nous arrivait d'étudier ensemble, murmura-t-elle.

Elle ne put réprimer un frisson en sentant les doigts de Rohan glisser le long de son cou. Lui prenant la lanterne magique des mains, il la posa à leurs pieds.

— Vous a-t-il aussi enseigné que les explications compliquées sont parfois plus pertinentes que les simples ?

Amelia secoua la tête, incapable de prononcer un mot comme il l'attirait contre lui avec une douceur extrême. Son pouls s'emballa follement. Elle ne devrait pas lui permettre de l'enlacer ainsi. Quelqu'un pouvait les voir, même s'ils étaient relativement protégés par l'obscurité. Mais sous la pression de son corps contre le sien, elle éprouva un plaisir vertigineux, et plus rien ne compta que l'étreinte de ses bras.

Avec une délicatesse déconcertante, les doigts de Rohan remontèrent le long de son cou, se glissèrent derrière son oreille, puis plongèrent dans sa chevelure.

— Vous êtes une femme intéressante, Amelia.

— Je… je ne comprends pas ce qui vous fait dire cela.

Il suivit des lèvres l'arc de son sourcil.

— Je vous trouve totalement, profondément intéressante. Je veux vous ouvrir comme un livre et lire chaque page. Notes en bas de page incluses, ajouta-t-il avec un sourire, mais sa voix était un peu rauque.

Percevant la raideur des muscles de sa nuque, il les massa doucement.

— Je vous désire. Je veux me coucher avec vous sous les étoiles, sous les nuages, et à l'ombre des arbres.

Sans lui laisser le temps de répondre, il couvrit sa bouche de la sienne. Une vague de feu déferla en elle, son sang se mit à bouillonner. Pas plus qu'elle n'aurait pu interdire à son cœur de battre, elle ne put s'empêcher de répondre. Elle tendit la main, et ses boucles d'ébène s'enroulèrent autour de ses doigts. En lui effleurant l'oreille, elle rencontra le diamant qui en ornait le lobe. Elle le palpa doucement, puis caressa la peau lisse de son cou jusqu'au col de sa chemise. Le souffle de Rohan s'accéléra tandis qu'il approfondissait leur baiser, fouaillant sa bouche d'une langue exigeante.

Des rais de lune argentés pénétraient entre les branches des arbres, soulignant les contours de sa tête brune. Soutenant Amelia d'une main, il prit son visage en coupe de l'autre. Dans son souffle brûlant, elle perçut un léger parfum d'alcool de prune.

Une voix coupante résonna soudain dans la pénombre

— Amelia !

C'était Christopher Frost, qui se tenait à quelques pas d'eux dans une attitude rigide et hostile. Il fixa sur Cam Rohan un regard dur.

— Ne la donnez pas en spectacle. C'est une dame, et elle mérite d'être traitée comme telle.

Amelia perçut la tension immédiate du corps de Rohan.

—Je n'ai pas besoin de vos conseils sur la manière de traiter Mlle Hathaway, dit-il sans hausser le ton.

—Vous savez très bien ce qu'il adviendra de sa réputation si on la voit avec vous.

Il était manifeste que la confrontation allait s'envenimer si Amelia n'agissait pas.

Elle s'écarta de Rohan.

—Ce n'est pas convenable, dit-elle. Je dois retourner auprès de ma famille.

—Je vous accompagne, proposa aussitôt Christopher.

—Certainement pas! répliqua Rohan d'une voix dangereusement sourde.

—Je vous en prie, murmura Amelia en posant les doigts sur les lèvres de Rohan. Je crois... qu'il vaut mieux que nous nous séparions ici. Je souhaite repartir avec lui. Nous avons des choses à discuter ensemble. Et vous... vous avez de nombreux voyages à entreprendre, ajouta-t-elle en réussissant à lui sourire.

Un peu gauchement, elle se pencha pour ramasser la lanterne magique.

—Au revoir, monsieur Rohan. J'espère que vous trouverez tout ce que vous cherchez. J'espère...

Elle s'interrompit avec un sourire tremblant. Une boule douloureuse s'était formée dans sa gorge, et elle déglutit avant de chuchoter:

—Au revoir, Cam.

Il ne bougea ni ne parla. Elle sentit son regard sur elle lorsqu'elle rejoignit Christopher Frost... elle le sentit pénétrer ses vêtements, s'attarder sur sa peau. Et tandis qu'elle s'éloignait, un sentiment de perte la submergea.

Christopher et elle regagnèrent lentement la place du village, leurs pas retrouvant une harmonie familière. Escortés d'un chaperon discret, ils se promenaient souvent ensemble lorsqu'ils se fréquentaient. Christopher avait mené une cour convenable, avec des conversations sérieuses, des lettres tendres et de doux baisers volés. Pour Amelia, qu'un homme aussi séduisant, aussi parfait, puisse vouloir d'elle était magique, inconcevable. C'était d'ailleurs la raison pour laquelle elle l'avait repoussé au début, arguant en riant qu'il voulait simplement s'amuser avec elle. Mais Christopher avait rétorqué que, d'une part, il n'allait certainement pas s'amuser avec la sœur de son meilleur ami, et que, d'autre part, il n'avait rien d'un libertin prêt à la trahir.

— Pour commencer, je ne m'habille pas suffisamment bien pour être un libertin, avait-il souligné avec un sourire, en désignant son costume bien coupé, mais sobre.

— Vous avez raison, avait acquiescé Amelia en le détaillant avec une solennité feinte. En vérité, vous n'êtes pas non plus assez bien habillé pour être architecte.

— *Et*, avait-il continué, mon passé en matière de femmes est excessivement respectable. Les cœurs et les réputations sont tous intacts. Aucun libertin ne peut se vanter d'un tel résultat.

— Vous êtes très convaincant, avait avoué Amelia, dont le souffle s'était accéléré lorsqu'il s'était rapproché d'elle.

— Mademoiselle Hathaway, avait-il chuchoté en lui emprisonnant la main entre les siennes, ayez pitié de moi. Laissez-moi au moins vous écrire. Et promettez-moi que vous lirez ma lettre. Et si vous ne voulez toujours pas de moi après cela, je ne vous importunerai plus.

Intriguée, Amelia avait consenti. Et quelle lettre elle avait reçue ! Charmante, et éloquente, et même torride par moments... Ils avaient commencé à correspondre, et Christopher lui avait rendu visite à Primrose Place chaque fois qu'il le pouvait.

Amelia n'avait jamais autant apprécié la compagnie d'un homme. Ils avaient des vues semblables sur un grand nombre de sujets, ce qui était plaisant. Mais quand ils n'étaient pas d'accord, c'était encore plus agréable. Christopher s'échauffait rarement. Son approche – analytique, rigoureuse – ressemblait à celle du père d'Amelia. Et si jamais elle s'irritait contre lui, il riait et l'embrassait jusqu'à ce qu'elle oublie l'origine de leur dispute.

Christopher n'avait jamais essayé de la séduire – il la respectait trop pour cela. Même les fois où elle s'était sentie si troublée qu'elle l'avait encouragé à aller au-delà des simples baisers, il avait refusé.

— Je vous veux, ma chérie, avait-il chuchoté, frémissant, le souffle court et les yeux brillants de passion. Mais pas avant que vous soyez ma femme.

C'était là ce qui se rapprochait le plus d'une demande en mariage. Toutefois, contrairement à ce qu'il lui laissait entendre, il n'y eut pas de fiançailles. Seulement un silence mystérieux qui se prolongea presque un mois, jusqu'à ce que Leo aille trouver Christopher.

À son retour de Londres, il paraissait furieux et embarrassé.

— Des rumeurs circulent, avait-il déclaré sans détour à Amelia. On l'a vu avec la fille de Rowland Temple. On dit qu'il lui fait la cour, avait-il ajouté en l'attirant contre lui pour sécher ses larmes avec son mouchoir.

Puis une lettre de Christopher était arrivée, si dévastatrice qu'Amelia s'était étonnée que de simples traits d'encre sur un bout de papier puissent réduire une âme en lambeaux. Comment pouvait-on éprouver une telle douleur et survivre ?

Elle était restée couchée une semaine, pleurant à s'en rendre malade.

Ironiquement, ce qui l'avait sauvée, ç'avait été la scarlatine qui avait frappé Winnifred et Leo. S'occuper d'eux l'avait arrachée à son abîme de mélancolie. Elle n'avait plus versé une larme sur Christopher Frost après cela.

Mais l'absence de larmes ne signifiait pas que tout sentiment avait disparu. Amelia était surprise de découvrir que, sous l'amertume et la circonspection, tout ce qui l'avait un jour attirée chez lui existait toujours.

— Je suis la dernière personne qui devrait vous faire des remarques sur votre conduite, commença Christopher d'un ton posé.

Il lui offrit le bras. Elle hésita avant de le prendre.

— Vous savez cependant ce que diront les gens si on vous voit avec lui, continua-t-il.

— J'apprécie que vous vous souciez de ma réputation, répliqua Amelia avec une pointe de sarcasme. Mais je ne suis pas la seule personne à me permettre quelques caprices durant la fête du village.

— Si c'était avec un gentleman, quelques caprices seraient sans conséquence. Mais c'est un bohémien, Amelia.

— Je l'ai remarqué, répondit-elle avec flegme. Je vous aurais cru au-dessus de tels préjugés.

— Ce préjugé n'est pas le mien, contra vivement Christopher, mais celui de la société. Défiez-la si vous le souhaitez, mais il y aura toujours un prix à payer.

— La discussion est sans objet, de toute manière. M. Rohan part pour Londres sous peu, et pour des destinations inconnues ensuite. Je doute de le revoir un jour. Et je ne vois pas pourquoi vous vous inquiéteriez de ce qui pourrait m'arriver.

— Évidemment que je m'inquiète, répondit doucement Christopher. Amelia… Je regrette de vous avoir fait du mal. Plus que vous ne le saurez jamais. Et je ne voudrais certainement pas vous voir souffrir de nouveau à cause d'une histoire d'amour peu judicieuse.

— Je ne suis pas amoureuse de M. Rohan. Je ne ferais pas cette sottise.

— Je suis heureux de vous l'entendre dire.

Son ton excessivement affable agaça Amelia. Il lui donnait envie de se comporter de manière scandaleuse et irresponsable uniquement pour le provoquer.

— Pourquoi n'êtes-vous pas marié ? demanda-t-elle abruptement.

La réponse de Christopher fut précédée d'un long soupir.

— Elle a accepté ma demande pour plaire à son père, et non à cause d'un attachement sincère à mon endroit. En fait, elle était amoureuse d'un autre, mais son père n'approuvait pas son choix. Ils ont fini par s'enfuir à Gretna Green.

— Il y a une certaine justice dans cette histoire, commenta Amelia. Vous avez abandonné quelqu'un qui vous aimait, et elle vous a abandonné pour quelqu'un qu'elle aimait.

— Cela vous ferait-il plaisir de savoir que je ne l'ai jamais aimée ? J'éprouvais de l'affection pour elle, de l'admiration aussi, mais… cela n'avait rien de comparable à ce que je ressentais pour vous.

— Non, cela ne me fait pas plaisir du tout. C'est même pire que vous ayez placé votre ambition avant tout le reste.

— Contrairement à certains, je suis obligé de gagner ma vie – et, un jour, je devrai pourvoir aux besoins de ma famille –, et ma carrière est incertaine. Mais je ne m'attends pas que vous compreniez.

— Votre carrière n'a jamais été incertaine, rétorqua Amelia. Vous aviez toutes les chances d'avoir de l'avancement, même sans épouser la fille de Rowland Temple. Leo m'a dit que votre talent vous mènerait loin.

— Si seulement le talent suffisait ! Mais c'est là une croyance naïve.

— Eh bien, la naïveté semble être une faiblesse assez répandue chez les Hathaway.

— Amelia, murmura-t-il, cela ne vous ressemble pas d'être cynique.

Elle baissa la tête.

— J'ai changé. Et vous ne savez pas ce que je suis devenue.

— Je veux avoir une chance de le découvrir.

Elle lui lança un regard à la fois incrédule et stupéfait.

— Il n'y a rien à gagner à renouer avec moi, Christopher. Je ne suis pas plus riche, et je n'ai pas davantage de relations intéressantes. De ce côté-là, rien n'a changé depuis notre dernière rencontre.

— Peut-être que moi, j'ai changé. Que j'ai pris conscience de ce que j'avais perdu.

— De ce que vous avez rejeté, rectifia-t-elle, le cœur battant douloureusement.

— De ce que j'ai rejeté, reconnut-il d'une voix sourde. Je me suis conduit en idiot et en mufle, Amelia. Je ne vous demanderai jamais d'oublier ce que j'ai fait. Mais donnez-moi au moins la possibilité de réparer mes torts. Je voudrais rendre service à votre famille, si je le peux. Et aussi, aider Leo.

— Vous ne pouvez rien faire pour lui. Vous avez vu ce qu'il est devenu.

— Il possède des talents remarquables. Ce serait un crime de les laisser perdre. Peut-être que si je pouvais redevenir son ami...

— Je ne crois pas qu'il se montrerait très coopératif.

— Je veux l'aider. J'ai de l'influence chez Rowland Temple, à présent. Il se sent certaines obligations envers moi depuis la fuite de sa fille.

— Voilà qui vous arrange.

— Je pourrais peut-être réussir à inciter Leo à revenir travailler pour lui. Tous les deux en tireraient bénéfice.

— Et vous ? Quel bénéfice en tireriez-vous ? Pourquoi vous donneriez-vous autant de mal pour Leo ?

— Je ne suis pas un scélérat intégral, Amelia. J'ai une conscience, même s'il m'arrive parfois de ne pas l'écouter. Ce n'est pas facile de vivre avec le souvenir des gens que j'ai blessés autrefois. Dont votre frère et vous.

— Christopher, murmura-t-elle en lui jetant un regard affolé. Je ne sais pas quoi dire… J'ai besoin d'un peu de temps pour réfléchir…

— Prenez tout le temps qu'il vous faudra. Si je ne peux redevenir ce que j'étais pour vous… alors je me satisferai d'être un ami qui vous rend service.

Il esquissa un sourire.

— Et si jamais vous vouliez que je sois davantage… un seul mot suffira.

12

En temps normal, Cam se serait réjoui de l'arrivée de lord et de lady Saint-Vincent à Stony Cross Park. Mais il appréhendait d'annoncer à Saint-Vincent sa décision de quitter le club. Ce dernier n'allait pas apprécier. Non seulement il devrait lui trouver un remplaçant, ce qui ne serait pas aisé, mais il ne comprendrait pas qu'il veuille vivre en Rom – Saint-Vincent était un ardent défenseur d'un art de vivre raffiné.

Si beaucoup de gens craignaient le vicomte, qui possédait une nature calculatrice et une langue acérée, Cam n'en faisait pas partie. En vérité, il avait défié Saint-Vincent plus d'une fois, et tous deux avaient débattu avec une virulence qui aurait pulvérisé n'importe qui d'autre.

Les Saint-Vincent arrivèrent avec leur fille Phœbe, un bébé aux cheveux roux et au caractère imprévisible. De placide et adorable, elle pouvait se transformer en un instant en un monstre hurlant que seule pouvait calmer la voix de son père.

— Allons, ma chérie, quelqu'un t'a déplu ? susurrait-il, selon les témoins, à l'oreille de sa fille. T'a ignorée ? Oh, quelle insolence ! Ma petite princesse doit avoir tout ce qu'elle veut...

Et, apaisée par les cajoleries extravagantes de son père, Phœbe se mettait alors à sourire entre deux hoquets.

Elle fut dûment admirée, et passa de bras en bras pendant qu'Evangeline et Lillian bavardaient avec animation, s'étreignant fréquemment en vieilles amies heureuses de se retrouver.

Après un moment, Cam, lord Saint-Vincent et lord Westcliff se rendirent sur la terrasse, à l'arrière de la maison. Une petite brise apportait les odeurs de la rivière – des odeurs de roseaux et de soucis d'eau mêlées. Aux appels rauques des oies grises répondaient les meuglements d'un troupeau de vaches que l'on changeait de prairie.

Tous les trois s'assirent autour d'une table. Cam, qui n'aimait pas fumer, déclina d'un geste le cigare que lui offrait Saint-Vincent.

Sous le regard intéressé de Westcliff, ces deux derniers discutèrent de l'avancée des travaux de rénovation du club. Puis, ne voyant pas de raison de tourner autour du pot, Cam fit part au vicomte de sa décision de partir dès qu'ils seraient achevés.

— Pour combien de temps ? demanda Saint-Vincent, l'air inquiet.

— Pour toujours, en fait.

Tandis qu'il digérait la nouvelle, Saint-Vincent plissa les yeux.

— Comment allez-vous gagner votre vie ?

Sans se laisser affecter par le déplaisir évident de son employeur, Cam haussa les épaules.

— J'ai déjà plus d'argent que quiconque pourrait en dépenser durant une vie entière.

Le vicomte leva les yeux au ciel.

— Quiconque prétend une chose pareille ne connaît pas les bonnes boutiques. Ainsi donc, continua-t-il après un bref soupir, vous avez l'intention de fuir la civilisation et de vivre comme un sauvage ?

— Non, j'ai l'intention de vivre comme un Rom. Ce qui est différent.

— Rohan, vous êtes jeune, célibataire, riche, et vous avez accès à tous les avantages de la vie moderne. Si vous vous ennuyez, faites comme n'importe quel autre homme ayant vos moyens.

Cam arqua les sourcils.

— C'est-à-dire…

— Jouez! Buvez! Achetez un cheval! Prenez une maîtresse! Pour l'amour du ciel, faites preuve d'un peu d'imagination. Vous ne pouvez pas trouver d'autres solutions que de tout abandonner pour vivre comme un vagabond, en me mettant dans le pétrin par la même occasion? Comment diable vais-je vous remplacer?

— Personne n'est irremplaçable.

— Vous l'êtes. Personne d'autre à Londres ne peut faire ce que vous faites. Vous êtes un livre de comptes ambulant, vous avez des yeux derrière la tête, le tact d'un diplomate, le cerveau d'un banquier, les poings d'un boxeur, et vous pouvez désamorcer une bagarre en quelques secondes. J'aurais besoin d'engager au moins une demi-douzaine d'hommes pour vous remplacer.

— Je n'ai pas le cerveau d'un banquier, protesta Cam, indigné.

— Vu le succès foudroyant de vos investissements, vous ne pouvez nier…

— Ce n'était pas délibéré! C'était ma maudite bonne chance, argua Cam, le front plissé.

Visiblement satisfait d'avoir réussi à le déstabiliser, Saint-Vincent tira sur son cigare. Après avoir exhalé une élégante volute de fumée, il se tourna vers Westcliff.

— Dis quelque chose. Tu n'approuves pas plus ce projet que moi, j'imagine.

— Il ne nous appartient pas d'approuver ou de désapprouver.

190

— Merci, marmonna Cam.

— Toutefois, Rohan, continua Westcliff, je vous incite fortement à réfléchir au fait que, si une moitié de vous est un bohémien épris de liberté, l'autre moitié est irlandaise – un peuple connu pour son amour farouche de la terre. Ce qui me conduit à douter que vos errances vous rendent aussi heureux que vous l'escomptez.

Sa remarque toucha un point sensible chez Cam. Il avait toujours essayé d'ignorer la moitié *gadjo* de sa nature, qu'il traînait avec lui comme un bagage trop volumineux dont il aurait aimé se débarrasser, mais sans parvenir à trouver un endroit adéquat.

— S'il s'agit de souligner que je suis condamné quoi que je fasse, répliqua Cam sèchement, je préfère encore m'égarer du côté de la liberté.

— Tous les hommes doués d'intelligence sont obligés de renoncer un jour à leur liberté, observa Saint-Vincent. Le problème, avec le célibat, c'est que c'est trop facile, ce qui le rend ennuyeux. Le seul vrai défi à relever, c'est le mariage.

Le mariage. La respectabilité. Cam contempla ses compagnons avec un sourire sceptique. On aurait dit deux oiseaux tentant de se convaincre eux-mêmes de l'extrême confort de leur cage. Aucune femme ne valait la peine qu'on se rogne les ailes pour elle.

— Je rentre à Londres demain, annonça-t-il. Je resterai au club jusqu'à sa réouverture, puis, je partirai pour de bon.

Saint-Vincent ne se le tint pas pour dit. Son esprit agile analysa le problème sous différents angles.

— Rohan... Voilà des années que vous menez une existence plus ou moins civilisée et, pourtant, vous la trouvez soudain intolérable. Pourquoi ?

Cam garda le silence. Il n'était pas prêt à admettre la vérité, encore moins à l'énoncer à voix haute.

— Il y a sûrement une raison qui vous pousse à partir, insista Saint-Vincent.

— Peut-être que je me fais des idées, intervint Westcliff, mais je soupçonne que cela a quelque chose à voir avec Mlle Hathaway.

Cam le foudroya du regard.

Saint-Vincent jeta un coup d'œil au comte, puis revint à Rohan.

— Vous ne m'aviez pas dit qu'il y avait une femme.

Cam se leva si brusquement que sa chaise faillit se renverser.

— Elle n'a rien à voir avec cela.

— Qui est-ce ? s'enquit Saint-Vincent, qui détestait ne pas être au courant des derniers commérages.

— L'une des sœurs de lord Ramsay, répondit Westcliff. Ils vivent sur le domaine voisin.

— Eh bien, fit Saint-Vincent, ce doit être quelqu'un pour provoquer une telle réaction chez vous, Rohan. Racontez-moi tout. Elle est blonde ? Brune ? Bien faite ?

Garder le silence ou nier son attirance reviendrait à révéler l'étendue de sa faiblesse. Cam se rassit donc et s'efforça d'adopter un ton détaché.

— Elle est brune. Jolie. Et plutôt… originale.

— Originale, répéta Saint-Vincent, dont les yeux pétillaient. Comme c'est charmant ! Continuez.

— Elle connaît d'obscurs philosophes du Moyen Âge. Elle a une peur panique des abeilles. Elle tape du pied quand elle est nerveuse.

Et quantité d'autres choses, plus personnelles, qu'il ne pouvait révéler… Comme la pâleur exquise de son cou et de sa gorge, le soyeux de sa chevelure entre ses mains, la manière dont la force et la vulnérabilité se mêlaient en elle comme deux fibres différentes tissées ensemble. Sans parler de son corps, conçu pour le péché.

Cam ne voulait pas penser à Amelia. Car, chaque fois, il était submergé par un sentiment qu'il n'avait jamais éprouvé, aussi taraudant que la douleur, aussi envahissant que la faim. Ce sentiment ne

semblait avoir d'autre raison d'être que de l'empêcher de dormir. Il n'y avait pas un millimètre
d'Amelia Hathaway qui ne l'attirât profondément,
et c'était un problème si éloigné de tout ce dont il
avait jusqu'à présent fait l'expérience qu'il ignorait
totalement comment l'aborder.

Si seulement il pouvait la faire sienne, mettre un
terme à cette souffrance interminable… Mais
après avoir couché avec elle une fois, qui sait s'il
ne la désirerait pas encore davantage ?

Conscient que Westcliff et Saint-Vincent avaient
échangé un regard entendu, Cam reprit d'un ton
aigre :

— Si vous supposez que mon envie de partir n'est
rien de plus qu'une réaction à Mlle Hathaway…
figurez-vous que j'y ai songé. Je ne suis pas idiot. Et
pas dépourvu d'expérience avec les femmes.

— C'est le moins qu'on puisse dire, acquiesça
Saint-Vincent, pince-sans-rire. Mais lorsque vous
pourchassiez les femmes de vos assiduités – ou
peut-être devrais-je dire lorsque les femmes vous
pourchassaient de leurs assiduités –, vous sembliez
les considérer comme interchangeables. Jusqu'à
présent. Si vous vous intéressez à cette demoiselle
Hathaway, vous ne pensez pas que cela mérite d'être
étudié ?

— Seigneur, non ! Cela ne pourrait mener qu'à
une chose.

— Le mariage, fit le vicomte, et ce n'était pas
une question.

— Oui. Et c'est impossible.

— Pourquoi ?

Qu'ils discutent d'Amelia Hathaway et du
mariage suffit pour que Cam pâlisse, mal à l'aise.

— Je ne suis pas du genre à me marier…

Saint-Vincent ricana.

— Aucun homme ne l'est ! Le mariage est une
invention féminine.

— ... mais même si j'y étais enclin, poursuivit Cam, je suis un Rom. Je ne lui infligerais pas cela.

Aucun éclaircissement n'était nécessaire. Une *gadji* convenable n'épousait pas un bohémien. Cam était de sang mêlé, et même si Amelia était sans préjugé, les discriminations qu'il rencontrait au quotidien toucheraient certainement sa femme et ses enfants. Et comme si cela ne suffisait pas, son propre peuple désapprouverait encore davantage une telle alliance. *Gadjé Gadjensa, Rom Romensa...* Les *gadjé* avec les *gadjé*, les Roms avec les Roms.

— Et si cela lui était indifférent ? hasarda Westcliff.

— Le problème n'est pas là. Il est dans la manière dont les autres la considéreraient.

Voyant que le comte s'apprêtait à argumenter, Cam ajouta :

— Dites-moi sincèrement, l'un de vous deux souhaiterait-il que sa fille épouse un bohémien ?

Devant leur silence embarrassé, il eut un sourire sans joie.

Après un moment, Westcliff écrasa son cigare d'un geste méthodique.

— De toute évidence, votre décision est prise. Continuer à en débattre n'aurait pas de sens.

Saint-Vincent eut un haussement d'épaules résigné.

— Je suppose que je suis à présent obligé de vous souhaiter beaucoup de bonheur dans votre nouvelle vie, dit-il avec un sourire superficiel. Encore que le bonheur en l'absence de lieux d'aisance dignes de ce nom me semble être sujet à caution.

Cam ne fut pas dupe. Il n'avait jamais vu Westcliff ou Saint-Vincent renoncer facilement à avoir le dernier mot. Tous deux, chacun à sa manière, tenaient bon là où d'autres auraient depuis longtemps cédé. Cam était donc à peu près certain qu'il n'en avait pas fini avec eux.

— Je partirai à l'aube, se contenta-t-il de dire.

Rien ne pourrait le faire changer d'avis.

13

Beatrix, dont l'imagination avait été captivée par la lanterne magique, attendait la soirée avec impatience pour revoir les scènes peintes sur les plaques. Un grand nombre d'images étaient amusantes, notamment celles représentant des animaux habillés et s'adonnant à des activités humaines.

D'autres vues étaient plus sentimentales : un train passant sur la place d'un village, des enfants en train de jouer, des paysages d'hiver… Il y avait même quelques animaux exotiques. L'un d'eux, un tigre à demi dissimulé derrière des feuilles, était particulièrement frappant. Beatrix s'était livrée à des expériences avec la lanterne, la rapprochant ou l'éloignant du mur pour essayer de rendre l'image du tigre aussi distincte que possible.

À présent, elle avait décidé d'écrire une histoire et recruté Poppy pour peindre quelques scènes complémentaires. Elle comptait organiser un jour une représentation au cours de laquelle elle réciterait le texte pendant que Poppy manipulerait la lanterne magique.

À plat ventre devant la cheminée, les deux plus jeunes Hathaway discutaient, tandis qu'Amelia regardait les doigts agiles de Winnifred qui brodait un délicat motif floral. Leo était affalé sur le tapis, non loin, à demi abruti par l'alcool. Lui qui avait été un frère aîné aimant et attentif traitait à présent ses sœurs avec l'indifférence polie d'un étranger.

D'un geste machinal, Amelia leva la main pour se masser la nuque. Son regard se posa sur Merripen, dont la posture trahissait la fatigue après une journée de travail harassant. Il avait une expression lointaine, comme si lui aussi était perdu dans ses pensées. Sa vue troubla Amelia. La chaude carnation de sa peau, les reflets dans sa chevelure aile de corbeau ne lui rappelaient que trop Cam Rohan.

Elle ne cessait de penser à lui ce soir, ainsi qu'à Christopher Frost, et leurs images formaient un contraste saisissant dans son esprit. Avec Cam, il n'y avait aucun engagement, aucun avenir, juste les plaisirs du moment. Ce n'était pas un gentleman, mais elle appréciait davantage son honnêteté impitoyable que des manières plus onctueuses.

Et puis, il y avait Christopher, blond, civilisé, raisonnable et séduisant, qui manifestait le désir de renouer avec elle. Elle ne savait pas s'il était sincère, ni comment elle réagirait le cas échéant. Combien de femmes auraient été heureuses de se voir offrir une nouvelle chance avec leur premier amour ?

Si elle choisissait d'oublier son erreur passée et de lui pardonner, si elle l'encourageait, peut-être n'était-il pas trop tard pour eux. Sauf qu'elle n'était pas certaine de vouloir retrouver les rêves qu'elle avait abandonnés. Et qu'elle se demandait s'il était possible d'être heureuse avec un homme qu'on avait aimé mais à qui on ne faisait pas confiance.

Beatrix retira une plaque de la lanterne, la reposa avec précaution et en prit une autre.

— C'est celle que je préfère, dit-elle à Poppy en la glissant dans l'appareil.

Amelia, de nouveau perdue dans la contemplation de la broderie de Winnifred, ne leva pas les yeux. Avec une maladresse inaccoutumée, sa sœur se piqua soudain l'index. Une goutte de sang perla.

— Oh, Winnifred... murmura Amelia.

Mais celle-ci ne réagit pas. Elle ne sembla même pas s'être aperçue qu'elle s'était piquée. Fronçant les sourcils, Amelia jeta un coup d'œil sur son visage, puis suivit son regard, rivé sur le mur opposé.

L'image projetée par la lanterne magique représentait un paysage hivernal, avec un ciel de neige au-dessus de la masse sombre d'une forêt. Ç'aurait été une scène anodine si les contours délicats d'un visage féminin n'avaient semblé émerger de l'ombre.

Un visage familier...

Tandis qu'Amelia fixait, pétrifiée, ces traits spectraux, ils parurent acquérir une telle substance, qu'elle eut l'impression qu'il lui suffirait de tendre la main pour en percevoir les contours cireux.

— Laura, entendit-elle Winnifred murmurer.

C'était la jeune fille que Leo avait aimée. Son visage était parfaitement reconnaissable. La première pensée d'Amelia fut que Beatrix et Poppy leur jouaient une farce ignoble. Tournant la tête vers ses jeunes sœurs, elle se rendit cependant compte qu'elles bavardaient en toute innocence. De toute évidence, elles n'avaient même pas vu le visage de la morte. Pas plus que Merripen, qui regardait Winnifred d'un air perplexe.

Quand Amelia porta de nouveau les yeux sur le paysage, le visage avait disparu.

Beatrix retirait la plaque de la lanterne magique quand Leo se jeta sur elle pour s'en emparer, lui arrachant un cri.

— Donne-la-moi, gronda-t-il.

Il était blême, ses traits étaient déformés et son corps tremblait irrépressiblement. Se penchant sur le carré de verre peint, il regarda à travers comme s'il s'agissait d'une minuscule fenêtre ouverte sur l'enfer. Puis, maladroitement, il tenta de l'introduire dans la lanterne, au risque de renverser cette dernière.

— Arrête, tu vas la casser ! s'écria Beatrix, interloquée. Leo, qu'est-ce que tu fais ?

— Leo, intervint Amelia, tu risques de mettre le feu ! Fais attention !

— Qu'y a-t-il ? demanda Poppy, l'air effaré. Que se passe-t-il ?

La plaque une fois en place, l'image tremblotante du paysage d'hiver apparut de nouveau sur le mur.

La neige, le ciel, la forêt.

Rien d'autre.

— Reviens, murmura Leo d'une voix étranglée en secouant la lanterne. Reviens. Reviens !

— Leo, tu me fais peur, dit Beatrix, qui fila se réfugier près d'Amelia. Qu'est-ce qu'il a ?

— Il n'a plus les idées très claires, répondit Amelia. Tu sais comment il est quand il a trop bu.

— Je ne l'ai jamais vu comme ça.

— Il est l'heure d'aller se coucher, déclara Winnifred d'une voix qui trahissait son inquiétude. Beatrix... Poppy...

Elle jeta un coup d'œil à Merripen, qui se leva aussitôt.

— Mais Leo va casser la lanterne ! s'exclama Beatrix. Leo, arrête, tu tords les côtés !

Leur frère étant apparemment sourd à toute prière, Winnifred et Merripen entraînèrent les deux filles hors de la pièce. Amelia entendit le murmure interrogateur de Merripen, auquel Winnifred répondit à voix basse qu'elle lui expliquerait plus tard.

Quand le bruit de leurs voix se fut éloigné, Amelia déclara avec circonspection :

— Je l'ai vue aussi, Leo. De même que Winnifred.

Son frère ne la regarda pas, mais il s'immobilisa un instant. Après quoi il retira la plaque et la remit en place. Ses mains tremblaient. Le spectacle de cette souffrance à vif était difficile à supporter. Amelia se leva et s'approcha de lui.

— Leo, parle-moi. S'il te plaît…

— Laisse-moi seul, marmonna-t-il, se cachant à demi le visage derrière la main.

— Quelqu'un doit rester avec toi.

Il faisait plus froid dans la pièce. Un frisson courut le long de l'échine d'Amelia.

— Je vais bien.

Il prit quelques inspirations heurtées. Au prix d'un effort visible, il laissa retomber sa main et fixa sur elle ses yeux étrangement pâles.

— Je vais bien, Amelia. J'ai juste besoin de… Je veux… être un peu seul.

— Mais je veux parler de ce que nous venons de voir, là, sur ce mur.

— Ce n'était rien, assura-t-il, de plus en plus calme. Une illusion, c'est tout.

— C'était le visage de Laura. Tu l'as vu, et Winnifred et moi aussi !

— Nous avons tous les trois vu la même ombre. Allons, petite sœur, ajouta-t-il avec un vague sourire ironique, tu es trop rationnelle pour croire aux fantômes.

— Certes, mais…

Si elle était quelque peu rassurée par son ton moqueur, elle n'aimait pas la façon dont il gardait la main posée sur la lampe.

— Va, la pressa-t-il doucement. Il est tard. Tu as besoin de te reposer. Moi, je n'ai besoin de rien.

Amelia hésita. Elle avait la chair de poule, à présent.

— Si tu veux vraiment…

— Oui. Va-t'en.

Amelia s'exécuta à contrecœur. Elle sentit un violent courant d'air venu d'on ne sait où au moment où elle quittait le salon. Elle n'avait pas l'intention de refermer complètement la porte derrière elle, mais celle-ci claqua telles les mâchoires d'un animal affamé.

Elle dut prendre sur elle pour s'éloigner. Elle ressentait le besoin de protéger son frère, bien qu'elle ignorât de quoi.

Une fois dans sa chambre, elle se déshabilla et enfila sa chemise de nuit préférée. Taillée dans une épaisse flanelle blanche, elle avait un col haut et de longues manches ornées de broderie, œuvre de Winnifred. Même après qu'elle se fut glissée entre les draps et roulée en boule, les frissons qui l'avaient saisie dans le salon mirent longtemps à refluer. Elle aurait dû allumer un feu dans la cheminée. Elle aurait encore pu le faire pour réchauffer la chambre, mais l'idée de sortir du lit lui répugnait.

Au bout d'un long moment, elle finit par s'endormir, mais son sommeil fut agité. Dans ses rêves, elle avait l'impression de se quereller avec des tas de gens, et leur conversation n'avait ni queue ni tête. Elle se tournait et se retournait dans son lit pour y mettre un terme. En vain.

Puis il y eut des voix… la voix de Poppy, en fait. Malgré tous ses efforts pour l'ignorer, la voix demeura.

— Amelia ! Amelia !

Elle se hissa sur les coudes, déboussolée par ce réveil soudain. Poppy était à côté de son lit.

— Qu'y a-t-il ? marmonna-t-elle en écartant ses cheveux emmêlés de son visage.

Elle n'aperçut tout d'abord que le visage pâle de sa sœur. Puis, à mesure que ses yeux s'adaptaient à l'obscurité, elle perçut vaguement les contours de son corps.

— Ça sent la fumée, lâcha Poppy.

De telles paroles n'étaient jamais prononcées à la légère. Le feu était une menace permanente, quel que soit le type d'habitation. Une bougie ou une lampe renversée, des étincelles jaillissant de l'âtre, des braises laissées sans surveillance dans un fourneau suffisaient à déclencher un incendie. Et dans une maison aussi vieille que Ramsay House, ce ne pourrait être qu'un désastre.

Amelia bondit hors du lit et chercha ses chaussons à tâtons, avant de draper un châle sur ses épaules.

Bras dessus, bras dessous, les deux sœurs gagnèrent la porte de la chambre obscure avec une prudence de vieilles chattes.

Parvenue en haut de l'escalier, Amelia renifla, mais sans rien détecter d'autre que le mélange familier de savon noir, d'encaustique, de poussière et d'huile de lampe.

— Je ne sens pas de fumée.

— Essaye à nouveau, insista Poppy.

Cette fois, elle perçut nettement une odeur de brûlé. Aussitôt, elle songea à Leo, seul avec la lanterne, la flamme, l'huile… Et elle sut instantanément ce qui s'était passé.

— Merripen! hurla-t-elle avec une telle force que Poppy fit un bond de côté.

Amelia l'agrippa par le bras.

— Va chercher Merripen, lui intima-t-elle. Réveille tout le monde. Fais autant de bruit que tu peux.

Poppy détala sur-le-champ en direction des chambres tandis qu'Amelia s'engageait en hâte dans l'escalier. Une lueur palpitante, menaçante, rougeoyait sous la porte du salon.

— Leo! cria Amelia en ouvrant le battant à la volée.

Elle recula aussitôt, giflée par une bouffée d'air brûlant. Devant l'un des murs, des flammes se tordaient et s'élançaient vers le plafond comme autant de tentacules écarlates. À travers les tourbillons de fumée âcre, elle distingua la silhouette de son frère affalé sur le sol. Elle se rua vers lui, l'attrapa par la chemise et tira si violemment que le tissu commença à se déchirer.

— Leo, lève-toi ! Lève-toi immédiatement !

Il ne réagit pas.

Amelia essaya de nouveau de le tirer tout en lui hurlant de se réveiller. Sans succès. Des larmes de frustration lui montèrent aux yeux, déjà irrités par la fumée. C'est alors que Merripen surgit et la repoussa sans ménagement. Il se baissa, empoigna Leo et réussit à le hisser sur son épaule avec un grognement.

— Suis-moi, ordonna-t-il d'un ton brusque à Amelia. Les filles sont déjà dehors.

— Un instant. Il faut que je remonte chercher des affaires…

Il lui adressa un regard menaçant.

— Non.

— Mais nous n'avons pas de vêtements ! Tout risque de…

— Dehors !

Jamais, au grand jamais, Merripen n'avait élevé la voix contre elle. Amelia en fut tellement saisie qu'elle obtempéra. Ses yeux continuèrent de piquer et de larmoyer même quand elle eut franchi la porte et retrouvé Winnifred et Poppy sur l'allée de gravier. Ces dernières entourèrent Leo et tentèrent de le réveiller en le maintenant en position assise. Comme Amelia, elles ne portaient qu'une chemise de nuit, un châle et des pantoufles.

— Où est Beatrix ? s'enquit celle-ci.

Au même instant, la cloche du domaine commença à sonner, ses notes claires se propageant dans toutes les directions.

— J'ai envoyé Beatrix, expliqua Winnifred.

En entendant la cloche, les voisins et les villageois accourraient pour les aider. Malheureusement, le temps qu'ils arrivent, Ramsay House serait probablement la proie des flammes.

Merripen s'empressa d'aller sortir le cheval de l'écurie, au cas où le feu se propagerait jusque-là.

Amelia entendit Leo demander d'une voix rauque :
— Que se passe-t-il ?

Avant que quiconque puisse lui répondre, il fut saisi d'une quinte de toux. Winnifred et Poppy restèrent à côté de leur frère, lui murmurant des paroles de réconfort, mais Amelia demeura volontairement à l'écart.

Elle était emplie d'amertume, de fureur et de crainte. Pour elle, il ne faisait aucun doute que Leo était responsable de l'incendie, qu'il avait failli provoquer leur mort à tous, et que s'ils perdaient leur maison, ce serait par sa faute. Il s'écoulerait beaucoup de temps avant qu'elle soit capable de lui adresser de nouveau la parole.

Ce frère qu'elle avait tendrement chéri s'était métamorphosé en un être qu'elle ne reconnaissait plus. Il était parvenu à un point où il n'y avait plus grand-chose à aimer chez lui. Au mieux, il était un objet de pitié, au pire, un danger pour lui-même et pour les siens. Elle en venait même à penser qu'ils se porteraient mieux sans lui. Sauf que, s'il mourait, le titre passerait à un parent éloigné ou s'éteindrait, et que la famille se retrouverait sans aucun revenu.

Elle éprouva, en revanche, une immense bouffée de gratitude envers Merripen qui s'escrimait à faire sortir d'abord le cheval, puis la voiture de l'écurie. Que seraient-elles devenues sans lui ? Quand leur père l'avait recueilli, tant d'années auparavant, les habitants de Primrose Place avaient vu là un acte de charité. Mais Merripen leur avait rendu leur bonté au centuple. Amelia n'avait jamais vraiment su pourquoi il avait choisi de rester avec eux – ils en tiraient avantage bien plus que lui.

Les gens commençaient déjà à arriver de partout. Les villageois avaient avec eux une pompe à main tractée par un cheval de trait. Sur les côtés de la charrette se trouvaient des citernes qu'il allait falloir remplir avec l'eau de la rivière, les volontaires munis de seaux formant une chaîne. À l'aide d'une manivelle, l'eau serait ensuite dirigée dans un tuyau de cuir et expulsée à travers un embout métallique. Le temps que l'engin soit prêt à fonctionner, le feu ferait sans doute rage. Il était cependant possible que la pompe permette de sauver au moins une partie de la maison.

Amelia courut au-devant des villageois afin de leur indiquer le chemin le plus court pour atteindre la rivière. Merripen en tête, un groupe d'hommes s'y dirigea aussitôt, leurs seaux se balançant aux deux bouts d'une palanche calée sur l'épaule.

Comme elle faisait volte-face pour rejoindre ses sœurs, Amelia heurta une haute silhouette. Elle poussa un cri étouffé, sentit des mains familières se refermer sur ses épaules.

— Christopher !

Le soulagement la submergea, quand bien même Christopher ne pouvait sauver la maison. Elle leva les yeux vers son beau visage qu'éclairait la lueur vacillante des flammes.

Il l'attira contre lui, comme s'il ne pouvait s'en empêcher, lui pressant la tête contre son épaule.

— Dieu soit loué, vous n'êtes pas blessée. Comment le feu a-t-il pris ?

— Je ne sais pas.

Amelia se tenait immobile contre lui, décontenancée. Jamais elle n'aurait imaginé se retrouver un jour dans ses bras. Elle se rappelait cette sensation de sécurité que lui procurait son étreinte, et cette manière dont leurs corps s'épousaient.

Mais au souvenir de sa trahison, elle se dégagea et repoussa les cheveux qui lui tombaient sur les yeux.

Christopher la lâcha à contrecœur.

— Restez à l'écart de la maison. Je vais donner un coup de main avec la pompe.

Une voix résonna dans l'obscurité.

— Vous seriez plus utile par ici.

Amelia et Christopher sursautèrent, car la voix semblait sortie de nulle part. Quand ils se retournèrent, Cam Rohan, tout de noir vêtu, émergea de l'ombre.

— Bon sang, grommela Christopher, on vous distingue à peine, sombre comme vous l'êtes.

Rohan aurait pu prendre ombrage de cette remarque, il n'en fit rien. Son regard balaya rapidement Amelia.

— Vous n'êtes pas blessée ?

— Non, mais la maison…

Sa voix s'étrangla.

Se débarrassant de son manteau, Cam en enveloppa Amelia. Le lainage était imprégné de chaleur et d'une odeur masculine qu'elle trouva réconfortante.

— Nous verrons ce que nous pouvons faire, dit-il.

Invitant d'un geste Christopher Frost à le suivre, il ajouta à son adresse :

— On est en train de décharger deux bonbonnes près de l'escalier. Vous pouvez m'aider à les transporter à l'intérieur.

Amelia ouvrit des yeux ronds à la vue des deux gros récipients métalliques.

— Qu'est-ce que c'est ?

— Une invention du capitaine Swansea. Elles sont remplies d'une solution de carbonate de potassium. Nous allons l'utiliser pour empêcher le feu de s'étendre le temps d'amorcer la pompe.

Rohan jeta un coup d'œil à Christopher Frost.

205

— Swansea est trop âgé pour porter les bonbonnes; je vais en prendre une et vous prendrez l'autre.

Amelia connaissait suffisamment Christopher pour deviner sa répugnance à recevoir des ordres, surtout d'un homme qu'il considérait comme son inférieur. Elle fut donc surprise qu'il s'exécute sans protester et emboîte le pas à Cam Rohan.

14

Amelia regarda les deux hommes soulever les curieux récipients de cuivre munis d'un tuyau de cuir, et les transporter à l'intérieur de la maison. Le capitaine Swansea resta sur les marches, leur criant ses instructions.

Des éclairs sanglants fulguraient derrière les fenêtres tandis que le feu commençait à se propager dans toute la maison. Bientôt, songea Amelia avec accablement, il ne resterait plus qu'un squelette noirci.

Elle rejoignit ses sœurs, et demanda à Winnifred, qui avait calé la tête de Leo sur ses genoux :

— Comment va-t-il ?

— Il a été intoxiqué par la fumée, répondit sa sœur en caressant doucement la chevelure hérissée de Leo. Mais je pense qu'il s'en remettra.

Baissant les yeux sur leur frère, Amelia marmonna :

— La prochaine fois que tu essaies de te tuer, j'aimerais que tu ne nous entraînes pas avec toi.

Rien n'indiqua qu'il avait entendu, mais Winnifred, Beatrix et Poppy lui jetèrent un regard surpris.

— Pas maintenant, murmura Winnifred d'un ton gentiment réprobateur.

Amelia ravala les mots durs qui lui montaient aux lèvres et fixa les yeux sur la maison.

Il y avait beaucoup de nouveaux arrivants, et une chaîne s'était formée pour passer les seaux de main en main depuis la rivière jusqu'à la pompe. Amelia chercha en vain un signe d'activité à l'intérieur du bâtiment. Que diable fabriquaient Rohan et Frost ?

Winnifred parut lire dans ses pensées.

— On dirait que le capitaine Swansea a finalement l'occasion de tester son invention.

— Quelle invention ? Et comment es-tu au courant ?

— J'étais assise à côté de lui lors du dîner à Stony Cross Manor. Il m'a raconté comment, au cours de ses expériences pyrotechniques, il avait eu l'idée d'un système qui permettrait d'éteindre les incendies en les aspergeant d'une solution de carbonate de potassium. Quand le récipient en cuivre est redressé, une fiole d'acide se mélange à la solution, et la pression créée est suffisante pour propulser le liquide à l'extérieur.

— Et tu crois que ça va fonctionner ? demanda Amelia, dubitative.

— Je l'espère sincèrement.

Toutes deux tressaillirent en entendant un bruit de verre brisé. Elles découvrirent que l'équipe qui manœuvrait la pompe à main s'efforçait de ménager une ouverture suffisamment grande dans une fenêtre pour diriger le jet d'eau à l'intérieur de la pièce en feu.

De plus en plus inquiète, Amelia scruta le bâtiment, cherchant un signe qui trahirait la présence de Rohan ou de Frost. L'idée de se précipiter dans une maison en feu avec un appareil non testé susceptible de vous exploser au visage la laissait plus que sceptique. Entre les produits chimiques, la fumée et la chaleur, les deux hommes pouvaient perdre leurs repères ou se retrouver piégés. La pensée que quelque chose pût arriver à l'un ou à l'autre lui était si insupportable que son estomac se noua douloureusement.

Elle envisageait de s'aventurer jusqu'au perron lorsque Rohan et Frost émergèrent de la maison avec les bonbonnes vides. Aussitôt, le capitaine Swansea se rua vers eux.

Amelia s'élança à son tour, un cri de joie aux lèvres. Mais, emportée par son élan, elle ne parvint pas à s'arrêter.

Lâchant son récipient, Rohan la rattrapa d'une main ferme.

— Doucement…

Dans sa course, elle avait perdu le manteau de Rohan en même temps que son châle. L'air froid de la nuit traversa l'étoffe de sa chemise de nuit, lui arrachant un violent frisson. Cam la serra contre lui, l'enveloppant d'une odeur âcre de fumée et de sueur, et lui frotta le dos pour la réchauffer.

— Les extincteurs ont été encore plus efficaces que je ne le prévoyais, entendit-elle le capitaine Swansea dire à Christopher. Deux ou trois bonbonnes de plus, et je suis convaincu que nous aurions pu venir à bout de l'incendie.

Se ressaisissant, Amelia glissa un coup d'œil au-delà des bras de Rohan. Frost la fixait avec un mélange de désapprobation, et de quelque chose qui ressemblait à de la jalousie. Elle savait qu'elle se donnait en spectacle ; et, de nouveau, avec Cam Rohan. Mais elle ne put se décider à renoncer à la protection réconfortante de ses bras.

Le capitaine Swansea affichait une expression satisfaite.

— Le feu est sous contrôle, à présent, annonça-t-il à Amelia. Je pense qu'ils ne tarderont pas à l'éteindre complètement.

— Capitaine, je ne pourrai jamais vous remercier assez, articula-t-elle.

— J'attendais une occasion comme celle-ci, avoua-t-il. Encore que, bien sûr, j'aurais préféré que ce ne soit pas votre maison qui serve de test.

Il se détourna pour observer la pompe, qui fonctionnait maintenant à plein régime.

— J'ai bien peur que l'eau fasse au moins autant de dégâts que la fumée, commenta-t-il d'un ton chagrin.

— Peut-être qu'il reste des pièces habitables au premier étage, risqua Amelia. Dans quelques minutes, j'aimerais bien aller voir…

— Non, l'interrompit Rohan avec calme. Votre famille et vous irez à Stony Cross Manor. Ils ont plus de chambres qu'il n'en faut.

Avant qu'Amelia puisse prononcer un mot, Christopher Frost intervint :

— Je loge avec la famille Shelsher à la taverne du village. Mlle Hathaway et les siens s'y rendront avec moi.

Amelia perçut un changement dans la manière dont Rohan la tenait. Sa main se posa sur son bras, le pouce au creux de son coude, là où battait son pouls. Il la touchait avec l'intimité possessive d'un amant.

— La résidence des Westcliff est plus proche, répliqua-t-il. Mlle Hathaway et ses sœurs sont en chemise de nuit, dans le froid. Leur frère doit être vu par un médecin et, si je ne me trompe pas, Merripen aussi. Ils vont aller au manoir.

Amelia fronça les sourcils.

— Pourquoi Merripen a-t-il besoin de voir un médecin ? Où est-il ?

Rohan la fit pivoter entre ses bras.

— Là-bas, près de vos sœurs.

Amelia laissa échapper un cri à la vue de Merripen recroquevillé sur le sol. Agenouillée à côté de lui, Winnifred tentait de décoller le tissu de sa chemise de son dos.

Se libérant de l'étreinte de Rohan, Amelia se rua vers eux. Christopher l'appela, mais elle ne se retourna pas.

— Que s'est-il passé ? demanda-t-elle en se laissant tomber sur le sol humide. Merripen a été brûlé ?

— Oui, au dos, répondit Winnifred tout en déchirant le bas de sa chemise de nuit. Beatrix, tu veux bien aller me l'imbiber d'eau ? fit-elle en tendant le bout d'étoffe à sa cadette.

Sans un mot, celle-ci s'élança vers le réservoir de la pompe.

Winnifred caressa les cheveux de Merripen comme il appuyait la tête sur ses avant-bras. Son souffle, irrégulier, sortait en sifflant.

— Ça fait mal ou c'est insensible ? s'enquit Amelia.

— Ça fait un mal de chien, répondit-il d'une voix étranglée.

— C'est bon signe. Une brûlure est beaucoup plus sérieuse quand elle est insensible.

Il tourna la tête et lui adressa un regard éloquent.

Winnifred garda la main sur la nuque de Merripen tandis qu'elle expliquait à Amelia :

— Il était trop près de l'avant-toit. La chaleur a fait fondre le plomb qui borde les bardeaux, et il en a reçu sur le haut du dos. Merci, dit-elle à Beatrix qui revenait avec le chiffon.

Elle releva la chemise de Merripen et posa l'étoffe humide sur la brûlure, lui arrachant un gémissement de douleur. Malgré son orgueil et son attachement à la bienséance, il laissa Winnifred lui caler la tête sur ses genoux comme il était saisi de tremblements incoercibles.

Jetant un coup d'œil à Leo, qui ne semblait guère mieux, Amelia dut admettre que Cam Rohan avait raison : il lui fallait conduire sa famille au manoir immédiatement et envoyer chercher un médecin.

Elle ne protesta pas quand Rohan et le capitaine Swansea les invitèrent à monter en voiture. S'il fallut carrément porter Leo, Merripen, chancelant et désorienté, eut également besoin d'aide.

À leur arrivée à Stony Cross Manor, ils furent accueillis avec beaucoup de compassion et d'effervescence. Des domestiques couraient en tous sens, et des invitées proposaient vêtements et objets personnels. Lady Westcliff et lady Saint-Vincent se chargèrent des deux plus jeunes, tandis qu'Amelia était confiée à deux femmes de chambre.

Au bout de ce qui lui parut une éternité, vêtue d'une chemise de nuit propre et d'un peignoir en velours, les cheveux encore humides, elle put enfin aller prendre des nouvelles de sa famille, à commencer par son frère.

Le médecin, un homme d'âge mûr à la barbe grise soigneusement taillée, sortait de la chambre de ce dernier.

— L'un dans l'autre, lord Ramsay se porte assez bien, lui répondit-il lorsqu'elle s'enquit de son état. Il y a un petit gonflement de la gorge – dû à l'inhalation de la fumée, bien sûr – mais c'est une simple irritation des tissus. Son teint est coloré, son cœur bat normalement, et tout indique qu'il sera bientôt sur pied.

— Dieu soit loué ! Et Merripen ?

— Le bohémien ? Son état est un peu plus préoccupant. Il a une vilaine brûlure. Je l'ai traitée, et j'ai appliqué dessus une compresse de miel qui devrait empêcher le pansement de coller pendant la cicatrisation. Je repasserai voir demain comment son état évolue.

— Merci, docteur. Je ne voudrais pas abuser – je sais qu'il est tard –, mais si vous pouviez prendre encore un instant pour rendre visite à l'une de mes sœurs ? Elle a une faiblesse des poumons et même si elle n'a pas été exposée à la fumée, elle est restée dehors…

— Vous faites allusion à Mlle Winnifred ?

— Oui.

— Elle était dans la chambre du bohémien. Apparemment, il partageait votre inquiétude au sujet de la santé de votre sœur. Tous deux se sont disputés avec pas mal d'acharnement pour savoir lequel des deux je devais examiner en premier.

— Oh… Et qui a gagné ? demanda Amelia en esquissant un pâle sourire. Merripen, je suppose.

Il lui rendit son sourire.

— Non, mademoiselle Hathaway. Votre sœur souffre peut-être d'une faiblesse des poumons, mais sa détermination est sans bornes. Je vous souhaite une bonne nuit, dit-il en s'inclinant. Toutes mes condoléances pour votre infortune.

Amelia le remercia d'un signe de tête et entra dans la chambre de Leo. Il était couché sur le flanc, les yeux ouverts, mais ne daigna pas la regarder quand elle s'approcha. Après s'être assise avec précaution au bord du matelas, elle lissa de la main ses cheveux emmêlés.

— Tu es venue pour m'achever ? murmura-t-il d'une voix enrouée.

— Pour ça, tu sembles te débrouiller parfaitement sans aide, répondit-elle, ironique. Comment le feu a-t-il pris, Leo ? ajouta-t-elle après une pause.

Il la regarda enfin. Il avait les yeux injectés de sang.

— Je ne m'en souviens pas. Je m'étais endormi. Je n'ai pas mis le feu volontairement. J'espère que tu me crois.

— Oui. Repose-toi, fit-elle en se penchant pour l'embrasser sur le front, comme s'il était encore un enfant. Tout ira mieux demain matin.

— Tu dis toujours ça, marmonna-t-il en fermant les paupières. Peut-être qu'un jour, ce sera vrai.

Sur ce, il s'endormit avec une soudaineté déconcertante.

Amelia tourna la tête comme on ouvrait la porte. Une gouvernante entra avec un plateau chargé de flacons et de bouquets d'herbes séchées. Elle était en compagnie de Cam Rohan, qui portait une petite bouilloire ouverte d'où s'échappait un nuage de vapeur.

Ce dernier avait encore les vêtements, les cheveux et la peau maculés de suie. Il devait être fatigué après les événements de la nuit, mais n'en montrait aucun signe. Il enveloppa Amelia d'un regard attentif, ses yeux scintillant dans son visage noirci.

— La vapeur aidera lord Ramsay à mieux respirer durant la nuit, expliqua la gouvernante, qui entreprit d'allumer des bougies sous un support métallique, sur lequel Rohan plaça la bouilloire.

À mesure que la vapeur se diffusait dans la chambre, un parfum puissant, pas désagréable, vint chatouiller les narines d'Amelia.

— Qu'est-ce que c'est ? demanda-t-elle à voix basse.

— Un mélange de camomille, de thym et de réglisse, répondit Rohan. Ainsi que des feuilles de prêle pour le gonflement de sa gorge.

— Nous avons aussi apporté de la morphine pour l'aider à dormir, ajouta la gouvernante. Je la laisserai sur la table de nuit, au cas où il se réveillerait…

— Non, ce ne sera pas nécessaire, coupa Amelia.

Leo n'avait certes pas besoin d'une grande bouteille de morphine à sa libre disposition !

— Bien, mademoiselle, murmura la gouvernante, qui lui recommanda de sonner en cas de besoin, avant de quitter la pièce.

Cam, lui, ne sortit pas. Appuyé à l'un des hauts montants du lit, il regarda Amelia se pencher sur la bouilloire pour en inspecter le contenu. Elle se détourna pour échapper à sa présence vibrante, à son regard pénétrant, à sa moue perplexe.

— Vous devez être épuisé, dit-elle en s'emparant d'une brindille garnie de feuilles séchées.

Elle la porta à ses narines et la huma prudemment.

— Il est très tard, ajouta-t-elle.

— J'ai passé la plus grande partie de mon existence dans un club de jeu – je suis devenu plus ou moins un animal nocturne. Vous devriez aller vous coucher, ajouta-t-il après un silence.

Amelia secoua la tête. Pourtant, entre le grondement de son pouls et le tourbillon de pensées inquiètes qui ne la laissaient pas en paix, elle ressentait une immense lassitude. Mais toute tentative pour dormir serait vouée à l'échec, elle le savait. Elle se contenterait de rester allongée sur son lit à fixer le plafond.

— J'ai la tête qui tourne comme un manège. À la pensée de dormir…

— Cela vous aiderait-il d'avoir une épaule sur laquelle pleurer ? hasarda-t-il d'une voix douce.

Elle lutta pour ne pas lui montrer à quel point cette question la perturbait.

— Merci, mais non, répondit-elle en laissant tomber la brindille dans la bouilloire. Pleurer est une perte de temps.

— « Pleurer, c'est rendre la douleur moins profonde. »

— Un proverbe rom ?

— Shakespeare.

Il l'observa avec acuité, comprenant trop de choses, devinant ce qui bouillonnait sous le calme apparent.

— Vous avez des amis pour vous aider dans cette épreuve, Amelia. Et je suis l'un d'entre eux.

Amelia était terrifiée à l'idée qu'il puisse voir en elle un objet de pitié. Il lui fallait éviter cela à tout prix. Elle ne pouvait s'appuyer sur lui ou sur quiconque. Ce serait courir le risque de se retrouver incapable de se débrouiller de nouveau seule. Elle eut un petit geste de la main, comme pour lui signifier de ne pas s'approcher.

— Ne vous mettez pas en peine pour les Hathaway. Nous nous en sortirons. Nous nous en sommes toujours sortis.

— Pas cette fois, rétorqua Rohan en la regardant sans ciller. Votre frère est hors d'état d'aider quiconque, lui-même inclus. Vos sœurs sont trop jeunes, à l'exception de Winnifred. Et maintenant, même Merripen est alité.

— Je m'occuperai d'eux. Je n'ai pas besoin d'aide.

Elle tendit la main vers un linge posé au pied du lit et le plia avec soin.

— Vous partez demain matin pour Londres, n'est-ce pas ? Vous devriez sans doute suivre vos propres conseils et aller vous coucher.

Les yeux dorés de Rohan prirent une fixité minérale.

— Pourquoi diable faut-il que vous vous montriez aussi entêtée ?

— Je ne me montre pas entêtée. C'est simplement que je ne veux rien de vous. Et vous méritez de trouver cette liberté dont vous avez été si longtemps privé.

— Vous souciez-vous de ma liberté ou êtes-vous terrifiée à l'idée d'admettre que vous avez besoin de quelqu'un ?

Il avait raison, mais plutôt mourir que de le reconnaître.

— Je n'ai besoin de personne, et surtout pas de vous.

— Vous ignorez à quel point il serait facile de vous prouver que vous vous trompez, riposta-t-il d'une voix qui, pour être douce, n'en était pas moins cinglante.

Il commença à tendre la main vers elle, interrompit son geste, et la regarda comme s'il voulait l'étrangler, l'embrasser, ou les deux à la fois.

— Peut-être dans une vie prochaine, soufflat-elle en s'efforçant de sourire. Allez-vous-en, s'il vous plaît. S'il vous plaît, Cam.

Elle attendit qu'il ait quitté la chambre, puis poussa un soupir de soulagement.

Cam quitta la maison. Il avait besoin d'échapper à son atmosphère confinée. La faible clarté de la lune perçait à peine l'obscurité profonde, mais il se dirigea sans hésiter vers le parapet qui bordait la falaise, au-dessus de la rivière. Après s'être hissé dessus sans difficulté, il s'assit, les pieds dans le vide, et écouta les bruits de la nuit en s'efforçant de faire le tri dans ses émotions.

Jusqu'à présent, il n'avait jamais éprouvé de jalousie, pourtant, à la vue d'Amelia et de Christopher Frost enlacés devant la maison en flammes, il avait été saisi d'une violente envie d'étrangler ce salaud. Son instinct lui criait qu'Amelia était *à lui*, et qu'il *lui* revenait de la protéger et de la réconforter. Sauf qu'il n'avait aucun droit sur elle.

Si Frost décidait de la reconquérir, mieux valait ne pas s'interposer. Amelia serait bien plus heureuse avec quelqu'un de son propre peuple plutôt qu'avec un Rom. Lui-même serait plus heureux, aussi.

Seigneur, était-il vraiment en train d'envisager de passer le reste de sa vie en *gadjo*, enchaîné à un foyer ?

Il devait quitter le Hampshire ! Amelia prendrait sa décision au sujet de Frost, et lui-même suivrait son destin. Il n'y aurait ni compromis ni sacrifice, d'un côté comme de l'autre. Il ne serait rien de plus dans l'existence d'Amelia qu'un bref épisode dont, plus tard, elle ne se souviendrait que vaguement.

Baissant la tête, Cam fourragea dans ses cheveux emmêlés. Il éprouvait une douleur familière dans la poitrine, comme chaque fois qu'il aspirait à la liberté. Mais pour la première fois, il se demanda s'il ne se trompait pas sur ce qu'il voulait. Il n'avait pas l'impression que cette douleur disparaîtrait quand il partirait. En vérité, elle menaçait de devenir bien pire.

Son avenir se déroulait devant lui, immense et vide. Des milliers de nuits sans Amelia. Il enlacerait et ferait l'amour à d'autres femmes, certes, mais aucune ne serait jamais celle qu'il désirait vraiment.

Il songea à l'existence d'Amelia si elle restait vieille fille. Ou, pire, si elle se réconciliait avec Frost, l'épousait peut-être, mais vivait à jamais en sachant qu'il l'avait trahie une fois et pouvait recommencer. Elle méritait bien mieux que cela. Elle méritait un amour passionné, ardent, inconditionnel. Elle méritait…

Bon sang ! Il réfléchissait trop. Exactement comme un *gadjo*.

Il s'obligea à regarder la vérité en face. Amelia était à lui, qu'il reste ou qu'il parte, qu'ils empruntent le même chemin ou pas. Vivraient-ils dans des hémisphères différents qu'elle serait toujours à lui.

La part de Rom en lui l'avait vu dès le début.

Et c'était cette part de lui-même qu'il écouterait.

Le lit d'Amelia était douillet et luxueux, mais il aurait pu tout aussi bien être fait de planches brutes. Elle avait beau se retourner, étaler bras et jambes, elle n'arrivait pas plus à trouver de position confortable qu'à apaiser son esprit torturé.

L'atmosphère dans la chambre était confinée, un peu plus étouffante à chaque minute. Aspirant à un peu d'air frais, Amelia se glissa hors du lit, gagna la fenêtre et l'ouvrit. Un soupir de soulagement lui échappa comme une brise légère l'enveloppait. Ses yeux la brûlaient et elle les frotta avec précaution.

Étrangement, en dépit de tous les problèmes auxquels elle devait faire face, c'était la question de savoir si Christopher Frost l'avait jamais vraiment aimée qui l'empêchait de dormir. Même après qu'il l'eut abandonnée, elle avait voulu le croire. Elle s'était efforcée de se convaincre que l'amour était un luxe pour la plupart des gens, que le métier de Christopher était difficile et qu'il s'était trouvé confronté à un choix impossible. Il avait fait ce qu'il jugeait le mieux à ce moment-là. Peut-être avait-elle eu tort d'attendre de lui qu'il la choisisse sans se préoccuper des conséquences.

Être désirée par-dessus tout, être espérée, convoitée... cela ne lui arriverait jamais.

Elle crut entendre la porte s'ouvrir derrière elle. Puis elle perçut un changement dans l'obscurité et sentit une présence. Pivotant vivement sur ses talons, elle découvrit Cam Rohan à l'entrée de la chambre. Son cœur se mit à battre à grands coups sourds. Il ressemblait à une créature émergeant d'un rêve, un fantôme sombre et énigmatique.

Il s'avança lentement vers elle. Et plus il se rapprochait, plus il lui semblait que tout, autour d'elle, s'effilochait, se délitait, la laissant totalement exposée et vulnérable.

La respiration de Cam était un peu irrégulière. De même que la sienne. Ce fut lui qui finit par rompre le silence :

— Les Roms pensent qu'il faut prendre la route qui vous appelle et ne jamais regarder en arrière.

Parce que vous ne savez jamais quelles aventures vous attendent.

Il tendit lentement les mains vers elle, lui donnant toute latitude de se dérober. À travers la mousseline de coton de sa chemise de nuit, elle sentit ses mains sur ses hanches, puis il l'attira à lui, tout contre son corps dur.

— Nous allons donc prendre cette route, murmura-t-il, et voir où elle nous mène.

Il parut attendre un signe, un mot de refus ou d'encouragement, mais Amelia se contenta de le regarder fixement, pétrifiée et désarmée.

Il lui caressa les cheveux, lui chuchotant de ne pas avoir peur, lui assurant qu'il s'occuperait d'elle et lui donnerait du plaisir. Après avoir refermé les doigts sur son cou gracile, il s'inclina sur elle. Il frôla sa bouche de la sienne, encore et encore, puis, quand ses lèvres furent humides et s'entrouvrirent, il s'en empara avec ardeur.

L'excitation déferla en elle tel un flot tumultueux, et elle s'abandonna à ce sombre plaisir, s'épanouissant sous la caresse impérieuse de sa langue, s'enhardissant à en goûter la douceur soyeuse. Cam la poussa doucement jusqu'à ce que, perdant l'équilibre, elle se retrouve allongée sur le lit en désordre comme sur un autel païen. Penché au-dessus d'elle, il lui embrassa la gorge. Elle perçut une succession de petits coups sur le devant de sa chemise de nuit, et celle-ci s'ouvrit.

La chaleur qui émanait du corps de Cam trahissait son impatience, mais chacun de ses gestes, quand il glissa la main sous la fine étoffe pour lui caresser la poitrine, était doux et attentionné. Elle plia les genoux, le corps arqué pour contenir son plaisir. Les mains de Cam glissèrent de sa poitrine à ses genoux, l'obligeant à se détendre. De ses lèvres entrouvertes, il lui frôla un sein, puis en taquina la pointe durcie de la langue. Elle posa les mains sur sa tête, enfouit les doigts dans ses boucles d'ébène pour le retenir contre elle. Il referma la bouche autour de son mamelon et le téta légèrement jusqu'à ce que, parcourue de tremblements, elle essaye de rouler plus loin, en proie à un trouble sans nom.

Cam la ramena vers lui et se pencha de nouveau sur elle. Sa bouche couvrit la sienne tandis que ses doigts agiles retroussaient sa chemise de nuit et cherchait la chair tendre à l'arrière de ses cuisses.

Amelia tendit ses mains tremblantes vers sa chemise. Elle était ample, sans col, d'un modèle que l'on passait par la tête. Anticipant son geste, Cam s'en débarrassa et la jeta sur le lit. À la lueur de la lune, son corps apparut souple et musclé, son torse lisse. Y plaquant les paumes, Amelia les fit descendre doucement, glisser sur ses flancs et se rejoindre dans son dos. Il frissonna sous sa caresse et s'allongea près d'elle, une jambe glissée entre les siennes.

Sa chemise de nuit, déjà remontée haut sur ses cuisses, s'ouvrit complètement, dévoilant ses seins. Cam referma la main sur l'un des globes pâles et y porta de nouveau les lèvres tout en le pétrissant. Amelia se cambra pour se presser davantage contre lui, pour le sentir peser davantage sur elle. Il résista, promena les mains sur son corps en une caresse censée la calmer. Oh, c'était si doux ! Elle en frissonna de plaisir. Elle n'arrivait plus à parler, à penser. Elle se tortilla contre lui, et le désir fusa dans ses veines, atteignant une intensité presque insupportable.

— Cam… balbutia-t-elle. Cam…

Elle pressa le visage contre son épaule. Sentant ses cils humides, il lui repoussa doucement la tête et cueillit de la langue une larme égarée.

— Patience, mon cœur. Il est trop tôt.

Elle scruta son visage noyé d'ombres.

— Pour vous ?

Il y eut un silence, comme si Cam luttait pour réprimer un rire.

— Non, pour toi.

— J'ai vingt-six ans, protesta-t-elle. Comment cela pourrait-il être trop tôt pour moi ?

Cette fois, Cam ne put se retenir et étouffa son rire contre ses lèvres.

Ses baisers se firent plus durs, plus longs, entre-coupés de chuchotements où le romani et l'anglais se mêlaient au point que Cam lui-même ne parais-sait pas vraiment savoir quel langage il utilisait. S'emparant soudain de la main d'Amelia, il la posa sur le gonflement agressif de son érection. Choquée et fascinée, elle en explora la longueur avant de refermer d'un geste hésitant les doigts sur le relief dur. Cam laissa échapper un gémissement qui lui fit retirer vivement la main.

— Je suis désolée, souffla-t-elle en rougissant. Je ne voulais pas vous... te faire mal.

— Tu ne m'as pas fait mal, assura-t-il avec une pointe d'amusement tendre.

Il lui reprit la main et la replaça au même endroit.

Amelia reprit son exploration timide, sa curio-sité piquée par la chaleur et par la palpitation discrète qu'elle percevait sous l'étoffe tendue de son pantalon. Sa caresse sembla le ravir, et il ron-ronnait presque quand il se pencha sur sa gorge pour y poser les lèvres.

De la jambe, il lui écarta doucement les cuisses. Avec sa chemise de nuit remontée jusqu'à la taille, Amelia se sentait exposée, mortifiée, excitée. Quand la main de Cam s'aventura vers son ventre, elle songea que, bientôt, viendraient la douleur, puis la possession, et la résolution de tous les mystères.

— Cam ?

Il releva la tête.

— Oui ?

— J'ai entendu dire qu'il y avait des moyens pour... Enfin, comme ceci peut mener à... Oh, je ne sais pas comment le dire...

— Tu ne veux pas que je te fasse un enfant.

Ses doigts jouaient doucement avec les boucles sombres au bas du ventre d'Amelia.

— Oui. C'est-à-dire... non, fit-elle en retenant un gémissement.

— J'y veillerai. Encore qu'il y ait toujours un risque.

Il trouva un endroit si sensible qu'elle sursauta et replia les genoux. Du bout des doigts, il écarta les pétales intimes de son sexe.

— La question, mon cœur, est de savoir si tu me veux suffisamment pour courir ce risque.

Sous sa caresse, les sens d'Amelia s'épanouissaient dans un mélange de honte et de plaisir. Son existence entière se résumait à la taquinerie habile d'un doigt. Et Cam le savait. Il attendait sa réponse tout en l'explorant, attentif à chaque frisson, à chaque tressaillement de son corps.

— Oui, dit-elle d'une voix chevrotante. Je te veux.

Le pouce de Cam glissa un peu plus bas, jusqu'à un endroit inexplicablement humide. Avant qu'elle puisse prononcer une parole, il se pressa sur cette moiteur et y pénétra légèrement.

— Veux-tu cela ? chuchota Cam, les paupières à demi baissées sur ses yeux étincelants.

Elle hocha la tête, tenta de dire oui, mais ne réussit qu'à produire un faible son.

Lentement, il s'enfonça davantage, jusqu'à ce qu'elle sente le bord dur de l'anneau qu'il portait au pouce à l'orée de son corps. Il commença alors à le mouvoir en elle, la bague polie frottant, titillant, jusqu'à ce qu'elle se sente tout étourdie et brûlante. Chaque mouvement exhaussait un plaisir qu'elle appelait en ondulant en rythme contre sa main. Mais soudain, cette invasion exquise cessa, et son corps palpita désespérément autour du vide. Elle tendit les mains, agrippa les épaules de Cam qui eut le toupet de rire.

— Doucement, mon cœur. Nous n'en sommes qu'au début. Inutile de se dépêcher.

— Au début ?

Abasourdie, tremblante, elle parvenait à peine à parler. S'il y avait une chose dont elle était certaine, c'était qu'elle ne pourrait pas supporter beaucoup plus longtemps cette torture raffinée.

— Je pensais que tu en aurais déjà fini…

Elle eut conscience de son sourire comme il lui embrassait l'intérieur du coude, puis descendait jusqu'au poignet.

— Le but est de faire en sorte que cela dure aussi longtemps que possible.

— Pourquoi ?

— C'est mieux ainsi. Pour tous les deux.

Il détacha les doigts qu'elle avait refermés sur ses épaules, lui embrassa la paume, puis, après avoir rabattu sa chemise de nuit sur ses jambes, il entreprit de la reboutonner avec soin.

— Que… que fais-tu ?

— Je t'emmène pour une chevauchée.

Comme elle balbutiait une question, il pressa l'index sur sa bouche pour la faire taire.

— Fais-moi confiance, chuchota-t-il.

Amelia se laissa faire, un peu étourdie, quand il la tira hors du lit, lui enfila le peignoir de velours et glissa les pantoufles à ses pieds.

Il enfila sa chemise, puis, la prenant par la main, l'entraîna hors de la chambre, dans les couloirs silencieux. Les uniques témoins de leur fuite furent les aristocrates au visage désapprobateur dont les portraits ornaient les murs.

Ils sortirent à l'arrière du bâtiment, sur la grande terrasse de pierre qui, par un large escalier arrondi, permettait de rejoindre les jardins. Sur le ciel d'un noir d'encre se détachaient les formes déchiquetées des nuages auréolés par la lune d'un éclat argenté. Perplexe, Amelia suivit Cam jusqu'au bas des marches.

Il s'immobilisa, siffla brièvement.

— Qu'est-ce que...

Amelia retint une exclamation quand elle entendit le lourd martèlement de sabots, puis aperçut une silhouette gigantesque qui fonçait vers eux telle une créature issue d'un cauchemar. Saisie de panique, elle se blottit contre Cam, le visage pressé contre son torse. Il referma le bras autour d'elle et l'étreignit.

Quand le grondement cessa, Amelia risqua un coup d'œil du côté de l'apparition. C'était un cheval. Un gigantesque étalon noir dont les naseaux laissaient échapper des volutes de buée blanche.

— Est-ce que ça arrive en vrai ? souffla-t-elle.

Cam plongea la main dans sa poche, donna un morceau de sucre au cheval, puis flatta son encolure d'un noir luisant.

— As-tu déjà fait un rêve comme celui-ci ? s'enquit-il.

— Jamais.

— Dans ce cas, ce doit être vrai.

— Tu as vraiment un cheval qui vient quand tu siffles ?

— Oui, je l'ai dressé.

— Comment s'appelle-t-il ?

Les dents blanches de Cam étincelèrent dans l'obscurité quand il sourit.

— Tu ne devines pas ?

Amelia réfléchit un instant.

— Pooka ?

Le cheval tourna la tête vers elle.

— Pooka, répéta-t-elle avec un faible sourire. À tout hasard, as-tu des ailes, Pooka ?

Sur un signe discret de Cam, le cheval secoua vigoureusement la tête. Amelia eut un petit rire tremblant.

S'approchant de Pooka, Cam grimpa en selle avec aisance. Puis il se pencha vers Amelia, qui se tenait sur la dernière marche de l'escalier. Elle saisit la main qu'il lui tendait et prit appui sur l'étrier. Il la hissa sans peine devant lui.

Amelia se blottit dans le cercle dur formé par son torse et ses bras. Un parfum d'automne, de terre mouillée, de cheval, d'homme et de nuit lui emplit les narines.

— Tu savais que je viendrais avec toi, n'est-ce pas ?

Cam se pencha et déposa un baiser sur sa tempe.

— Je l'espérais seulement.

Ses cuisses se tendirent, et le cheval partit au galop.

Quand Amelia ferma les yeux, elle aurait pu jurer qu'ils volaient.

15

Cam gagna le campement abandonné près de la rivière, où la tribu de bohémiens avait fait étape quelques jours plus tôt. Il restait quelques traces de leur passage : des ornières creusées par les roues des *vardos*, des cercles d'herbe rase à l'endroit où les chevaux avaient été attachés, un foyer peu profond, entouré de pierres et rempli de cendres. Seul le bruit de la rivière qui roulait entre ses berges humides troublait le silence.

Cam descendit de cheval et aida Amelia à en faire autant. Sur ses conseils, elle s'assit sur une grosse bûche pendant qu'il dressait un camp improvisé. Les mains sagement croisées sur les genoux, elle le regarda retirer un ballot de couvertures du bât du cheval, allumer un feu, puis étendre les couvertures à côté pour former une paillasse. Le tout ne lui prit que quelques minutes.

Amelia se précipita alors vers la pile de couvertures et s'enfouit entre les épaisseurs de laine et de coton matelassé.

— Nous sommes en sécurité, ici ? demanda-t-elle d'une voix étouffée.

— Tu n'as rien à craindre à part moi.

Le sourire aux lèvres, Cam se laissa tomber près d'elle. Après avoir enlevé ses bottes, il la rejoignit sous les couvertures et l'attira contre lui.

L'expérience lui ayant appris que la patience était récompensée, il se contenta de l'étreindre et d'attendre.

Très vite, le corps d'Amelia se pressa plus étroitement contre le sien. Il y avait quelque chose de si parfait à la tenir ainsi entre ses bras qu'il ne fit rien d'autre pendant un long moment. Il écoutait le rythme de sa respiration, sentait l'air froid de la nuit glisser sur eux tandis que la chaleur de leurs corps s'intensifiait sous les couvertures. Ils pénétrèrent au cœur d'un plaisir immobile, paisible, dont Cam n'avait encore jamais fait l'expérience. Son pouls commença à battre sourdement, la tension grandissant entre chaque pulsation. Amelia plaqua timidement les hanches contre lui, épousant le relief rigide de son désir. Il ne bougea toujours pas, la laissant pousser et onduler contre lui jusqu'à se sentir violemment excité.

Le feu pétillait et lançait de grandes flammes jaunes. Cam avait chaud… jamais il n'avait eu aussi chaud de sa vie. Alors qu'il songeait à retirer sa chemise, les mains d'Amelia se glissèrent dessous. Ses doigts minces et frais se promenèrent sur sa peau brûlante. Partout où elle le touchait, ses muscles tressaillaient, durcissaient, et c'était si délicieux qu'il laissa échapper un grognement, la bouche dans ses cheveux. Elle referma les mains sur l'ourlet de sa chemise et la tira vers le haut. Sans hésiter, il s'assit, et s'en débarrassa.

Amelia se hissa sur ses genoux, et ses longs cheveux lui balayèrent le torse tel un filet de soie. Comme en transe, Cam ne bougea pas tandis qu'elle déposait une pluie de baisers légers sur sa poitrine, sa gorge, ses épaules.

— Amelia…

Il posa les mains sur sa tête pour l'immobiliser.

— *Monisha*, chuchota-t-il, je ne ferai rien contre ton gré. Je veux seulement te donner du plaisir.

À la lueur du feu, le visage d'Amelia semblait rayonner de l'intérieur, et ses lèvres avaient la couleur des groseilles.

— Que signifie ce mot ? s'enquit-elle.

— *Monisha* ? répéta-t-il, éprouvant de plus en plus de difficultés à rassembler ses pensées. C'est un terme affectueux. Un Rom le dit à une femme avec qui il est intime.

Elle posa ses mains sur les siennes, paume contre paume, et leurs doigts s'entrecroisèrent tandis que leurs lèvres se joignaient.

Cam l'allongea doucement sur les couvertures, et lui murmura dans sa langue qu'il voulait la poursuivre comme le soleil poursuit la lune à travers le ciel, qu'il voulait venir en elle jusqu'à ce qu'ils soient *corthu* – joints, ne formant plus qu'un seul être. Enivré par son parfum et par la chaleur qui montait de son corps, il n'avait qu'à demi conscience des paroles qu'il prononçait.

Comme dans un rêve, il écarta les pans de son peignoir, puis déboutonna sa chemise de nuit, dévoilant ses courbes voluptueuses. Elle était si magnifiquement faite, ferme et généreuse, la peau claire, à laquelle le rougeoiement du feu conférait une chaude teinte dorée... Des ombres sensuelles baignaient des endroits qu'il mourait d'envie de toucher et de goûter. Des lèvres, il suivit la rougeur pudique qui s'épanouissait sur son corps. Frissonnant, elle enfonça les doigts dans les muscles saillants de ses bras.

Il prit ses seins en coupe, souffla sur les pointes, les taquina de la langue, et les mordilla doucement jusqu'à ce qu'Amelia se cambre en gémissant.

Il repoussa l'étoffe qui s'interposait entre eux, et le creux délicieux du nombril apparut. Il en dessina le contour de la pointe de la langue.

— Cam... Oh, attends...

Elle se tortillait, à présent, s'efforçant de le repousser. S'emparant de ses mains, il les maintint contre son corps, le souffle court.

Luttant pour conserver un semblant de sang-froid, Cam posa la joue sur son ventre avec toute la douceur dont il était capable.

— Je ne te ferai pas mal, chuchota-t-il. Je vais seulement t'embrasser… te goûter…

— Pas là, protesta-t-elle d'une voix plaintive.

Cam ne put réprimer un sourire. C'était nouveau pour lui, ce mélange d'amusement et d'excitation.

— Surtout là, répliqua-t-il tandis que ses doigts couraient sur sa hanche, sa cuisse, jusqu'aux boucles douces. Je veux connaître chaque partie de toi, *monisha*… Laisse-toi faire et… oui, mon ange, *oui*…

Il descendit un peu plus bas, tremblant d'un désir exacerbé par les parfums de chair féminine et de moiteur intime. Sa bouche effleura les replis délicats, qu'il incita à s'ouvrir d'un coup de langue avant de plonger dans la chaleur et le goût de son plaisir.

Le retenant dans l'étau de ses jambes, Amelia n'émettait plus que des petits cris inarticulés, s'abandonnant à la dextérité sinueuse de ses caresses, le corps entier arc-bouté vers le plaisir. Cam l'apaisait et la provoquait tour à tour. Son souffle irrégulier effleurait sa chair humide et la source de toutes les voluptés.

Quand il glissa le doigt dans le fourreau soyeux de son sexe, elle laissa échapper un gémissement désespéré et perdit tout contrôle, à la grande fierté de Cam. Elle s'arqua, se contorsionna, les doigts crispés dans ses cheveux, ses hanches roulant d'avant en arrière tandis qu'il la léchait et la suçait sans répit.

Il finit par s'écarter pour la prendre dans ses bras. D'une main tremblante, elle détacha les boutons de son pantalon, referma les doigts autour de sa virilité libérée, et la caressa jusqu'à ce qu'il s'écarte avec un son étouffé.

Le visage empourpré, les yeux mi-clos, elle le toucha de nouveau, l'attirant instinctivement entre ses cuisses. Il résista, se hissa au-dessus d'elle.

— Si tu me veux, mon ange, murmura-t-il, dis-le-moi en romani. S'il te plaît.

Hagarde, Amelia tourna la tête et embrassa son biceps saillant.

— Que dois-je dire ?

Il murmura des mots doux, vibrants de passion, attendit patiemment qu'elle les répète, l'aidant quand elle trébuchait. Ce faisant, il se positionna à l'orée de son intimité, et lorsque la dernière syllabe sortit de sa bouche, il la pénétra d'un vigoureux coup de reins.

Amelia tressaillit et laissa échapper un cri de douleur, et Cam fut déchiré entre le remords aigu de devoir lui infliger cette souffrance, et le plaisir dévastateur d'être en elle. Sa chair innocente protestait contre cette invasion nouvelle, ses reins se creusaient comme pour le repousser, mais chacun de ses mouvements ne faisait que l'attirer plus profondément en elle. Cam tenta d'adoucir son inconfort en la caressant, en lui embrassant la gorge et les seins. Happant l'un des bourgeons rosés entre ses lèvres, il le téta légèrement, le taquina de la langue, jusqu'à ce qu'Amelia se détende sous lui et gémisse doucement.

Cam ne put se retenir plus longtemps. Il oublia tout hormis le besoin irrésistible de s'enfouir plus avant dans sa chair palpitante. Tout contre la bouche tiède qui haletait sous la sienne, il ne cessait de répéter malgré lui un seul et unique mot, encore et encore :

— *Mandis... mandis...*

« Tu es mienne. »

Quand la jouissance fut sur le point de le terrasser, il se retira et se répandit sur le ventre velouté d'Amelia. Un flot brûlant glissa entre leurs deux corps, lui arrachant un cri. La tête au creux du cou d'Amelia, étourdi, il songea que jamais aucune sensation n'avait approché celle-ci. Et que rien ne l'approcherait jamais.

Son plaisir se prolongea même après que les battements de son cœur se furent apaisés. Amelia s'était amollie sous lui et soupirait, un peu somnolente. Il dut se forcer à se redresser. Il n'avait qu'une envie : se gorger d'elle, savourer le contact de sa peau.

Il nettoya le sang et la semence avec un mouchoir, l'aida à boutonner sa chemise de nuit, puis alla remettre des bûches dans le feu. Quand il revint se glisser entre les couvertures, Amelia se lova spontanément contre lui.

Les yeux sur le feu qui crépitait, heureux de sentir le poids confiant de sa tête sur son épaule, Cam caressa ses cheveux soyeux. Elle sombra dans un sommeil profond, l'ombre de ses longs cils dessinant de petits croissants sur ses joues. Cam veilla sur elle avec la vigilance d'un amant, en profitant pour savourer d'infimes détails : le fin duvet à la lisière de ses cheveux, la ligne pure de son nez, la forme délicate de son oreille. Il aurait voulu en mordiller le lobe, jouer avec elle, mais il ne voulait pas risquer de troubler son sommeil.

Avec précaution, il remonta la couverture sur son épaule, repoussa doucement une boucle de son front.

Tout avait changé. Et il n'y avait plus de retour en arrière possible.

16

Le point du jour.

Une expression qui décrivait à la perfection la manière dont l'aube s'infiltrait entre les rideaux, un point de lumière s'arrondissant sur le lit, un autre, sur le sol, entre la fenêtre et la cheminée.

Amelia battit des paupières et demeura quelques instants immobile, engourdie. Un feu brûlait dans l'âtre – elle ne s'était donc pas réveillée quand une servante était venue l'allumer.

Le feu… Ramsay House… La mémoire lui revint, fulgurante, et elle referma vivement les yeux. Puis, tout aussi vivement, elle les rouvrit, se rappelant l'obscurité, le clair de lune bleuté, la chaleur d'une peau masculine. Elle frémit.

Qu'avait-elle fait ?

Elle ne gardait qu'un souvenir embrumé du retour à cheval alors qu'il faisait encore sombre, et de Cam la transportant dans sa chambre, puis la bordant dans son lit comme une enfant. « Ferme les yeux », avait-il murmuré en lui caressant la tête. Et elle avait dormi… dormi…

Scrutant le cadran de l'horloge qui tictaquait joyeusement sur le manteau de la cheminée, elle découvrit qu'il était près de midi.

Une vague de panique la balaya, puis elle se rappela que s'affoler ne servait à rien. Il n'empêche que son cœur pompait une substance qui semblait trop chaude et trop légère pour être du sang, et que sa respiration se fit chaotique.

Elle aurait aimé se persuader qu'il ne s'agissait que d'un rêve, mais la carte invisible qu'il avait dessinée de la bouche, de la langue, des dents, des mains était encore imprimée sur son corps.

Portant les doigts à ses lèvres, Amelia constata qu'elles étaient plus gonflées, plus douces qu'à l'accoutumée. Chaque centimètre carré de son corps était sensible, et le souvenir du plaisir subsistait là où sa chair était la plus tendre.

Une femme convenable aurait certainement éprouvé de la honte. Amelia n'en ressentait aucune. Cette nuit avait été si extraordinaire, si riche, si délicieuse qu'elle en chérirait le souvenir à jamais. Cette expérience avec un homme qui ne ressemblait à aucun de ceux qu'elle connaissait ou connaîtrait jamais, elle ne l'aurait manquée pour rien au monde.

Pourtant, elle espérait qu'il avait déjà quitté Stony Cross Manor pour Londres à l'heure qu'il était.

Elle n'était pas du tout certaine d'être capable de lui faire face après la nuit dernière. Et elle n'avait certes pas besoin de la distraction qu'il représentait alors qu'elle avait tant de décisions à prendre.

Quant aux souvenirs de leur nuit… ce n'était pas le moment d'y songer. Elle aurait tout le temps plus tard. Des jours, des mois, des années.

« N'y pense pas », s'adjura-t-elle en sortant du lit.

Elle enfila son peignoir, puis sonna une servante. Moins d'une minute plus tard, une jeune femme frappait à la porte.

— Puis-je avoir un peu d'eau chaude ? demanda Amelia.

— Pour sûr, mam'zelle. J'peux vous en porter, ou alors, si vous voulez, j'peux vous faire couler un bain dans la salle de bains, répondit la servante avec un chaleureux accent du Yorkshire.

Se souvenant de la baignoire moderne qu'elle avait utilisée la veille, Amelia opta pour la seconde proposition. À la suite de la femme de chambre, qui lui dit s'appeler Betty, elle gagna la salle de bains.

— Comment vont mes sœurs, mon frère, et M. Merripen ? s'enquit-elle.

— Vos sœurs prennent le p'tit déjeuner en bas, répondit Betty. Les deux messieurs sont toujours couchés.

— Ils sont souffrants ? M. Merripen a de la fièvre ?

— Mme Briarly, la gouvernante, elle est d'avis qu'ils vont bien tous les deux, mam'zelle. Qu'ils se reposent, c'est tout.

Amelia décida d'aller voir Merripen dès qu'elle serait présentable. Une brûlure n'était jamais anodine et son évolution imprévisible. Elle continuait de s'inquiéter pour lui.

Elles entrèrent dans une pièce aux murs recouverts de carreaux bleu pâle. Il y avait une chaise longue dans un coin, un grand cuveau de porcelaine dans un autre. Fixé au plafond, un rideau oriental aux couleurs chatoyantes permettait de s'habiller et de se déshabiller en toute intimité. Sur les étagères d'un grand placard ouvert, des serviettes étaient empilées à côté de savons variés et d'objets de toilette. La cheminée dispensait une douce chaleur dans la pièce. L'eau pour le bain était chauffée sur place, dans un appareil à gaz, et des robinets distribuaient l'eau froide, chaude ou tiède. Celle-ci était ensuite évacuée à l'extérieur par des tuyaux.

Betty ouvrit les robinets, régla la température de l'eau, puis déposa de grandes serviettes sur la chaise longue.

— Vous avez besoin de moi pour votre bain, mam'zelle ?

— Non, merci, répondit Amelia. Je me débrouille-rai seule. Si vous pouviez avoir la gentillesse d'aller chercher mes vêtements et de les déposer dans la pièce à côté…

— Quelle robe, mam'zelle ?

Amelia se figea. Elle était arrivée à Stony Cross Manor en chemise de nuit, se souvint-elle.

— Ô mon Dieu ! Croyez-vous que l'on puisse envoyer quelqu'un chercher mes affaires à Ramsay House ?

— Y a toutes les chances qu'elles soient plus mettables, mam'zelle. Mais lady Saint-Vincent a fait porter quelques-unes de ses robes dans votre chambre – elle est plus de votre taille que lady Westcliff, qui est plus grande et…

— Oh, mais je ne peux pas porter les vêtements de lady Saint-Vincent ! coupa Amelia.

— J'crois bien qu'y a pas le choix, mam'zelle. Y a une très belle robe de laine rouge… J'vais vous la chercher.

Puisqu'il n'y avait apparemment pas de possi-bilité de récupérer l'une de ses propres robes, Amelia hocha la tête en murmurant un remercie-ment. Passant derrière le rideau, elle ôta son pei-gnoir tandis que la femme de chambre fermait les robinets et quittait la salle de bains.

Alors qu'elle enlevait sa chemise de nuit, Amelia surprit un éclat doré sur l'index de sa main gauche. Les sourcils froncés, elle découvrit qu'il s'agissait d'une fine chevalière ornée d'une initiale gravée. Celle que Cam portait toujours à l'auriculaire. Il avait dû la lui passer la nuit précédente, alors qu'elle dormait. Était-ce un cadeau d'adieu ? Ou ce geste avait-il une autre signification ?

Elle essaya de la retirer, n'y parvint pas, alla prendre un pain de savon sur l'étagère du placard et se glissa dans l'eau chaude. Celle-ci apaisa une

myriade de petites douleurs, et soulagea l'inconfort qu'elle éprouvait entre les cuisses.

Avec un profond soupir, Amelia se savonna
la main, puis tenta de nouveau de faire glisser la
chevalière. Sans succès. Elle laissa échapper un
juron.

Il était hors de question que quelqu'un la voie
portant l'une des bagues de Cam. Comment diable
était-elle censée expliquer la façon dont elle s'était
retrouvée à son doigt ?

Après avoir tiré et tourné dans tous les sens,
avec pour seul résultat de s'irriter la peau, Amelia
abandonna la partie. Une fois sortie de la baignoire, elle se sécha, puis se rendit dans la pièce
adjacente où Betty l'attendait, les bras chargés.

— Voilà la robe, mam'zelle, annonça-t-elle. J'suis
sûre qu'elle va faire de l'effet sur vous, avec vos
cheveux noirs.

— Lady Saint-Vincent est trop généreuse,
déclara Amelia en apercevant une pile de sous-
vêtements ornés de dentelles neigeuses, si imma-
culés qu'ils paraissaient n'avoir jamais été portés.

Il y avait même un corset.

— Oh, elle a beaucoup, beaucoup de robes !
confia Betty en tendant à Amelia une culotte pliée
et une chemise. Lord Saint-Vincent veille à ce que
sa femme soit vêtue comme une reine. J'vais vous
dire une chose : si elle voulait la lune comme
miroir, il trouverait le moyen d'lui décrocher.

— Comment en savez-vous autant à leur sujet ?
demanda Amelia, qui agrafa le devant du corset
pendant que Betty passait derrière elle pour tirer
sur les cordons.

— J'suis au service de lady Saint-Vincent. Je
voyage avec elle partout où elle va. Elle m'a demandé
de m'occuper de vous et des autres demoiselles
Hathaway. « Elles ont besoin de soins particuliers,
qu'elle a dit, après les épreuves qu'elles ont subies. »

237

— C'est vraiment gentil de sa part. Et de la vôtre. J'espère que ma famille n'a pas été trop pénible.

Pour quelque raison inconnue, sa remarque fit pouffer Betty.

— Vous êtes de drôles de phénomènes, si vous m'permettez, mam'zelle.

Avant qu'Amelia puisse lui demander ce qu'elle entendait par là, la femme de chambre s'exclama :

— Quelle taille fine vous avez ! J'suis sûre que la robe de lady Saint-Vincent vous ira comme un gant. Mais avant de l'essayer, ce s'rait mieux de mettre les bas.

— Les bas ? répéta Amelia en s'emparant du chiffon noir d'une finesse arachnéenne que Betty lui tendait.

— Ils sont en soie, mam'zelle.

Amelia faillit les lâcher. Les bas de soie coûtaient une fortune. De plus, ceux-ci étaient brodés de minuscules fleurs, ce qui les rendait encore plus précieux. Si elle les portait, elle vivrait dans la terreur d'y faire un accroc. Mais à moins d'aller jambes nues, elle n'avait guère le choix.

— Mettez-les donc, l'encouragea Betty.

Avec un mélange de plaisir et de culpabilité, Amelia s'exécuta. Jamais elle n'avait porté de vêtements aussi luxueux. La robe, doublée de soie, était certes très élégante, mais aussi très moulante… Les manches étroites s'arrêtaient au coude, puis s'épanouissaient en un flot de dentelle noire. La même dentelle bordait le bas asymétrique de la jupe, qui laissait apparaître un dégradé de volants suggérant une multitude de sous-jupes. Une large ceinture de satin noir, dont les pans croisés étaient retenus sur le côté par une broche de jais étincelante, soulignait la taille.

Assise devant le miroir de la coiffeuse, Amelia regarda Betty tresser avec dextérité des rubans noirs dans ses cheveux, puis relever ceux-ci en chignon. La femme de chambre étant amicale et bavarde, elle se risqua à demander :

— Dites-moi, Betty, depuis quand lady Saint-Vincent connaît-elle M. Rohan ?

— Depuis l'enfance, mam'zelle. C'est un beau gars, pas vrai ? continua-t-elle avec un grand sourire. Si vous saviez le cirque quand il vient chez le maître – c'est tout juste si on se bat pas pour le lorgner par le trou de la serrure.

— Je me demande... reprit Amelia en s'efforçant d'adopter un ton détaché. Pensez-vous que la relation entre M. Rohan et lady Saint-Vincent ait été un jour...

— Oh, non, mam'zelle ! Ils ont été élevés comme frère et sœur. Y a même eu des rumeurs comme quoi M. Rohan serait son demi-frère. Ce serait pas le seul bâtard d'Ivo Jenner, pour sûr.

Amelia cligna des yeux.

— Vous croyez que ces rumeurs sont vraies ?

Betty secoua la tête.

— Lady Saint-Vincent dit que non, qu'ils ont pas de sang commun. Et puis, M. Rohan et elle, ils se ressemblent pas. Mais elle l'aime vraiment beaucoup.

Avec un sourire ironique, Betty ajouta :

— Elle nous a prévenues, moi et les autres servantes, de pas l'approcher de trop près. Elle dit que ça donnerait rien de bon, et qu'on se retrouverait culbutées et abandonnées. C'est un vaurien, ce M. Rohan. Charmeur comme pas deux. Il arriverait à vous voler le sucre de votre punch !

Après avoir planté une dernière épingle dans sa chevelure, Betty contempla Amelia avec satisfaction. Puis elle alla récupérer la serviette de bain et la chemise de nuit.

Gardant celle-ci en main, elle marqua un temps d'arrêt.

— Vous voulez qu'je vous prépare un tampon de linges pliés, mam'zelle ? demanda-t-elle, circonspecte. Pour vos menstrues ?

Le désagréable « culbutées et abandonnées » résonnait encore à l'oreille d'Amelia, qui secoua la tête.

— Non, merci. Ce n'est pas le moment de…

Elle s'interrompit avec un tressaillement quand elle vit ce que la femme de chambre avait remarqué : quelques taches de sang séché sur la chemise de nuit. Elle se sentit blêmir.

— Bien, mam'zelle.

Roulant la chemise de nuit en boule, Betty adressa un sourire neutre à Amelia.

— Vous n'avez qu'à sonner, et je viendrai.

Dès qu'elle fut sortie, Amelia posa les coudes sur la coiffeuse et se prit la tête entre les mains. Seigneur, voilà qui allait alimenter les bavardages, à l'office ! Elle qui, jusqu'à présent, n'avait jamais fait l'objet du moindre commérage.

— Pourvu, pourvu qu'il soit parti ! murmura-t-elle.

En descendant, Amelia décida que, tout compte fait, elle croyait à la chance. Après tout, ce mot en valait un autre pour décrire un enchaînement cohérent d'événements, ou le résultat prévisible de la plupart des situations.

Malheureusement, dans son cas, il s'agissait de malchance.

Elle atteignait le hall quand elle aperçut lady Saint-Vincent qui venait de la terrasse, les joues rosies par le grand air, des morceaux de feuilles et d'herbes accrochés à l'ourlet de sa robe. Elle ressemblait à un ange insouciant, avec sa cascade de cheveux roux, son joli visage tranquille et ce poudroiement d'éphélides malicieuses sur le nez.

— Comment vous sentez-vous ? s'enquit-elle en se dirigeant vers Amelia. Vous êtes ravissante. Deux de vos sœurs sont allées se promener, et Winnifred boit un thé sur la terrasse. Avez-vous mangé quelque chose ?

Amelia secoua la tête.

— Venez sur la terrasse, nous vous ferons porter un plateau.

— Je ne voudrais pas vous déranger...

— Vous ne me dérangez aucunement, assura lady Saint-Vincent avec gentillesse. Venez.

Amelia obtempéra, touchée, mais aussi un peu déconcertée par tant de sollicitude.

— Milady, je vous remercie de m'avoir prêté l'une de vos robes. Je vous la rendrai dès que possible...

— Appelez-moi Evie, répondit la vicomtesse avec chaleur. Et gardez cette robe. Elle s'accorde mieux à votre teint qu'au mien. Cette nuance de rouge jure avec mes cheveux.

— Vous êtes trop gentille, souffla Amelia, qui aurait souhaité paraître moins guindée, et être capable d'accepter ce don sans avoir l'impression d'être redevable.

Mais Evie ne parut pas remarquer qu'elle était mal à l'aise. Elle se contenta de lui prendre la main et de la glisser sous son bras tout en marchant.

— Vos sœurs seront soulagées de vous voir. Elles affirment que c'est la première fois que vous restez au lit aussi tard.

— Je crains d'avoir assez mal dormi. J'étais... préoccupée.

Amelia sentit le rouge lui monter aux joues au souvenir de ses ébats avec Cam.

— Oui, je suis sûre que vous...

Evie se tut un instant, avant de reprendre, l'air perplexe :

— Je suis sûre que vous ne manquez pas de sujets de préoccupation.

Suivant la direction de son regard, Amelia comprit la raison de sa perplexité. Evangeline avait remarqué sa bague.

Les doigts d'Amelia se crispèrent. Levant les yeux, elle croisa ceux, curieux, de la vicomtesse, et ne trouva rien à dire.

— Tout va bien, murmura Evie en retenant la main qu'elle essayait de retirer. Nous devons parler, toutes les deux. Je pensais bien qu'il n'était pas lui-même, aujourd'hui. Je comprends pourquoi, à présent.

Il était inutile de spécifier qui désignait le « il ».

— Milady... Evangeline... Il n'y a rien entre M. Rohan et moi-même. Rien du tout, affirma Amelia, les joues brûlantes. Je n'ose imaginer ce que vous devez penser de moi.

Elles s'arrêtèrent devant les portes-fenêtres qui ouvraient sur la terrasse, et Amelia lâcha le bras d'Evangeline. Tout en tirant sur l'anneau, qui refusait obstinément de glisser, elle jeta un regard désespéré à la vicomtesse. À son grand étonnement, cette dernière ne semblait ni choquée ni réprobatrice, mais plutôt compréhensive. Elle affichait une espèce de gravité tendre, et Amelia ne put s'empêcher de se dire : « Pas étonnant que lord Saint-Vincent soit follement épris d'elle. »

— Ce que je pense ? fit Evangeline. Que vous êtes une jeune femme très capable, qui aime ses proches et doit endosser un grand nombre de responsabilités. C'est un lourd fardeau pour une femme seule. Je pense aussi que vous avez le don d'accepter les gens tels qu'ils sont. Et Cam sait à quel point ce don est rare.

— Je... Est-il toujours ici ? balbutia Amelia, anxieuse. Il devrait être parti pour Londres à l'heure qu'il est.

— Il est encore là. Il s'entretient avec mon mari et lord Westcliff. Tôt dans la matinée, ils se sont rendus à Ramsay House pour commencer à évaluer les dégâts.

Qu'ils aient visité la propriété sans les avoir consultés, Leo ou elle, déplut à Amelia. Cela donnait l'impression que les Hathaway n'étaient qu'un groupe d'enfants incapables.

Elle carra les épaules.

— C'était très gentil de leur part, mais je peux juger moi-même de la situation. Je pense qu'une partie de Ramsay House est encore habitable, ce qui signifie que nous n'aurons pas à abuser plus longtemps de l'hospitalité de lord et lady Westcliff.

— Oh, mais vous devez rester ! répliqua aussitôt Evangeline. Lillian a d'ores et déjà déclaré que vous étiez les bienvenus tant que Ramsay House ne serait pas entièrement restaurée. La maison est tellement grande, vous ne risquez pas de gêner qui que ce soit. D'autant que Lillian et lord Westcliff seront absents au moins quinze jours. Ils partent demain avec lord Saint-Vincent et moi-même pour Bristol. Nous allons rendre visite à la jeune sœur de Lillian, Daisy, qui attend un bébé. Vous aurez donc plus ou moins le manoir pour vous seuls.

— Nous l'aurons réduit à un tas de ruines à leur retour.

Evie sourit.

— J'ai du mal à croire que votre famille soit aussi dangereuse que cela.

— Vous ne nous connaissez pas. J'irai moi-même à Ramsay House après avoir mangé, enchaîna Amelia, qui éprouvait le besoin de reprendre la situation en main. Si les chambres de l'étage sont dans un état convenable, nous retournerons tous là-bas dès ce soir.

— Vous pensez vraiment que ce sera mieux pour Winnifred ? demanda Evie avec douceur. Ou pour M. Merripen ou lord Ramsay ?

Amelia rougit, consciente de se montrer déraisonnable. Mais ce sentiment d'impuissance, de privation de toute initiative, commençait à former dans sa gorge une boule qui menaçait de l'étouffer.

— Vous devriez peut-être parler avec Cam avant de prendre une décision.

— Mes décisions ne le regardent en rien.

Evangeline lui adressa un regard songeur.

— Pardonnez-moi. Je ne devrais pas faire de supposition. C'est simplement que cette bague, à votre doigt… Cam la portait depuis ses douze ans.

Amelia tira violemment sur la chevalière.

— J'ignore pourquoi il me l'a donnée. Je suis certaine que cela ne signifie rien.

— Je pense au contraire que cela signifie énormément, objecta Evangeline d'un ton égal. Cam s'est senti un étranger toute sa vie. Même quand il vivait avec les Roms. Il a toujours secrètement espéré, je pense, qu'il parviendrait à trouver un endroit où il se sentirait à sa place. Mais jusqu'à ce qu'il vous rencontre, il ne lui était pas venu à l'esprit que ce n'était peut-être pas un endroit qu'il cherchait, mais une personne.

— Je ne suis pas cette personne, murmura Amelia. Sincèrement, je ne le suis pas.

— La décision vous appartient, évidemment. Cependant, en tant que personne qui connaît Cam depuis très longtemps, permettez-moi de vous dire que c'est un homme bon, en qui l'on peut avoir une confiance aveugle. Je vous laisse rejoindre vos sœurs, fit-elle en ouvrant la porte-fenêtre. Je vais demander qu'on vous apporte un plateau.

C'était une journée fraîche et humide, et l'air était saturé d'odeurs de paillis, de roses et d'herbes potagères à floraison tardive. La terrasse donnait sur des hectares de jardins méticuleusement entretenus auxquels on accédait par des allées gravillonnées. La plupart des invités de lord Westcliff étaient partis après la dernière chasse, si bien qu'il n'y avait pas grand monde autour des tables.

Repérant Poppy et Beatrix et Winnifred, Amelia s'approcha à grands pas.

— Comment vas-tu ? demanda-t-elle à Winnifred. Tu as bien dormi ? Tu n'as pas toussé ?

— Je me sens plutôt bien. C'est pour toi que nous nous inquiétons… Tu ne dors jamais aussi longtemps, sauf quand tu es malade.

— Oh, mais je ne suis pas malade. Jamais je ne me suis portée aussi bien, prétendit Amelia en la gratifiant d'un sourire trop éclatant.

Elle se tourna vers ses autres sœurs, qui avaient toutes deux de nouvelles robes, jaune pour Poppy, verte pour Beatrix.

— Beatrix, tu es ravissante. Une vraie jeune fille.

Avec un grand sourire, Beatrix se leva et pivota lentement sur elle-même. La robe vert pâle, avec son corsage délicatement plissé souligné d'un galon vert foncé, lui allait pratiquement à la perfection.

— C'est lady Westcliff qui me l'a donnée, dit-elle. Elle appartenait à sa sœur cadette, qui ne peut plus la porter parce qu'elle attend un heureux événement.

Devant le plaisir manifeste de sa sœur à porter une robe de « grande », Amelia ressentit un mélange de fierté et chagrin. Beatrix aurait dû fréquenter une école pour jeunes filles du monde où elle aurait appris le français, l'art de faire des bouquets, ainsi que ces règles de savoir-vivre qui leur faisaient défaut à toutes. Mais il n'y avait pas d'argent pour cela. Et, à ce rythme, il n'y en aurait jamais.

Winnifred lui pressa légèrement la main. Croisant son regard compréhensif, Amelia soupira.

Les deux sœurs demeurèrent un instant immobiles, puisant un réconfort mutuel dans leurs mains jointes.

— Amelia, assieds-toi, s'il te plaît, murmura Winnifred. Je voudrais te demander quelque chose.

Amelia prit place dans un fauteuil qui lui offrait un point de vue avantageux sur les jardins. Son regard s'arrêta sur trois hommes qui longeaient à pas lents une haie de buis, et elle tressaillit en reconnaissant parmi eux la silhouette sombre et racée de Cam. Comme ses compagnons, il portait des culottes d'équitation et de hautes bottes. Mais au lieu des traditionnels redingote et gilet, il avait enfilé par-dessus sa chemise blanche une espèce de veste de cuir fin sans bouton ni col.

À la différence des deux autres, Cam réagissait à son environnement, se penchant pour ramasser un rameau tombé de la haie ou passant la main sur l'épi floconneux d'une haute graminée. Amelia était toutefois certaine qu'il ne perdait pas un mot de la conversation.

Bien que rien n'ait pu le prévenir de sa présence, il s'arrêta un instant et regarda par-dessus son épaule dans sa direction. Même à vingt mètres de distance, elle éprouva un léger choc en croisant son regard. Un frémissement la parcourut.

— Amelia, es-tu convenue de quelque chose avec M. Rohan ? s'enquit Winnifred.

La bouche d'Amelia s'assécha d'un coup. Elle enfouit la main gauche – celle où se trouvait la bague – dans les plis de sa jupe.

— Bien sûr que non. D'où te vient une telle idée ?

— Lord Westcliff, lord Saint-Vincent et lui n'ont cessé de discuter depuis leur retour de Ramsay House, ce matin. Je n'ai pu éviter d'entendre des bribes de leur conversation lorsqu'ils étaient sur la terrasse. Et, de ce qu'ils disaient, de la manière dont M. Rohan s'exprimait, on avait l'impression que ce dernier parlait pour nous.

— Comment cela « parlait pour nous » ? répliqua Amelia, agacée. Personne ne parle pour les Hathaway à part moi. Ou Leo.

— Il semble prendre des décisions quant à ce qui a besoin d'être fait, et quand. Un peu comme s'il était le chef de famille, ajouta Winnifred dans un chuchotement embarrassé.

— Mais il n'a pas le droit ! s'écria Amelia, au comble de l'indignation. Je ne sais pas ce qui lui permet de penser que... Oh, Seigneur !

Il fallait mettre un terme à cette situation sur-le-champ.

— Tout va bien ? s'inquiéta Winnifred. Tu es toute pâle. Tiens, bois un peu de mon thé.

Consciente que ses trois sœurs la dévisageaient avec des yeux ronds, Amelia saisit la tasse de porcelaine et la vida en quelques gorgées.

— Combien de temps allons-nous rester ici, Amelia ? demanda Beatrix. Je trouve que c'est bien mieux que chez nous.

Avant qu'Amelia ait pu répondre, Poppy intervint :

— Où as-tu eu cette jolie bague ? Je peux la voir ?

Amelia se leva abruptement.

— Excusez-moi... je dois m'entretenir avec quelqu'un.

Elle traversa la terrasse d'un pas décidé et descendit les marches de l'escalier incurvé qui menait aux jardins.

Comme elle s'approchait des trois hommes, qui s'étaient arrêtés devant une urne en pierre, Amelia surprit quelques mots de leur échange : « ... prolonger les fondations actuelles... » et « ... convoyer les pierres restantes après la rénovation de *Jenner's*... ».

Son inquiétude grimpa d'un cran. Ils ne parlaient certainement pas de Ramsay House ! Sans doute ignoraient-ils à quel point la rente annuelle des Hathaway était dérisoire. La famille n'avait pas les moyens de payer les matériaux et la main-d'œuvre nécessaires à la reconstruction.

S'apercevant soudain de sa présence, les trois hommes pivotèrent vers elle. Lord Westcliff affichait une expression soucieuse, lord Saint-Vincent un air aimable mais détaché, Cam, lui, l'enveloppa d'un regard bref mais appuyé, le visage insondable.

Amelia les salua d'un signe de tête.

— Bonjour, messieurs.

Elle dut prendre sur elle pour regarder Cam droit dans les yeux sans ciller.

— Monsieur Rohan, je pensais que vous seriez parti à cette heure-ci.

— Cela ne saurait tarder.

Parfait ! songea-t-elle. C'était mieux ainsi. Il n'empêche que son cœur effectua une cabriole douloureuse dans sa poitrine.

— Et je serai de retour d'ici une semaine, ajouta-t-il avec calme, à la grande stupéfaction d'Amelia. Avec un entrepreneur et un maître d'œuvre chargés d'évaluer l'état de Ramsay House.

Avant même qu'il ait achevé sa phrase, Amelia secoua la tête avec énergie.

— Monsieur Rohan, je ne voudrais pas paraître ingrate, mais ce ne sera pas nécessaire. Mon frère et moi déciderons de ce qu'il convient de faire.

— Votre frère n'est pas en état de décider quoi que ce soit.

— Mademoiselle Hathaway, intervint lord West-cliff, votre famille et vous êtes les bienvenus à Stony Cross Manor, aussi longtemps qu'il le faudra.

— Vous êtes très généreux, milord. Mais puisque Ramsay House est toujours debout, nous retournerons y vivre.

— La maison était à peine habitable avant l'incendie, déclara Cam. En l'état actuel, je ne laisserais pas un chien errant s'y installer. Une grande partie du bâtiment devra être rasée.

Amelia fronça les sourcils.

— Dans ce cas, nous nous installerons dans la maison du gardien, à l'entrée du domaine.

— L'endroit est trop petit pour vous tous. Et il est en mauvais état.

— Cela ne vous regarde en rien, monsieur Rohan.

Cam la fixa longuement, avec intensité. Il y avait quelque chose de nouveau dans son regard, quelque chose qui lui noua l'estomac d'appréhension et la laissa désarmée.

— Nous devons avoir une conversation privée, lâcha-t-il.

— Non, c'est inutile.

Elle remarqua, alarmée, les coups d'œil qu'échangeaient les trois hommes.

— Avec votre permission, murmura lord Westcliff, nous allons nous retirer.

— Non, protesta aussitôt Amelia, ne partez pas, vraiment, vous n'avez pas besoin de...

Sa voix mourut quand il apparut que sa permission n'était pas requise.

Emboîtant le pas à Westcliff, lord Saint-Vincent s'arrêta juste le temps de lui murmurer à l'oreille :

— Même s'il faut se méfier de la plupart des conseils, surtout lorsqu'ils viennent de moi... gardez l'esprit ouvert, mademoiselle Hathaway. Comme dit le proverbe : « À mari donné, on ne regarde pas les dents. »

Il lui adressa un clin d'œil, puis rejoignit Westcliff qui se dirigeait vers la terrasse.

Abasourdie, Amelia ne réussit à balbutier qu'un mot.

— *Mari ?*

— Je leur ai dit que nous étions fiancés.

Cam lui prit le coude avec douceur, mais fermeté, et l'entraîna de l'autre côté de la haie, où l'on ne pourrait pas les voir depuis la maison.

— Pourquoi ?

— Parce que nous le sommes.

— Quoi ?

Ils s'arrêtèrent. Atterrée, Amelia plongea le regard dans les yeux ambrés.

— Tu es fou ?

Cam lui prit la main et la leva ; la bague étincela au soleil.

— Tu portes ma bague. Tu as dormi avec moi. Tu as fait des promesses. Nombreux sont les Roms qui diraient que cela constitue un mariage en bonne et due forme. Mais, juste pour s'assurer de sa légalité, nous le ferons aussi à la manière des gadjé.

— C'est hors de question ! s'exclama Amelia en lui arrachant sa main et en reculant. Je ne porte cette maudite bague que parce que je n'arrive pas à l'enlever. Et de quelles promesses parles-tu ? Est-ce que ces mots en romani que tu m'as demandé de répéter étaient des espèces de vœux ? Tu m'as piégée ! Ça ne signifie rien, puisque je ne comprenais pas ce que je disais.

— Il est néanmoins vrai que tu as couché avec moi.

Elle rougit, de honte et d'indignation mêlées. Puis elle pivota brusquement et s'engagea à grands pas sur un chemin qui s'enfonçait dans le jardin.

— Ça non plus, ça ne voulait rien dire, jeta-t-elle par-dessus son épaule.

Il la rattrapa sans peine.

— Pour moi, si. L'acte sexuel est sacré pour les Roms.

Amelia salua sa déclaration d'un grognement méprisant.

— Et toutes ces dames que tu as séduites à Londres ? C'était également sacré quand tu as couché avec elles ?

— Pendant une période, je me suis conduit à la manière impure d'un *gadjo*, répondit-il d'un ton innocent. Depuis, je me suis amendé.

Amelia le foudroya du regard.

— Tu ne souhaites pas cela. Tu ne me veux pas. Une seule nuit ne peut changer le cours entier d'une existence.

— Bien sûr que si.

Il tendit la main vers elle, mais Amelia s'éloigna d'un pas vif. Au moment où elle atteignait la fontaine ornée d'une sirène et entourée de bancs de pierre, Cam l'attrapa par-derrière et la plaqua contre lui.

— Cesse de me fuir et écoute-moi. Je te désire. Je te désire au point de vouloir t'épouser tout en sachant que j'épouserai aussi une famille tout entière, y compris un beau-frère suicidaire et un valet bohémien doté d'un caractère d'ours.

— Merripen n'est pas un valet.

— Peu importe le nom que tu lui donnes. Il fait partie de la famille Hathaway. Je m'en accommode.

— Ils ne t'accepteront pas, dit-elle, au désespoir. Il n'y a pas de place pour toi dans notre famille.

— Si, il y en a une. Juste à ton côté.

Le souffle d'Amelia se fit précipité quand la main de Cam effleura le devant de sa robe. Même si un corset baleiné lui emprisonnait les seins, la pression de sa main sur son corsage lui arracha un frisson.

— Ce serait un désastre, argua-t-elle, consciente de la rougeur qui montait de son décolleté pour se répandre sur sa gorge et son visage. Tu m'en voudrais de t'avoir privé de ta liberté… et je t'en voudrais de m'avoir privée de la mienne. Je ne peux pas promettre d'obéir, d'accepter tes décisions, et de renoncer à jamais à avoir mes propres opinions...

— Ce n'est pas une obligation que ça se passe ainsi.

— Ah bon ? Serais-tu prêt à jurer de ne jamais m'ordonner de faire quoi que ce soit contre mon gré ?

Cam la fit pivoter face à lui et caressa doucement sa joue en feu. Il réfléchit à sa question avec soin.

— Non, finit-il par dire. Je ne pourrais pas te jurer une chose pareille. Pas si j'étais persuadé d'agir pour ton propre bien.

En ce qui concernait Amelia, cela mettait un terme au débat.

— J'ai toujours été seule à décider de ce qui était bien pour moi. Je ne céderai ce droit à personne, pas même à toi.

Cam se mit à jouer avec le lobe de son oreille, puis descendit le long de son cou.

— Avant d'arrêter ta décision, tu devrais prendre certaines choses en compte. Ce n'est pas seulement notre existence à tous les deux qui est en jeu.

Comme Amelia essayait de s'écarter, il referma les mains sur ses hanches pour la retenir.

— Ta famille est dans le pétrin, mon cœur.

— Ce n'est pas nouveau. Nous sommes *toujours* dans le pétrin.

— Il n'empêche, c'en est à un point où même être la femme d'un Rom serait moins difficile pour toi que d'essayer de t'en sortir seule.

Amelia voulut lui dire que ses objections n'avaient rien à voir avec ses origines bohémiennes.

Mais il enchaîna, son visage tout près du sien :

— Épouse-moi, et je restaurerai Ramsay House. J'en ferai un palais. Ce sera une partie du prix de la mariée.

— Du prix de la mariée ?

— Une de nos traditions. Le fiancé paye une certaine somme à la famille de sa future avant le mariage. Ce qui signifie que je solderai aussi les comptes de Leo à Londres...

— Il te doit encore de l'argent ?

— Pas à moi. À d'autres créanciers.

— Oh, non... murmura Amelia, l'estomac noué.

— Je m'occuperai de toi et de ta maisonnée, continua Cam avec une patience opiniâtre. Les vêtements, les bijoux, les chevaux, les livres... l'école pour Beatrix... une saison à Londres pour Poppy. Et les meilleurs médecins pour Winnifred. Elle pourra se rendre dans n'importe quelle clinique de son choix.

Une pause délibérée, puis :

— Tu n'aimerais pas la voir recouvrer la santé ?

— Ce n'est pas juste, murmura-t-elle.

— En retour, il te suffit de me donner ce que je veux.

Sa main se posa sur le poignet d'Amelia, remonta le long de son bras en une délicieuse caresse.

Elle dut lutter pour répondre d'une voix qui ne tremblait pas :

— J'aurais l'impression de conclure un pacte avec le diable.

— Non, Amelia, dit-il d'une voix de velours. Juste avec moi.

— Je ne suis même pas certaine de savoir ce que tu veux.

Cam inclina la tête vers elle.

— Après ce qui s'est passé la nuit dernière, j'ai du mal à le croire.

— *Cela*, tu peux l'obtenir de n'importe quelle autre femme. Pour... pour beaucoup moins cher, devrais-je ajouter, et sans que cela te cause autant d'embarras.

— C'est de toi que je le veux. De toi seule.

Il y eut un silence bref, un peu inconfortable.

— Ces autres femmes que j'ai connues… reprit-il, je représentais une nouveauté pour elles. Quelqu'un de différent de leur mari. Elles souhaitaient ma compagnie la nuit, mais pas durant la journée. Jamais je n'ai été leur égal. Et jamais je ne me suis senti satisfait après avoir passé un moment avec elles. Avec toi, c'est différent.

Il lui effleura le front de la bouche, et Amelia ferma les yeux.

— Coucher avec des femmes mariées n'était sans doute pas une bonne idée, articula-t-elle. Peut-être que si tu avais essayé de courtiser une femme respectable…

— Je vis dans un club de jeu, lui rappela-t-il d'une voix teintée d'amusement. Je n'ai rencontré que très peu de femmes respectables. Et – toi excepté –, je ne me suis jamais bien entendu avec elles.

— Pourquoi?

Ses lèvres s'égarèrent vers sa tempe.

— Il semblerait que je les rende nerveuses.

Amelia sursauta en sentant sa langue sur son oreille.

— Je… je ne vois pas pourquoi.

Il joua avec son oreille, en mordilla le lobe.

— Je reconnais qu'il n'est pas facile d'être marié à un Rom. Nous sommes possessifs. Jaloux. Nous préférons que nos femmes ne touchent jamais un autre homme. Et tu n'aurais pas non plus le droit de me refuser ton lit. Cela dit, reprit-il tout contre ses lèvres, tu n'en auras pas envie.

Un long baiser, brûlant, puis Cam murmura:

— Tu seras une femme très aimée, *monisha*, et cela se verra.

Amelia dut s'accrocher à lui pour conserver son équilibre.

— Tu finirais par me quitter.

— Non, je te le jure. Contre toute attente, j'ai trouvé mon *atchen tan*.

— Ton quoi ?

— Un endroit où s'arrêter.

— J'ignorais que les Roms avaient des endroits où s'arrêter.

— Ils n'en ont pas tous. Apparemment, je suis l'un des rares privilégiés.

Après avoir secoué la tête, Cam ajouta d'un air dépité :

— J'ai mal au dos après avoir passé la nuit sur le sol. Ma moitié *gadjo* m'a finalement rattrapé.

La tête baissée, Amelia dissimula un sourire tremblant contre le cuir souple de sa veste.

— C'est de la folie, murmura-t-elle.

Came resserra son étreinte.

— Épouse-moi, Amelia. Tu es ce que je veux. Tu es mon destin.

Doucement, il lui fit basculer la tête en arrière pour accéder de nouveau à sa bouche.

— Dis oui.

Il lui mordilla les lèvres, les redessina de la pointe de la langue, les entrouvrit, puis il l'embrassa jusqu'à ce que, le cœur battant à tout rompre, elle se tortille entre ses bras.

— Dis-le, Amelia, et épargne-moi d'avoir à passer un jour une nuit avec une autre femme. Je dormirai sous un toit, je me ferai couper les cheveux. Que Dieu me vienne en aide, je crois que je serais même capable de porter une montre de gousset si tu le souhaitais.

Étourdie, incapable de penser, Amelia se laissait aller malgré elle contre son corps solide. Il n'y avait plus que lui dans chaque souffle, chaque battement, chaque frémissement. Quand il murmura son prénom, sa voix lui sembla venir de très loin.

— Amelia…

Il la secoua légèrement, posa une question, répéta les mots jusqu'à ce qu'elle comprenne qu'il voulait savoir quand elle avait mangé pour la dernière fois.

— Hier, parvint-elle à répondre.

Cam parut presque plus irrité que compatissant.

— Pas étonnant que tu sois sur le point de t'évanouir. Tu n'as rien mangé et tu as à peine dormi. Comment veux-tu être utile à quiconque alors que tu ne réussis pas à subvenir à tes besoins les plus élémentaires ?

Elle aurait voulu protester, mais il ne lui en laissa pas l'occasion. L'entourant d'un bras solide, il l'entraîna vers la maison sans cesser un instant de l'accabler de conseils narquois. Elle dut rassembler ce qui lui restait de forces pour gravir l'escalier.

Quand ils parvinrent enfin au sommet, Lillian, lady Westcliff, était là. Elle dévisagea Amelia d'un air inquiet.

— Vous avez l'air sur le point de vomir tripes et boyaux, lança-t-elle sans préambule. Que se passe-t-il ?

— Je l'ai demandée en mariage, répondit Cam.

Lillian haussa les sourcils.

— Ce n'est rien, intervint Amelia. J'ai juste un peu faim.

Lillian leur emboîta le pas comme Cam entraînait Amelia vers la table où se trouvaient ses sœurs.

— Elle a accepté ? demanda-t-elle à Cam.

— Pas encore.

— Eh bien, je ne suis pas surprise. Une femme ne peut décemment réfléchir à une demande en mariage l'estomac vide. Vous êtes très pâle, ajouta-t-elle en considérant Amelia d'un œil soucieux. Voulez-vous que je vous emmène vous étendre à l'intérieur ?

Amelia secoua la tête.

— Non, je vous remercie. Je suis désolée de causer un tel dérangement.

— Oh, il n'y a pas de dérangement ! répliqua Lillian. Croyez-moi, ce n'est rien comparé à ce qui se passe tous les jours ici. Si vous avez besoin de quoi que ce soit, Amelia, il vous suffit de le demander, ajouta-t-elle avec un sourire rassurant.

Arrivée près de ses sœurs, Amelia se laissa tomber sur un siège, devant une grande assiette contenant du jambon, du poulet et différentes salades, flanquée d'un panier garni de pain. À son grand étonnement, Cam s'assit à côté d'elle, coupa un morceau de quelque chose dans l'assiette et le lui présenta au bout de la fourchette.

— Commencez avec ça.

Elle fronça les sourcils.

— Je suis parfaitement capable de me nourrir toute…

Il lui mit la fourchette dans la bouche. Amelia continua de le foudroyer du regard tout en mâchant. Quand elle eut avalé, elle grommela :

— Donnez-moi cette…

Mais déjà, il lui donnait de force une autre bouchée.

— Puisque vous n'avez pas l'air très doué pour vous occuper de vous-même, déclara-t-il, il faut bien que quelqu'un s'en charge à votre place.

Amelia s'empara d'un morceau de pain et mordit dedans à belles dents. Elle mourait d'envie de lui dire que c'était sa faute si elle avait si peu dormi et manqué le petit déjeuner, mais ne pouvait se le permettre tant que ses sœurs étaient là. Celles-ci, du reste, étaient en train d'interroger Cam sur l'état de Ramsay House et sur ce qu'il en restait. Un concert de grommellements accueillit la nouvelle que la chambre aux abeilles était intacte et que la ruche était toujours active et prospère.

— Je suppose que nous ne nous débarrasserons jamais de ces maudites abeilles ! s'exclama Beatrix.

— Mais si, nous y parviendrons, déclara Cam.

Il referma la main sur le poignet d'Amelia, qui reposait sur la table. Son pouce trouva l'endroit où palpitait son pouls et le caressa machinalement.

— Je veillerai à ce qu'elles soient enlevées jusqu'à la dernière.

Amelia ne le regarda pas. Prenant sa tasse de thé de sa main libre, elle en but une gorgée.

— Monsieur Rohan, allez-vous épouser ma sœur ? entendit-elle Beatrix demander.

Amelia s'étrangla, reposa sa tasse en hâte, et se mit à tousser dans sa serviette de table.

— Chut ! Beatrix, murmura Winnifred.

— Mais elle porte sa bague…

Poppy plaqua la main sur la bouche de la benjamine.

— *Tais-toi !*

— C'est possible, répondit Cam, avant d'enchaîner, le regard espiègle : Je trouve que votre sœur manque un peu d'humour. Et qu'elle ne semble pas particulièrement obéissante. D'un autre côté…

L'une des portes-fenêtres s'ouvrit à la volée, accompagné d'un bruit de verre brisé. Sur la terrasse, tout le monde tourna la tête, et les hommes se levèrent.

— *Non !* s'écria Winnifred.

Merripen se tenait sur le seuil. Bien que bandé et échevelé, il était loin d'apparaître sans défense. La tête baissée et les poings serrés, il évoquait un taureau furieux. Il fixait sur Cam un regard où brillait une lueur dangereuse.

Tout, dans son attitude, trahissait la soif de vengeance du bohémien dont une parente avait été déshonorée.

— Oh, Seigneur ! marmonna Amelia.

Cam, qui se tenait debout près d'elle, lui adressa un regard interrogateur.

— Vous lui avez dit quelque chose ?

Amelia devint écarlate.

— Les domestiques ont dû bavarder.

Cam considéra le géant en rage avec résignation.

— Vous avez peut-être de la chance, dit-il à Amelia. On dirait que nos fiançailles vont connaître une fin prématurée.

Comme elle faisait mine de se lever, il l'en empêcha.

— Restez en dehors de cela. Je ne voudrais pas que vous soyez blessée dans la mêlée.

— Il ne me fera pas de mal, répliqua Amelia. C'est *vous* qu'il veut massacrer.

Soutenant le regard de Merripen, Cam s'écarta lentement de la table.

— Y a-t-il quelque chose dont tu souhaiterais parler, *chal* ? demanda-t-il avec un sang-froid admirable.

Merripen répondit en romani. Même si personne, à l'exception de Cam, ne comprit ce qu'il disait, il était évident que ce n'était pas encourageant.

— Je vais l'épouser, déclara Cam, comme pour l'apaiser.

— C'est encore pire ! s'exclama Merripen en s'avançant, une flamme meurtrière dans le regard.

Lord Saint-Vincent s'interposa vivement entre les deux hommes. Comme Cam, il avait, plus souvent qu'à son tour, empêché des bagarres au club. Levant les mains pour arrêter Merripen, il déclara d'une voix apaisante :

— Du calme, mon vieux. Je suis sûr que vous pouvez trouver un moyen de résoudre votre différend de manière raisonnable.

— Écartez-vous de mon chemin, gronda Merripen, mettant ainsi un terme à toute tentative de discours civilisé.

Saint-Vincent conserva son expression avenante.

— Vous n'avez pas tort. Il n'y a rien de plus assommant que d'être raisonnable. J'évite moi-même de l'être chaque fois que c'est possible. Néanmoins, je crains que vous ne puissiez vous bagarrer alors que des dames sont présentes. Cela pourrait leur donner des idées.

Merripen tourna ses yeux d'un noir d'encre vers les sœurs Hathaway, et les laissa s'attarder une seconde supplémentaire sur le visage pâle et délicat de Winnifred. Elle lui adressa un imperceptible signe de tête, lui intimant en silence de céder. De réfléchir.

— Merripen… commença Amelia d'une voix enrouée.

La scène était humiliante. Mais, en même temps, que Merripen se montre aussi protecteur et soucieux de son honneur la touchait profondément.

Elle s'interrompit en sentant la main de Cam sur son épaule. Adressant un regard froid à Merripen, il murmura :

— Pas devant les *gadjé*.

Du menton, il indiqua les jardins, puis s'éloigna en direction de l'escalier.

Après un instant d'hésitation, Merripen lui emboîta le pas.

17

Quand les deux hommes furent hors de vue, lord Westcliff suggéra à Saint-Vincent :

— Nous devrions peut-être les suivre de loin pour les empêcher de s'entretuer.

Saint-Vincent secoua la tête et retourna s'asseoir. Prenant la main d'Evangeline, il se mit à jouer avec ses doigts.

— Crois-moi, Rohan a la situation bien en main. Son adversaire est peut-être un peu plus costaud que lui, mais Rohan possède l'avantage considérable d'avoir grandi à Londres, où il a eu affaire à des criminels et à des brutes d'une violence rare.

Adressant un sourire à sa femme, il ajouta :

— Certains d'entre eux étant nos employés.

Amelia n'avait pas peur pour Cam. Une bagarre entre les deux hommes, ce serait un peu comme manier un gourdin contre une rapière. La rapière, avec sa souplesse et sa précision supérieures, l'emporterait. Mais cette issue ne serait pas sans danger. À l'exception possible de Leo, les Hathaway étaient infiniment attachées à Merripen. Ses sœurs éprouveraient quelques difficultés à pardonner à celui qui l'aurait blessé. Winnifred, en particulier.

Se tournant vers cette dernière afin de la rassurer, elle découvrit, surprise, que son expression ne trahissait ni crainte ni impuissance.

Winnifred était irritée.

— Merripen a été blessé, dit-elle. Il devrait être en train de se reposer et non de se mesurer à M. Rohan.

— Ce n'est pas ma faute s'il est sorti de son lit, protesta Amelia dans un chuchotement indigné.

Sa sœur plissa ses yeux bleus.

— Tu as fait *quelque chose* pour provoquer cette altercation. Et il semble assez évident que, quoi que tu aies fait, M. Rohan était impliqué.

Poppy, qui écoutait avec avidité, ne put résister.

— *Intimement* impliqué, précisa-t-elle.

Les deux aînées se tournèrent vers elle et lui ordonnèrent en chœur :

— Tais-toi, Poppy !

La jeune fille fronça les sourcils.

— J'ai attendu toute ma vie qu'Amelia s'écarte du droit chemin. Maintenant que c'est arrivé, je compte bien en profiter.

— J'en profiterais bien, moi aussi, se plaignit Beatrix, si seulement je savais de quoi vous parlez.

Cam suivit la haie de buis jusqu'à un chemin creux menant dans les bois. Les deux hommes s'arrêtèrent près d'un buisson de millepertuis en pleine floraison. Avec une désinvolture trompeuse, Cam croisa les bras sur sa poitrine. Il ne savait que penser de ce *chal* furieux à la carrure imposante, de ce Rom solitaire. Le mystérieux Merripen n'avait apparemment pas de lien avec une tribu, au contraire, il avait choisi de devenir le chien de garde d'une famille de *gadjé*. Pourquoi ? Peut-être était-il *mahrime*, désigné par les Roms comme peu digne de confiance. Un paria. Le cas échéant, qu'avait-il fait pour mériter un tel statut ?

— Tu as déshonoré Amelia, l'accusa Merripen.

— Ce n'est pas que cela soit très important, fit Cam en romani, mais comment l'as-tu découvert ?

Merripen ouvrit et ferma les poings, comme s'il mourait d'envie de l'écharper. Lucifer en personne n'aurait pu avoir un regard plus sombre et plus flamboyant.

— Parle en anglais, lui lança-t-il. Je n'aime pas la vieille langue.

Les yeux plissés par la curiosité, Cam répéta sa question.

— Les servantes en discutaient entre elles devant ma porte, répondit Merripen. Je les ai entendues. Tu as déshonoré un membre de ma famille.

— Oui, je sais, répondit Cam d'un ton posé.

— Tu n'es pas assez bien pour elle.

— Cela aussi, je le sais. La veux-tu pour toi-même, *chal* ? interrogea-t-il alors en le regardant sans ciller.

Merripen eut l'air mortellement offensé.

— C'est une sœur pour moi !

— Dans ce cas, c'est parfait. Parce que je veux faire d'elle ma femme. Et, d'après ce que j'ai constaté, les gens ne font pas vraiment la queue pour aider les Hathaway. Je peux donc être utile à la famille.

— Ils n'ont pas besoin de ton argent. Ramsay touche une rente annuelle.

— Ramsay sera bientôt mort. Nous le savons tous les deux. À peine sera-t-il refroidi que le titre échoira au pauvre crétin qui le suit dans la lignée, et il restera quatre filles Hathaway célibataires, sans qualifications particulières. Qu'adviendra-t-il d'elles, à ton avis ? Et l'invalide ? Elle aura besoin de soins médicaux…

— Winnifred n'est pas une invalide !

Le visage de Merripen apparaissait indéchiffrable, mais l'espace d'une seconde, Cam avait surpris une émotion extraordinaire, une expression à la fois féroce et tourmentée.

Apparemment, toutes les Hathaway n'étaient pas comme des sœurs pour Merripen. Peut-être était-ce la clé qui menait à lui. Peut-être nourrissait-il une passion secrète pour une femme trop innocente pour s'en rendre compte et trop fragile pour se marier un jour.

— Merripen, déclara Cam, tu vas devoir trouver un moyen de me supporter. Parce que je peux faire, pour Amelia et pour sa famille, des choses que tu ne peux pas faire.

En dépit de l'expression de Merripen, qui en aurait terrifié plus d'un, il continua d'un ton égal :

— Et je n'aurai pas la patience de lutter contre toi à chaque instant. Alors, si tu souhaites vraiment le meilleur pour eux, soit tu pars, soit tu m'acceptes.

Dans le regard farouche que le grand *chal* attachait sur lui, Cam pouvait presque lire le combat qu'il livrait contre lui-même. Entre les différents choix possibles et l'envie violente de jeter son ennemi à terre, c'était le souci d'agir dans l'intérêt de la famille qui prédominait.

— De plus, reprit Cam, si Amelia ne m'épouse pas, le *gadjo* va revenir à la charge. Et tu sais très bien qu'elle sera mieux avec moi.

Les yeux de Merripen s'étrécirent.

— Frost lui a brisé le cœur. Toi, tu as abusé de son innocence. Pourquoi cela te donne-t-il l'avantage ?

— Parce que je n'ai pas l'intention de la quitter. À la différence des *gadjé*, nous autres Roms sommes fidèles à nos femmes.

Cam laissa s'écouler cinq secondes avant d'ajouter, à dessein :

— Tu le sais probablement mieux que moi.

Merripen fixa un point dans le lointain.

— Si tu la fais souffrir de quelque manière que ce soit, articula-t-il, je te tuerai.

— Très bien.

— Il se peut que je te tue de toute manière.

Cam eut un léger sourire.

— Tu serais surpris du nombre de personnes qui m'ont déjà dit ça.

— Ça m'étonnerait.

Parvenue devant la porte de Cam, Amelia s'immobilisa, nerveuse. On entendait du bruit à l'intérieur de la chambre, des tiroirs que l'on ouvrait et que l'on refermait, des objets que l'on déplaçait. Il devait se préparer à partir pour Londres, devina-t-elle.

Les maîtres et les invités de Stony Cross Manor avaient discrètement quitté la terrasse avant le retour de Cam et de Merripen. Amelia avait aperçu ce dernier alors qu'il regagnait sa chambre. Il lui avait jeté un regard féroce. Elle avait ouvert la bouche pour l'interroger ou pour s'excuser – elle ne le savait pas exactement –, mais il ne lui en avait pas laissé le temps.

— C'est ton choix, avait-il grommelé. Et il nous concerne tous. Ne l'oublie pas.

Il avait refermé la porte avant qu'elle puisse dire un mot.

Amelia jeta un regard à droite et à gauche pour s'assurer qu'il n'y avait personne dans le couloir, puis elle frappa quelques coups légers sur la porte avant d'entrer.

Cam était en train de ranger une pile de vêtements soigneusement pliés dans une petite malle posée au pied du lit. Quand il leva la tête, une mèche soyeuse lui retomba sur les yeux. Il était si beau, si plein de vie, que la gorge d'Amelia se serra.

— J'avais peur que Merripen ne te ramène en morceaux, dit-elle d'une voix mal assurée.

Le sourire aux lèvres, Cam s'approcha d'elle.

— Je suis encore entier.

Le regard d'Amelia s'attarda sur son corps élancé, et elle eut l'impression que la température augmentait dans la pièce. Détournant les yeux, elle lâcha d'une traite :

— J'ai réfléchi à tout ce que tu m'as dit un peu plus tôt. J'ai pris une décision. Mais d'abord, j'aimerais t'expliquer que cela n'a rien à voir avec tes avantages personnels, qui sont considérables. C'est simplement que...

— Mes avantages personnels ?

— Oui. Ton intelligence. Ton charme.

— Ah...

Surprise par son ton, Amelia lui jeta un regard interrogateur. Ses yeux ambrés pétillaient d'amusement. Que diable avait-elle dit de si drôle ?

— Tu m'écoutes ?

— Crois-moi, quand on discute de mes avantages personnels, je suis toujours tout ouïe. Continue.

Amelia fronça les sourcils.

— Même si je suis très flattée par ta demande, étant donné les circonstances présentes...

— Venons-en au fait, Amelia, coupa-t-il en posant les mains sur ses épaules. Vas-tu m'épouser ?

— Je ne peux pas, répondit-elle d'une voix faible. Je ne peux pas, c'est tout. Nous ne sommes pas bien assortis. Nous ne nous ressemblons pas du tout, cela saute aux yeux. Tu es impétueux. Tu prends des décisions vitales en un clin d'œil. Alors que moi, je ne dévie pas de la route que je me suis tracée.

— Tu as dévié, la nuit dernière. Et vois comme cela t'a réussi...

Son expression le fit sourire.

— Je ne suis pas impétueux, mon ange. C'est juste que je sais quand quelque chose est trop important pour être décidé selon les règles de la logique.

— Et le *mariage* est l'une de ces choses ?

— Évidemment.

Cam posa la main sur la poitrine d'Amelia, à l'endroit où son cœur battait à grands coups.

— C'est *là* que tu dois prendre ta décision.

Troublée par la chaleur de sa main, Amelia eut quelque difficulté à respirer.

— Je ne te connais que depuis quelques jours. Nous sommes encore des étrangers l'un pour l'autre. Je ne peux confier l'avenir de ma famille à un homme dont j'ignore tout.

— Un homme et une femme peuvent être mariés depuis quinze ans et ne rien savoir l'un de l'autre. De plus, tu connais déjà les choses importantes à mon sujet.

Entendant une espèce de tambourinement agaçant, Amelia crut d'abord qu'il s'agissait des pulsations de son cœur. Mais lorsque Cam insinua la jambe dans les plis de sa robe, elle s'aperçut qu'elle avait recommencé à marteler le sol du pied. Non sans effort, elle s'arrêta.

Cam glissa le bras autour de sa taille, lui prit la main gauche et la porta à ses lèvres, effleurant sa phalange rougie par ses efforts pour retirer la bague.

— Elle est coincée, grommela-t-elle. Elle est trop petite.

— Elle n'est pas trop petite. Il te suffit que ta main soit détendue, et elle s'en ira.

— Ma main est tout à fait détendue.

— Ces *gadjis*… vous êtes toutes aussi raides que du bois d'amarante. Ce doit être à cause de vos corsets.

Il inclina la tête et couvrit sa bouche de la sienne. Il l'explora lentement, l'incitant à s'ouvrir à lui, cherchant la pointe de sa langue. Amelia tenta de s'écarter, consternée, quand elle s'aperçut qu'il dégrafait le dos de sa robe. Le corsage ouvert se mit à bâiller, découvrant son buste corseté.

— Cam... Non...

— Chut...

Son souffle emplit la bouche d'Amelia, chaud, excitant.

— Je suis en train de t'aider à retirer la bague. C'est ce que tu veux, non ?

— Retirer cette bague n'a rien à voir avec tirer sur les cordons de mon cors... Oh, non, gémit-elle quand, s'ouvrant brusquement, son corset dévoila sa chair. Cela ne m'aide pas, ajouta-t-elle en s'efforçant de refermer le haut de sa robe avec des gestes gauches.

— Mais moi, cela m'aide beaucoup.

Cam glissa la main dans sa culotte, sur ses fesses. Sa pudeur malmenée la fit se tortiller, ce qui n'eut d'autre effet que d'accélérer la chute de ses vêtements vers le sol.

— Il faut que je te voie à la lumière du jour, murmura-t-il, sa bouche affamée courant sur sa gorge et ses épaules. *Monisha*, tu es la plus belle femme, la plus...

Ses mains se mouvaient avec une impatience croissante, tiraient durement sur ses vêtements, tant et si bien que quelques coutures craquèrent.

— Non ! Cette robe ne m'appartient pas, protesta Amelia.

Elle s'empressa de dégrafer elle-même ses vêtements pour éviter qu'il ne les déchire. Elle se figea tout à coup : un bruit de pas résonnait dans le couloir. Ils passèrent devant la porte sans s'arrêter. Sans doute était-ce une servante. Mais si quelqu'un l'avait vue entrer dans la chambre de Cam ? Si quelqu'un la cherchait, à cet instant précis ?

— Cam, je t'en prie, pas maintenant.

— Je serai très doux, promit-il en la soulevant, abandonnant ses vêtements sur le sol. Je sais que c'est un peu tôt.

Elle secoua la tête alors même qu'il l'étendait sur le lit. Agrippant le bas de sa chemise pour l'empêcher de la lui ôter, elle chuchota :

— Non, ce n'est pas ça. Quelqu'un va nous découvrir. Quelqu'un va nous entendre... nous...

— Lâche ça, mon cœur, que je puisse te l'enlever... Sinon, je serai obligé de te l'arracher, menaça-t-il.

— Cam, ne...

Un bruit d'étoffe déchirée lui coupa la parole.

— Elle est inutilisable ! s'exclama-t-elle, fixant d'un regard incrédule le mince sous-vêtement fendu depuis l'encolure jusqu'à l'ourlet. Que vais-je dire à la femme de chambre ? Et comment est-ce que je vais pouvoir remettre mon corset ?

Cam ne paraissait pas le moins du monde contrit quand il la débarrassa des restes de la chemise.

— Enlève ta culotte. Ou je la déchire aussi.

— Ô mon Dieu, murmura Amelia qui, ne sachant comment l'arrêter, fit glisser sa culotte sur ses hanches. Ferme la porte à clé, ordonna-t-elle, le visage écarlate. Je t'en *supplie*, ferme à clef.

Cam esquissa un bref sourire. Il quitta le lit et alla jusqu'à la porte, se débarrassant en route de sa veste et de sa chemise. Après avoir tourné la clé dans la serrure, il prit tout son temps pour revenir, savourant apparemment le spectacle d'Amelia en train de se terrer sous les couvertures.

Il se tint devant elle à demi nu, le pantalon bas sur les hanches. S'arrachant à la contemplation de son torse musclé, Amelia murmura en réprimant un frisson :

— Tu me mets dans une terrible position.

Cam acheva de se déshabiller et la rejoignit dans le lit.

— Je connais d'autres positions que tu préféreras sûrement, souffla-t-il avant de la plaquer contre son grand corps étonnamment chaud.

Découvrant qu'elle portait toujours ses jarretières et ses bas de soie, il disparut si rapidement sous le drap et les couvertures qu'Amelia en resta sans voix.

Elle tenta de s'asseoir, mais retomba en arrière avec un gémissement quand elle sentit sa bouche contre la peau sensible à l'intérieur de sa cuisse. Il dénoua sa jarretière, puis commença à dérouler son bas, suivant des lèvres le lent retrait de la soie. Sa langue s'aventura dans le creux derrière le genou… glissa sur le muscle tendu du mollet… sur le creux délicat de la cheville. Il ôta doucement le bas de ses orteils crispés. Au prix d'un effort féroce, elle réussit à ne pas crier lorsque sa bouche se referma sur ses orteils, les suçant l'un après l'autre.

Quand le second bas eut rejoint le premier, le sang d'Amelia bouillonnait. Elle repoussa les couvertures, et la pointe de ses seins se durcit encore davantage au contact de l'air froid. Cam lui écarta les cuisses, puis cala ses jambes repliées sur ses épaules. Ses doigts glissèrent à travers le triangle frisé, et il l'embrassa tendrement, dessinant des petits cercles ou aspirant avec légèreté. C'était trop… pas assez… Amelia se raidit sous cette délicieuse torture.

— Calme-toi, mon cœur, murmura-t-il en lui caressant le ventre.

— Je… je ne peux pas. Oh, dépêche-toi !

Cam rit doucement, ses lèvres entrouvertes frôlèrent sa chair intime. Il la taquina de la langue, puis souffla contre sa toison humide de désir.

— C'est mieux pour toi si je ne me dépêche pas.

— Non, ce n'est pas vrai.

— Parce que tu t'y connais? Ce n'est que ta deuxième fois...

Une espèce de sanglot lui échappa quand il la taquina de nouveau de la langue.

— Je ne vais pas pouvoir en supporter beaucoup plus, l'avertit-elle.

Il la lécha avec une lenteur affolante, autour, puis dedans, profondément, jusqu'à ce que les gémissements succèdent aux gémissements. Il se hissa alors au-dessus d'elle, se positionna entre ses cuisses, et la pénétra d'un coup de reins fluide. Étouffant un cri, elle planta les ongles dans ses épaules.

Cam s'immobilisa, baissa les yeux sur elle – ses beaux yeux aux iris d'un or flamboyant entourés d'un cercle d'une insondable noirceur.

— Amelia, mon cœur...

Il la gratifia d'un baiser au goût de sel et d'intimité.

— ... je peux m'enfoncer davantage?

Bien qu'ayant l'esprit embrouillé par le plaisir, elle parvint à secouer la tête.

Une ébauche de sourire aux lèvres, Cam chuchota:

— Je pense que si.

Glissant la main entre leurs deux corps, là où ils étaient joints, il commença à onduler paresseusement tout en caressant avec un talent consommé la petite crête cachée entre les replis de sa féminité. Avec un cri, Amelia se cambra, l'attirant plus profondément en elle.

Puis elle commença à onduler à son tour, anticipant chaque poussée, les sollicitant. Les sensations tourbillonnaient follement en elle, se succédaient à un rythme frénétique, et ce fut l'explosion, inévitable. Un flot de plaisir d'une intensité aveuglante déferla en elle... encore... et encore... Quand elle sentit que Cam commençait à se retirer, elle enroula spontanément les jambes autour de ses hanches.

— Amelia, non, protesta-t-il dans un souffle. Laisse-moi… Il faut que je…

Un éblouissement, un spasme violent, et il se répandit en elle, incapable de se retenir.

Sans lâcher Amelia, Cam bascula sur le flanc. Il marmonna quelques mots en romani. Elle ne comprit rien, bien sûr, mais cela lui parut très louangeur. Épuisée, elle cala la tête sur son biceps, surprise de sentir son sexe se contracter encore en elle.

S'emparant de sa main gauche, Cam lui ôta la chevalière sans effort et la lui tendit.

— Voilà. Encore que je préférerais que tu la gardes.

Amelia en demeura bouche bée. Elle examina sa main, puis l'anneau, hésita une seconde, et se risqua à la remettre au même doigt. Elle glissa dans un sens puis dans l'autre, sans aucune difficulté.

— Comment as-tu fait ?

— Je t'ai aidée à te détendre, répondit-il avant de lui caresser le dos d'une main paresseuse. Remets-la, Amelia.

— Je ne peux pas. Cela signifierait que j'ai accepté ta demande, ce qui n'est pas le cas.

S'étirant comme un chat, Cam la fit rouler sur le dos, et s'appuya sur les coudes pour ne pas l'écraser de son poids. Amelia tressaillit : il était toujours ferme en elle.

— Tu ne peux pas coucher deux fois avec moi et refuser ensuite de m'épouser, murmura Cam. Je serais déshonoré… Et je me sentirais vraiment au-dessous de tout.

Bien que le sujet fût sérieux, Amelia ne put retenir un sourire.

— Je te rends un grand service en refusant ton offre. Tu m'en remercieras un jour.

— C'est tout de suite que je te remercierais si tu remettais cette maudite bague.

Elle secoua la tête.

Cam donna un bref coup de reins, lui arrachant un petit cri.

— Et mes avantages personnels ? Qui va s'en occuper ?

— Tu peux très bien t'en occuper toi-même, assura-t-elle avant de se tortiller pour poser l'anneau sur la table de nuit.

Cam accompagna obligeamment son mouvement.

— C'est beaucoup plus satisfaisant quand tu es impliquée.

Comme il tendait le bras pour reprendre la chevalière, son sexe s'enfonça plus profondément en elle. Elle se raidit, surprise. de le sentir plus dur de seconde en seconde.

— Cam, protesta-t-elle en glissant un coup d'œil vers la porte.

Elle lui attrapa le poignet pour l'empêcher de saisir la bague. Espiègle, il fit mine de lutter avec elle, et tous deux roulèrent sur le matelas jusqu'à ce qu'elle se retrouve de nouveau sous lui.

Quand il commença à lui embrasser les seins, Amelia repoussa sa tête brune.

— Mais… nous venons à peine de finir…

Cam releva brièvement la tête.

— Je suis un bohémien, se contenta-t-il de répondre, comme si c'était là une explication.

S'il y avait un soupçon de contrition dans son ton, il n'y en avait aucun dans le rythme insistant de ses coups de reins, et il ne fallut pas longtemps pour que les protestations d'Amelia se transforment en voluptueux gémissements.

Elle atteignait le sommet du plaisir lorsqu'il se retira soudain, et la retourna sur le ventre. Durant une insupportable seconde, elle crut qu'il avait décidé d'arrêter. Puis il lui souleva les hanches, lui ouvrit grand les cuisses de ses genoux. Il balbutiait un mélange d'anglais et de romani, mais elle comprit qu'il ne lui ferait pas de mal, que ce serait plus facile pour elle, et elle chuchota des « oui, oui » implorants. Il la pénétra alors incroyablement profond, l'agrippant avec force comme l'instinct la poussait à se dérober.

Alors qu'elle étouffait ses gémissements contre le matelas, Cam glissa la main sur son sexe. La jouissance la submergea presque aussitôt, raz-de-marée qui la laissa pantelante. Cam se retira en hâte et se répandit sur le drap avec un gémissement, mais Amelia demeura dans la même position, sa chair intime palpitant du désir de le sentir de nouveau en elle. Il lui plaqua la main sur les fesses, les caressa un instant avant de l'obliger à s'allonger sur le matelas.

— Tu m'accepteras, chuchota-t-il. Tu m'accepteras, mon cœur. Je te suis destiné… même si tu ne veux pas encore l'admettre.

18

Après le départ de Cam, Amelia se surprit à errer, un peu abattue, dans l'imposant manoir.

Tout était tranquille, chacun s'étant retiré dans sa chambre pour la sieste. Les préparatifs de départ du comte et de la comtesse, ainsi que de lord et lady Saint-Vincent, étaient presque achevés. Tous les quatre partiraient pour Bristol le lendemain matin. Ils demeureraient chez la sœur de Lillian et son mari jusqu'à la naissance de leur enfant, prévue deux semaines plus tard.

Lillian avait hâte de retrouver sa cadette, dont elle était extrêmement proche.

— Elle s'est portée comme un charme durant toute sa grossesse, avait-elle confié à Amelia. Daisy est forte comme un cheval. Mais elle est petite, et son mari plutôt grand, avait-elle ajouté en se rembrunissant. Ce qui signifie que le bébé risque d'être de belle taille, lui aussi.

— On ne peut lui reprocher d'être grand, avait fait remarquer, laconique, lord Westcliff.

— Je n'ai pas dit que c'était sa faute, avait protesté Lillian.

— Tu l'as pensé très fort.

Elle avait fait mine de lui lancer un coussin à la tête, mais l'effet de cette chamaillerie conjugale avait été gâché par le sourire affectueux qu'ils échangèrent.

— Amelia, vous pensez que ça ira, pendant notre absence ? avait alors demandé Lillian. Je suis vraiment désolée de vous abandonner alors que les choses sont aussi incertaines, et que M. Merripen est alité.

— Merripen devrait se remettre très rapidement, avait déclaré Amelia avec confiance. Il est robuste.

— J'ai demandé au médecin de passer le voir tous les jours, était intervenu Westcliff. Et si vous avez le moindre problème, envoyez un courrier à Bristol. Je reviendrai aussitôt.

Amelia s'était dit qu'ils avaient une chance folle d'avoir les Westcliff pour voisins.

À présent, alors qu'elle arpentait la galerie d'art, regardant les peintures et les sculptures sans vraiment les voir, elle prit soudain conscience d'un terrible vide en elle. Elle ne voyait pas comment le combler. Il n'était pas dû à la faim, à la crainte ou à la colère, pas à la fatigue non plus.

Mais bien plutôt à la solitude.

« Quelle bêtise ! se morigéna-t-elle. Tu ne peux pas souffrir de solitude. Cela ne fait même pas une demi-journée qu'il est parti. Et tu as toute ta famille ici, avec toi. »

Elle s'approcha de la longue rangée de fenêtres qui donnaient sur le côté de la maison. Il pleuvait depuis peu, mais avec constance, et des ruisselets boueux sillonnaient déjà le jardin pour aller se déverser dans la rivière.

C'était la première fois qu'elle souffrait d'une forme de solitude que la première compagnie venue ne suffirait pas à chasser.

Avec un soupir, elle pressa le nez contre le carreau, et le sentit vibrer quand retentit un coup de tonnerre.

La voix de son frère lui parvint depuis l'extrémité de la galerie.

— Maman disait toujours que tu allais t'aplatir le nez.

Amelia se retourna et lui sourit comme il s'approchait.

— Elle disait cela pour m'empêcher de laisser des marques sur la vitre.

Son frère avait le visage cireux, les traits tirés et les yeux creux. Les vêtements qu'il portait, d'une élégance discrète et d'une coupe parfaite, avaient dû lui être prêtés par lord Saint-Vincent. Mais au lieu de tomber avec grâce, comme sur le vicomte, ils le boudinaient à la taille tant il s'était épaissi.

— J'espère que tu te sens mieux que tu n'en as l'air, risqua Amelia.

— Je me sentirai mieux une fois que j'aurai trouvé des rafraîchissements dignes de ce nom. J'ai demandé trois fois du vin ou des alcools, mais les domestiques semblent tous très tête en l'air.

Amelia fronça les sourcils.

— Il est sûrement trop tôt, même pour toi, Leo.

Il tira une montre de son gousset et en étudia le cadran, les yeux plissés.

— Il est 20 heures à Bombay. Étant un homme soucieux des relations internationales, je prendrai donc un verre à titre de geste diplomatique.

D'ordinaire, face à de telles inepties, Amelia était soit résignée soit agacée. Mais tandis qu'elle le scrutait, son frère lui parut si perdu, si misérable sous son apparente indifférence, qu'elle fut saisie d'une brusque compassion. S'avançant vers lui, elle l'enlaça et le serra contre elle, se demandant comment le sauver.

Surpris par ce geste impulsif, Leo se figea, sans lui retourner son étreinte mais sans s'y soustraire non plus. Puis il posa les mains sur les épaules d'Amelia et la repoussa doucement.

— J'aurais dû savoir que tu serais larmoyante aujourd'hui.

— Oui, eh bien… Trouver son frère presque rôti a tendance à secouer.

— Je suis juste un peu grillé.

Il fixa alors sur elle ces étranges yeux pâles.

— Et plus intact que toi, apparemment, ajouta-t-il.

Amelia comprit immédiatement où il voulait en venir. Aussitôt sur ses gardes, elle se détourna et feignit de se plonger dans la contemplation du paysage noyé de pluie.

— Intact ? Je ne vois pas de quoi tu parles.

— Je fais allusion à cette partie de « Qui a vu le loup ? » que tu joues avec Rohan.

— Qui t'a dit ça ? Les domestiques ?

— Merripen.

— Je ne peux pas croire qu'il ait osé…

— Pour une fois, lui et moi sommes d'accord sur quelque chose. Nous allons retourner à Londres dès qu'il sera rétabli. Nous nous installerons à l'hôtel Rutledge, le temps de chercher une maison convenable à louer…

— Le Rutledge coûte une fortune ! s'écria-t-elle en faisant volte-face. Nous n'avons pas les moyens de nous l'offrir.

— Inutile de discuter, Amelia. Je suis le chef de cette famille et j'ai pris ma décision. Avec le soutien inconditionnel de Merripen, pour ce que cela vaut.

— Vous pouvez aller au diable, tous les deux ! Je n'accepterai pas de recevoir d'ordres de toi, Leo.

— Tu y seras obligée, en l'occurrence. Ton histoire avec Rohan est terminée.

À la fois amère et outrée, Amelia lui tourna de nouveau le dos, le temps de se ressaisir. Durant l'année qui venait de s'écouler, que n'avait-elle pas prié pour que Leo prenne ses responsabilités de chef de famille, donne son avis, se soucie de ses proches. Et c'était cette histoire-*là* qui le poussait enfin à agir ?

— Je suis vraiment ravie que tu portes un tel intérêt à mes affaires personnelles, Leo, finit-elle par dire avec un calme menaçant. À présent, peut-être pourrais-tu étendre ta sollicitude à d'autres problèmes importants. Par exemple, la reconstruction de Ramsay House, la santé de Winnifred, l'éducation de Beatrix et l'entrée dans le monde de...

— Je ne me laisserai pas distraire aussi aisément, petite sœur. Seigneur ! Tu ne pouvais pas te laisser conter fleurette par quelqu'un de la même classe que toi ? Es-tu tombée si bas que tu en es à accueillir un bohémien dans ton lit ?

Amelia en resta bouche bée. Elle pivota abruptement.

— Comment peux-tu dire une chose pareille ! Notre frère est bohémien et il...

— Merripen n'est pas notre frère. Et il se trouve qu'il est d'accord avec moi. C'est indigne de toi.

— Indigne de moi, articula Amelia, qui recula jusqu'à ce que son dos heurte le mur. En quoi ?

— Je ne vois pas la nécessité de m'expliquer.

— Eh bien, moi, je la vois.

— Rohan est un *bohémien*, Amelia. Ce sont tous des vagabonds et des paresseux.

— Tu oses dire cela, toi qui ne lèves jamais le petit doigt ?

— Je ne suis pas censé travailler. J'appartiens à l'aristocratie, désormais. Je gagne trois mille livres par an en me contentant d'exister.

De toute évidence, discuter avec un adversaire aussi délirant ne mènerait à rien.

— Jusqu'à cet instant, je n'avais pas l'intention de l'épouser, déclara Amelia. Mais, à présent, je réfléchis sérieusement à l'avantage d'avoir au moins un homme raisonnable à la maison.

— De l'épouser ?

L'exaspération d'Amelia était telle qu'elle trouva presque réjouissante l'expression de son frère.

— Je suppose que Merripen a oublié de mentionner ce détail mineur. Oui, Cam m'a demandée en mariage. Et il est riche, Leo. *Très, très* riche, ce qui signifie que si tu décides de sauter dans le lac et de t'y noyer, quelqu'un s'occupera des filles et de moi-même. C'est réconfortant de savoir que *quelqu'un* s'inquiète de notre avenir, n'est-ce pas ?

— Je te l'interdis.

— Pardonne-moi si je ne suis guère impressionnée par ton autorité, Leo, répliqua-t-elle en lui jetant un regard méprisant. Peut-être devrais-tu l'exercer sur quelqu'un d'autre.

Sur ce, elle le planta là et s'éloigna dans la galerie.

Avant de quitter le Hampshire, Cam fit un détour par Ramsay House. Il souhaitait y jeter un nouveau coup d'œil, car il se trouvait face à un dilemme. Que conseiller à Amelia et à sa famille, concernant cette propriété ?

Restaurer le bâtiment ? C'était le plus souhaitable. En tant que partie inaliénable d'un domaine aristocratique, il méritait d'être réhabilité. Et puis, Cam aimait cet endroit. Selon lui, il offrait de nombreuses possibilités. Si l'on redessinait les jardins, et que la maison elle-même était reconstruite, le domaine deviendrait un véritable joyau.

D'un autre côté, il était douteux que le titre de Ramsay et les possessions qui y étaient attachées restent encore très longtemps dans la famille Hathaway. Tout reposait sur Leo, dont la santé et l'avenir paraissaient très compromis.

Cam demanda au cocher de l'attendre et, tout en réfléchissant au problème que représentait son futur beau-frère, il se dirigea vers la maison dévastée sans se soucier de la pluie. À vrai dire, il lui importait assez peu que Leo vive ou meure. En revanche, il attachait énormément d'importance aux sentiments d'Amelia. Il était déterminé à faire le nécessaire pour lui épargner du chagrin ou de l'inquiétude. Si, pour ce faire, il lui fallait aider son frère à rester en vie, il s'en accommoderait.

L'intérieur de la maison, noirci par la fumée, était affaissé en différents endroits. Cam se demanda si des parties de charpente étaient encore utilisables et ne put s'empêcher d'imaginer à quoi ressemblerait Ramsay House une fois restaurée. Elle serait pimpante, pleine de charme, avec une touche d'excentricité. Comme les Hathaway.

Cam sourit légèrement en pensant aux sœurs d'Amelia. Il lui serait facile de les aimer. Curieux comme l'idée de s'installer sur cette terre, de devenir membre d'une famille, lui plaisait à présent. Après tout, Westcliff avait peut-être raison. Il ne pouvait, sa vie durant, ignorer son héritage irlandais.

Cam s'arrêta dans le vestibule et tendit l'oreille. Il y avait du bruit à l'étage. Des coups répétés, comme si quelqu'un frappait sur un morceau de bois avec un marteau. Un frisson lui parcourut l'échine. Qui diable pouvait se trouver là ? La superstition et la raison se livrèrent bataille dans son esprit comme il se demandait si l'intrus était un mortel ou un spectre. Décidé à en avoir le cœur net, il gravit l'escalier d'un pas à la fois rapide et silencieux.

Arrivé sur le palier, il s'arrêta pour écouter attentivement. Le bruit retentit de nouveau. Il provenait de l'une des chambres. Il s'approcha de la porte entrouverte, jeta un coup d'œil à l'intérieur.

Le visiteur était humain, définitivement. Cam étrécit les yeux en reconnaissant Christopher Frost.

Apparemment, celui-ci essayait de détacher un morceau de boiserie du mur à l'aide d'un pied-de-biche. Le bois résistait et, après s'être acharné quelques secondes, Frost lâcha son outil avec un juron.

— Besoin d'aide ? demanda Cam.

Frost sursauta violemment, puis fit volte-face, les yeux comme des soucoupes.

— Bonté divine ! Que faites-vous ici ?

— J'allais vous poser la même question.

S'appuyant au chambranle, Cam croisa les bras et observa l'homme avec curiosité.

— J'ai décidé de m'arrêter ici en allant à Londres, continua-t-il. Qu'y a-t-il derrière ce panneau ?

— Rien, répondit l'architecte d'un ton brusque.

— Dans ce cas, pourquoi essayez-vous de l'enlever ?

Ayant recouvré son sang-froid, Frost se pencha pour ramasser le pied-de-biche. Il le tenait négligemment, mais il aurait suffi de peu de chose pour le transformer en arme. Cam conserva une posture détendue, mais garda les yeux fixés sur le visage de Frost.

— Que savez-vous en matière d'architecture et de construction ? s'enquit celui-ci.

— Pas grand-chose. Il m'est arrivé de travailler le bois de temps en temps.

— Oui. Les gens comme vous travaillent quelquefois comme rétameurs, voire même couvreurs. Mais jamais comme bâtisseurs. Vous ne resteriez pas assez longtemps pour mener à bien un projet, n'est-ce pas ?

— Vous parlez de moi en particulier ou des Roms en général ? demanda Cam fort poliment.

Frost s'approcha de lui.

— Peu importe. Pour répondre à votre question précédente : j'inspecte la maison pour estimer l'étendue des dommages, et réfléchir aux modifications à apporter. J'agis au nom de Mlle Hathaway.

— Et à sa demande?

— En tant que vieil ami de la famille – et tout particulièrement de Mlle Hathaway –, j'ai pris sur moi de leur apporter mon aide.

La phrase «tout particulièrement de Mlle Hathaway», prononcée avec une pointe de possessivité, faillit avoir raison du sang-froid de Cam. Lui qui s'était toujours félicité de son flegme éprouva une hostilité immédiate.

— Peut-être auriez-vous dû d'abord lui en parler, rétorqua-t-il. Il se trouve que vos services ne sont pas nécessaires.

Le visage de Frost s'assombrit.

— Qu'est-ce qui vous donne le droit de parler au nom de Mlle Hathaway et de sa famille?

Ne voyant pas de raison de garder le secret, Cam répondit:

— Je vais l'épouser.

Frost faillit en lâcher son pied-de-biche.

— Ne soyez pas ridicule. Amelia ne se marierait jamais avec vous.

— Pourquoi?

— Bon sang! s'exclama Frost avec incrédulité. Comment pouvez-vous poser une question pareille? Vous n'êtes pas un gentleman, vous n'appartenez pas à la même classe qu'elle et… Enfer et damnation, vous n'êtes même pas un véritable bohémien! Vous êtes un bâtard.

— Il n'empêche que je vais l'épouser.

— Vous me passerez d'abord sur le corps! s'écria Frost en esquissant un pas dans sa direction.

— Soit vous posez ce pied-de-biche, déclara Cam d'un ton calme, soit je vous disloque le bras.

Il espérait sincèrement que Frost essaierait de le frapper. Aussi fut-il déçu quand celui-ci laissa tomber la barre sur le sol.

L'architecte le foudroya du regard.

— Quand j'aurai parlé avec elle, elle ne voudra plus avoir affaire avec vous. Je ferai en sorte qu'elle sache à quoi elle s'exposerait en couchant avec un bohémien. Il vaudrait mieux pour elle un paysan. Un chien. Un…

— J'ai compris, coupa Cam, en lui adressant, à dessein, un sourire neutre. Je note toutefois, non sans intérêt, que la précédente relation de Mlle Hathaway avec un gentleman de sa propre classe l'a disposée favorablement envers un bohémien. Voilà qui n'est pas flatteur pour vous.

— Espèce de salaud égoïste, marmonna Frost. Vous allez causer sa perte. Ça vous est égal de la rabaisser à votre niveau. Si vous aviez le moindre sentiment pour elle, vous disparaîtriez pour de bon.

Sur ce, il passa devant Cam au pas de charge.

Ce dernier demeura un long moment immobile. Il bouillonnait de colère, d'inquiétude pour Amelia et, pire que tout, d'une intense culpabilité. Malheureusement, il ne pouvait changer ce qu'il était, pas plus qu'il ne pourrait protéger Amelia de toutes les flèches qu'on lui décocherait en tant qu'épouse d'un bohémien.

Mais il voulait bien être maudit s'il la laissait se débrouiller dans ce monde impitoyable sans lui apporter son soutien.

Sans les Westcliff, les Saint-Vincent et Leo – celui-ci avait décidé d'aller se divertir à la taverne du village –, le dîner fut très morne.

Merripen était resté dans sa chambre, après avoir dormi pratiquement toute la journée. Cela lui ressemblait si peu que les quatre sœurs ne purent s'empêcher de s'inquiéter.

— Je suppose qu'il a besoin de repos, hasarda Poppy en brossant quelques miettes sur la nappe d'un air absent.

Un valet de pied muni d'une serviette de table et d'une pelle en argent se précipita pour le faire à sa place.

— Cela l'aidera à cicatriser plus vite, vous ne croyez pas? ajouta-t-elle.

— Quelqu'un a jeté un coup d'œil à son épaule? demanda Amelia. Il est probablement temps de changer son pansement.

— Je le ferai, proposa aussitôt Winnifred, ce qui ne la surprit pas. Et je lui monterai un plateau.

— Beatrix ira avec toi, déclara Amelia.

— Je peux quand même porter un plateau, protesta Winnifred.

— Là n'est pas le problème. Ce que je voulais dire, c'est qu'il n'est pas convenable que tu sois seule avec Merripen dans sa chambre.

D'abord surprise, Winnifred eut une moue agacée.

— Je n'ai pas besoin que Beatrix m'accompagne. Ce n'est que Merripen, après tout.

Quand leur sœur eut quitté la salle à manger, Poppy se tourna vers Amelia.

— Tu crois que Winnifred ignore vraiment que Merripen…

— Je n'en ai pas la moindre idée. Et je n'ai jamais osé aborder le sujet avec elle, parce que je ne voudrais pas lui mettre des idées en tête.

— J'espère qu'elle l'ignore, intervint Beatrix. Sinon, ce serait trop triste.

Amelia et Poppy regardèrent leur petite sœur d'un air stupéfait.

— Parce que tu sais de quoi nous parlons? s'enquit Amelia.

— Évidemment! Merripen est amoureux d'elle. Je l'ai découvert il y a longtemps, à la manière dont il lavait ses carreaux.

— Dont il lavait ses carreaux? répétèrent les aînées à l'unisson.

— Oui, quand nous vivions à Primrose Place. Dans la chambre de Winnifred, il y avait une fenêtre qui donnait sur le grand érable, vous vous souvenez ? Après sa scarlatine, quand elle est restée couchée une éternité et qu'elle n'avait même pas la force de tenir un livre, elle passait des heures à regarder un nid installé au creux d'une fourche de l'arbre. Elle a vu les petits merles sortir de l'œuf, puis apprendre à voler…

« Un jour, elle s'est plainte que les vitres étaient tellement sales qu'elle voyait à peine au travers et que le ciel lui apparaissait tout gris. À partir de ce moment, Merripen a veillé à ce que ses carreaux soient impeccables. Quelquefois, il grimpait sur une échelle pour les nettoyer de l'extérieur, et quand on sait à quel point il a le vertige… Vous ne l'avez jamais vu faire ? »

— Non, souffla Amelia, émue aux larmes.

— Merripen disait que le ciel devrait être toujours bleu pour elle, continua Beatrix. Et c'est là que j'ai compris qu'il… Tu pleures, Poppy ?

Poppy se tamponna les yeux avec sa serviette de table.

— Non. J'ai juste inhalé du… du poivre.

— Moi aussi, assura Amelia en se mouchant.

Winnifred portait un plateau avec un bol de potage, du pain et du thé dans la chambre de Merripen. Elle avait eu du mal à persuader les filles de cuisine qu'elle pouvait parfaitement s'en charger. Pour les domestiques, il était inconcevable de laisser une invitée porter quoi que ce soit. Mais Winnifred savait que Merripen, qui n'aimait pas les étrangers et se trouvait, en outre, en position vulnérable, se montrerait contrariant et obstiné si une inconnue entrait dans sa chambre.

Finalement, un compromis avait été trouvé : une servante porterait le plateau jusqu'au palier, et Winnifred prendrait le relais.

Alors qu'elle approchait de la chambre, elle entendit un bruit sourd accompagné de grondements menaçants qui ne pouvaient venir que de Merripen. Les sourcils froncés, elle accéléra le pas. Une servante jaillit de la pièce au moment où elle atteignait la porte.

— Eh bien, franchement ! s'écria la domestique, l'air indigné. Je suis entrée pour tisonner le feu et rajouter du bois, et voilà que ce bohémien m'a crié dessus et jeté sa tasse à la figure !

— Ô mon Dieu ! Je suis vraiment désolée. Vous n'avez pas été blessée, j'espère ? Je suis certaine qu'il ne voulait pas…

— Il m'a ratée, précisa la servante avec une satisfaction mauvaise. Le fortifiant l'a rendu plus enragé qu'un policier de Cable Street.

Elle faisait allusion à une longue rue de Londres connue pour abriter de nombreuses fumeries d'opium.

— J'entrerais pas là-dedans si j'étais vous, mademoiselle. Cette brute va faire qu'une bouchée de vous.

— Je ferai attention, assura Winnifred, inquiète.

Un fortifiant. Le médecin avait dû laisser un remède extrêmement fort pour soulager la douleur. Sans doute contenait-il un sirop opiacé et de l'alcool. Comme Merripen ne prenait jamais de médicaments et buvait très rarement de l'alcool, il devait être très sensible à leurs effets.

Winnifred pénétra dans la chambre, referma la porte d'un coup d'épaule, puis alla déposer le plateau sur la table de nuit.

— Je vous ai dit de sortir ! vociféra Merripen, lui arrachant un sursaut. Je vous…

Il s'interrompit quand elle lui fit face. Winnifred ne l'avait jamais vu dans cet état. Rouge, l'air égaré, le regard trouble. Il était couché sur le flanc, et sa chemise entrouverte laissait voir le bord d'un épais bandage et une partie de son torse luisant comme du bronze poli. Tendu comme un arc, il ressemblait à un fauve blessé prêt à bondir.

— Kev, dit-elle doucement, l'appelant par son prénom.

Un jour, alors que Winnifred venait d'avoir la scarlatine, ils avaient conclu un marché. Comme elle refusait d'avaler un remède, il lui avait proposé, si elle acceptait de le prendre, de lui révéler son prénom. Elle avait promis de ne le dire à personne et avait tenu sa promesse. Peut-être même croyait-il qu'elle l'avait oublié.

— Ne t'agite pas, continua-t-elle d'une voix apaisante. Te mettre en colère ne sert à rien. Cette pauvre servante est à moitié morte de peur à cause de toi.

Merripen la regarda d'un œil vague.

— On est en train de m'empoisonner, dit-il d'une voix pâteuse. On me force à boire ce remède. J'ai la tête tout embrouillée. Je ne veux plus rien prendre.

Winnifred endossa le rôle de l'infirmière implacable, alors qu'elle n'avait qu'une envie: le consoler et le dorloter.

— Tu te sentirais bien plus mal si tu ne le prenais pas.

Elle s'assit au bord du matelas et lui prit le poignet. Quand son avant-bras dur reposa sur ses genoux, elle pressa les doigts là où battait son pouls.

— Quelle quantité de fortifiant t'a-t-on donnée? demanda-t-elle en s'efforçant de garder un visage impassible.

La tête de Merripen roula sur l'oreiller.

— Beaucoup trop.

Winnifred ne put qu'acquiescer en silence tant son pouls était faible. Lui lâchant le poignet, elle lui tâta le front. Il était très chaud, et son inquiétude grandit.

— Laisse-moi examiner ton dos.

Elle retirait la main, lorsqu'il s'en saisit pour la presser de nouveau contre son front.

— C'est frais, murmura-t-il avant de fermer les yeux.

Winnifred demeura immobile, sensible à la proximité de ce grand corps masculin, à la douceur de cette peau brûlante sous sa paume.

— Ne viens pas dans mes rêves, chuchota Merripen. Je ne peux pas dormir quand tu es là.

Winnifred passa doucement la main dans ses épais cheveux noirs, puis caressa son beau visage qui avait perdu son austère sévérité. Elle sentait l'odeur de sa peau, de sa sueur, le parfum sucré du laudanum dans son souffle et celui, piquant, du miel. Merripen, qui était toujours rasé de près, arborait une barbe naissante qui lui picotait les doigts. Elle aurait voulu le prendre dans ses bras, le serrer contre elle, comme un petit garçon.

— Kev… laisse-moi regarder ton dos.

Merripen se déplaça, toujours vif et vigoureux, mais plus agressif qu'il ne se serait jamais autorisé à l'être en temps normal. Avec Winnifred, il avait toujours fait montre d'une douceur exagérée, comme si elle risquait de se briser au moindre souffle. Mais là, ce fut d'une main dure et assurée qu'il la tira sur le matelas.

Respirant bruyamment, il lui adressa un regard brûlant d'hostilité.

— Je t'ai dit de sortir de mes rêves.

Son visage ressemblait au masque de quelque ancien dieu de la guerre, beau et impitoyable, ses lèvres entrouvertes découvrant des dents d'une blancheur animale.

Winnifred fut à la fois étonnée, excitée et vaguement effrayée… Mais il s'agissait de Merripen, et comme elle le scrutait sa crainte s'évanouit. Elle attira sa tête vers la sienne, et il l'embrassa.

Elle s'était toujours imaginé de la rudesse, de l'impatience, de l'emportement passionné. Mais les lèvres de Merripen étaient douces quand elles effleurèrent les siennes, tièdes aussi, et légères. Elle s'ouvrit à lui avec émerveillement, accueillant le poids de son corps contre le sien. Mais quand elle referma les bras autour de lui, il tressaillit, et elle sentit le relief du pansement sous sa paume.

— Kev, murmura-t-elle, le souffle court. Je suis vraiment désolée. Je… Non, ne bouge pas. Repose-toi.

Elle enroula doucement un bras autour de sa tête, et frissonna quand il lui embrassa la gorge. Puis il enfouit le visage entre ses seins, pressa la joue contre son corsage et laissa échapper un soupir.

Une longue minute s'écoula, la tête de Merripen pesant lourdement sur la poitrine de Winnifred. Après une hésitation, elle chuchota :

— Kev ?

Elle n'obtint qu'un léger ronflement pour toute réponse.

C'était la toute première fois qu'elle embrassait un homme, et il s'était endormi !

Se dégageant au prix de quelques contorsions, Winnifred rabattit les couvertures et attrapa le bas de la chemise de Merripen. L'étoffe moulait son dos puissant. Elle la releva, la coinça dans l'encolure, puis, avec précaution, souleva un coin du pansement tout poisseux et empestant le miel. À la vue de la brûlure, rouge et enflammée, elle tressaillit. Selon le médecin, une croûte était censée se

290

former, mais à voir la chair suppurante, la cicatrisation n'avait même pas commencé.

Apercevant une marque noire un peu plus haut dans le dos de Merripen, Winnifred repoussa la chemise, les sourcils froncés. Ce qu'elle découvrit lui fit écarquiller les yeux.

Si robuste et physique soit-il, Merripen s'était toujours montré exceptionnellement pudique. La famille le taquinait à ce sujet, car il refusait de se baigner devant quiconque ou de retirer sa chemise, même lorsqu'il s'adonnait à des tâches demandant de vigoureux efforts.

Était-ce à cause de cette marque étrange ? Que signifiait-elle ? Révélait-elle des choses de son passé ?

Songeuse, Winnifred en suivit le dessin du bout du doigt.

— Kev, murmura-t-elle, quels secrets caches-tu donc ?

19

Le lendemain matin, Amelia fut réveillée par Poppy porteuse de deux mauvaises nouvelles : d'une part, Leo n'avait pas dormi dans son lit et demeurait introuvable, d'autre part, l'état de Merripen s'était aggravé.

— Que Leo aille au diable, grommela Amelia en se levant. Il a commencé à boire hier après-midi, et n'a sans doute pas cessé depuis. Je me moque de savoir où il se trouve ou ce qui a pu lui arriver.

— Et s'il était sorti de la maison et qu'il ait… je ne sais pas, moi, trébuché sur une branche, ou qu'il soit tombé dans un trou ? On ne pourrait pas demander aux gardiens et aux jardiniers de le chercher ?

— Dieu quelle humiliation !

Amelia enfila sa robe de chambre.

— Mais, oui, je suppose qu'on peut le leur demander. Assure-toi juste qu'ils ne se lancent pas dans une battue en bonne et due forme. Il est hors de question qu'ils interrompent leur travail simplement parce que notre frère n'a aucune maîtrise de soi.

— Il souffre, Amelia, observa Poppy d'un ton posé.

— Je le sais. Mais, bonté divine, je commence à en avoir assez de son chagrin ! Et je me sens horrible de dire une chose pareille.

Poppy lui adressa un regard empli de compassion, puis tendit les bras et l'étreignit.

— Tu ne devrais pas te sentir horrible. C'est toujours à toi qu'il revient de recoller les pots cassés, qu'il s'agisse de lui ou des autres. À ta place, j'en aurais assez, moi aussi.

Amelia l'embrassa, puis s'écarta avec un soupir.

— Nous nous inquiéterons de Leo plus tard. Pour le moment, je me fais plus de souci pour Merripen. Tu l'as vu ce matin ?

— Non, mais j'ai vu Winnifred. Elle dit qu'il a de la fièvre et que sa brûlure ne cicatrise pas. Je pense qu'elle est restée une grande partie de la nuit à son chevet.

— Et maintenant, elle va probablement s'évanouir d'épuisement, grommela Amelia, exaspérée.

Poppy hésita et fronça les sourcils.

— Amelia... Je ne sais pas si c'est le meilleur ou le pire moment pour te le dire, mais... il y a un peu de remue-ménage à l'office. Apparemment, quelques pièces d'argenterie ont disparu.

Amelia s'approcha de la fenêtre et leva des yeux implorants vers le ciel sombre.

— Dieu miséricordieux, faites que ce ne soit pas Beatrix, je vous en supplie.

— Amen, dit Poppy. Mais c'est probablement elle.

Une vague de désespoir submergea Amelia. Elle avait échoué sur tous les fronts : la maison était partie en fumée, Leo avait disparu, Merripen était blessé, Winnifred malade, Beatrix risquait la prison et Poppy était condamnée à finir vieille fille.

Mais elle se contenta de dire :

— D'abord, Merripen.

Elle quitta la chambre d'un pas rapide, Poppy sur les talons.

Winnifred était au chevet de Merripen, dans un tel état de fatigue qu'elle tenait à peine assise. Elle était livide, les yeux injectés de sang. Elle avait si peu de réserves qu'il en fallait très peu pour les épuiser.

— Il a de la fièvre, dit-elle en tordant un linge mouillé, qu'elle drapa sur la nuque de Merripen.

— Je vais envoyer quelqu'un chercher le médecin, déclara Amelia. Va te coucher.

Winnifred secoua la tête.

— Plus tard. Il a besoin de moi, pour le moment.

— La dernière chose dont il a besoin, c'est que tu te rendes malade à cause de lui, répliqua Amelia d'un ton coupant.

L'angoisse qu'elle lut dans le regard de sa sœur la poussa à ajouter plus doucement :

— S'il te plaît, va te coucher, Winnifred. Poppy et moi allons prendre le relais pendant que tu dormiras.

— Ça ne va pas du tout, Amelia, chuchota Winnifred. Ses forces ont décliné trop rapidement. Et la fièvre ne devrait pas monter aussi vite.

— Nous réussirons à le soigner, assura Amelia.

Mais les mots sonnèrent faux même à ses propres oreilles.

— Va et repose-toi, ma chérie, ajouta-t-elle avec un sourire forcé.

Winnifred obéit à contrecœur et tandis qu'elle sortait, Amelia se pencha sur Merripen. La chaude teinte de bronze de son visage avait laissé place à une pâleur cireuse sur laquelle l'arc noir de ses sourcils et le croissant de ses cils se détachaient de manière saisissante. Il avait la bouche légèrement entrouverte, et ses lèvres crevassées laissaient passer un souffle irrégulier. Il semblait incroyable que Merripen, tellement solide et vigoureux, ait pu sombrer aussi vite.

Lui touchant la joue, Amelia fut surprise par la chaleur qui émanait de sa peau.

— Merripen, murmura-t-elle, réveille-toi, mon grand. Poppy et moi allons nettoyer ta plaie. Il faut que tu nous laisses faire et que tu restes tranquille. D'accord ?

Il déglutit, hocha la tête et ouvrit les yeux.

Avec des murmures d'encouragement, les deux sœurs se mirent à l'ouvrage. Quand Poppy enleva le pansement souillé, l'odeur désagréable dégagée par la chair à vif lui fit froncer le nez. Elle échangea un regard inquiet avec Amelia.

Avec des gestes aussi doux que possible, Amelia nettoya l'exsudat qui s'écoulait de la plaie, appliqua du baume, puis un pansement propre. Merripen se tenait immobile, le corps rigide, mais il ne put retenir quelques grognements de douleur. Quand Amelia eut terminé, il tremblait.

Poppy passa un linge sec sur son visage en sueur.

— Pauvre Merripen…

Elle porta un verre d'eau à ses lèvres. Quand il essaya de refuser, elle glissa le bras sous sa tête et la souleva.

— Si, il le faut, insista-t-elle. J'aurais dû me douter que tu ferais un malade insupportable. Bois, mon grand, ou je serai obligée de te chanter quelque chose.

Amelia réprima un sourire quand Merripen obtempéra.

— Tu ne chantes pas si mal que ça, Poppy. Papa disait toujours que tu chantais comme un oiseau.

— Il voulait dire un perroquet, murmura Merripen d'une voix rauque en appuyant la tête sur le bras de Poppy.

— Juste pour ça, répliqua celle-ci, je vais t'envoyer Beatrix comme garde-malade. Elle mettra probablement l'un de ses petits animaux chéris dans ton lit, et jonchera le sol d'osselets. Et si tu as vraiment de la chance, elle apportera son pot de colle et tu pourras l'aider à fabriquer des vêtements de poupée en papier.

Merripen lança à Amelia un regard de souffrance muette, et elle se mit à rire.

— Si cela ne t'incite pas à guérir rapidement, rien n'y parviendra.

Mais au cours des deux jours suivants, l'état de Merripen s'aggrava. Le médecin, impuissant, ne put que suggérer d'intensifier le traitement. La plaie s'infectait, admit-il. On le voyait au liquide clair qui s'en écoulait, et à la manière dont la peau noircissait tout autour. Un processus inéluctable, qui finirait par empoisonner le corps de Merripen tout entier.

Il perdait du poids à une vitesse inconcevable. D'après le médecin, ce n'était pas rare chez les victimes de brûlures. Le corps se consumait lui-même dans son effort pour cicatriser. Plus encore que sa dégradation physique, c'était l'apathie grandissante de Merripen qui préoccupait Amelia. Même Winnifred ne semblait plus avoir le pouvoir de lutter contre elle.

— Il ne supporte pas d'être impuissant, expliqua-t-elle à Amelia, tandis qu'elle tenait la main de Merripen endormi.

— Personne n'aime cela.

— Ce n'est pas une question d'aimer ou de ne pas aimer. Je pense que Merripen ne peut littéralement pas le supporter. En conséquence, il se retire en lui-même.

Tout en parlant, Winnifred caressait doucement les doigts robustes abandonnés entre les siens. Son expression était empreinte d'une si profonde tendresse qu'Amelia ne put s'empêcher de lui demander doucement :

— Est-ce que tu l'aimes, Winnifred ?

Aussi impénétrable qu'un sphinx, sa sœur tourna vers elle un regard indéchiffrable.

— Bien sûr. Nous aimons toutes Merripen, non ?

Ce n'était pas une réponse. Mais Amelia ne se sentit pas le droit d'insister.

Autre sujet d'inquiétude grandissante : l'absence prolongée de Leo. Il était parti à cheval, mais sans emporter de bagages. Avait-il décidé de gagner Londres ? Connaissant le manque de goût de son frère pour les voyages, Amelia en doutait. Il était probable que Leo était resté dans le Hampshire. Mais où ? Mystère. Il n'était ni à l'auberge du village, ni à Ramsay House, ni sur le domaine des Westcliff.

Au grand soulagement d'Amelia, Christopher Frost lui rendit visite un après-midi. Vêtu de sombre, embaumant l'eau de Cologne coûteuse, il lui offrit un élégant bouquet de fleurs luxueusement enveloppé.

Amelia le retrouva dans le grand salon, au rez-de-chaussée. Elle était si affectée par la maladie de Merripen et la disparition de Leo que toutes les réserves qu'elle avait pu ressentir à l'égard de Christopher s'étaient évanouies. Les blessures passées se trouvaient reléguées dans un recoin de son esprit et, à cet instant, elle avait besoin d'un ami compatissant.

Lui prenant les mains, Christopher s'assit avec elle sur un canapé.

— Amelia, murmura-t-il d'un air préoccupé, je vois à votre mine que tout ne va pas pour le mieux. Ne me dites pas que l'état de Merripen s'est aggravé ?

— Il va beaucoup plus mal, avoua-t-elle. Le médecin n'a plus de remède à proposer et, d'après lui, recourir aux guérisseurs locaux ne servirait qu'à ajouter aux souffrances de Merripen. J'ai tellement peur que nous le perdions.

— Je suis désolé, murmura Christopher en lui massant doucement le dos des mains de ses pouces. Je sais ce qu'il représente pour votre famille. Voulez-vous que je fasse venir un médecin de Londres ?

— Je ne crois pas qu'il arriverait à temps.

Amelia ne retint qu'au prix d'un gros effort les larmes qui lui montaient aux yeux.

— Si je peux vous aider en quoi que ce soit, n'hésitez pas à me le dire.

— Il y a bien quelque chose…

Elle lui parla de la disparition de Leo et de sa certitude qu'il se trouvait quelque part dans le comté.

— Il faut le retrouver, conclut-elle. Je serais bien partie à sa recherche, mais on a besoin de moi ici. En outre, il a tendance à fréquenter des endroits où…

— Où les gens respectables ne vont pas. Connaissant votre frère, chère Amelia, il vaut probablement mieux le laisser là où il est jusqu'à ce qu'il ait cuvé et soit sorti du brouillard.

— Mais il pourrait être blessé ou en danger. Il…

À en juger par son expression, Christopher avait envie de tout plutôt que de se lancer aux trousses de son vaurien de frère.

— Si vous pouviez vous renseigner auprès des gens du village, reprit-elle. Demander si quelqu'un l'a vu. Je vous en serais très reconnaissante.

— Je le ferai. Je vous le promets.

Il la prit de court en refermant les bras autour d'elle. Elle se raidit, mais le laissa néanmoins l'attirer contre lui.

— Ma pauvre chérie, murmura-t-il, vous avez tant de fardeaux à porter.

Il fut une époque où Amelia aspirait passionnément à un moment tel que celui-ci. Être enlacée et consolée par Christopher. Elle aurait eu l'impression d'être au paradis.

Mais les choses avaient changé.

— Christoph... commença-t-elle en s'écartant de lui.

Mais il s'empara de sa bouche, et elle se pétrifia de surprise. Cela aussi, c'était différent... Et pourtant, l'espace d'un instant, elle se souvint de son bonheur à être avec lui. Elle semblait si lointaine, cette époque d'avant la scarlatine, quand elle était innocente, pleine d'espoir, et que l'avenir semblait receler tant de promesses.

Elle détourna le visage.

— Non, Christopher.

— Bien sûr, fit-il en pressant les lèvres sur ses cheveux. Le moment est mal choisi. Je suis désolé.

— Je suis si inquiète pour Merripen et pour mon frère, je ne peux penser à rien d'autre...

— Je le sais, ma chérie, assura-t-il en ramenant son visage vers le sien. Je vais vous aider, votre famille et vous. Il n'y a rien que je désire plus au monde que votre sécurité et votre bonheur. Et vous avez besoin de ma protection. Votre famille est dans une telle détresse, on pourrait aisément abuser de vous.

Amelia fronça les sourcils.

— Personne ne cherche à abuser de moi.

— Et le bohémien ?

— Vous faites allusion à M. Rohan ?

Christopher hocha la tête.

— Il se trouve que je l'ai rencontré alors qu'il se rendait à Londres, et il a parlé de vous en des termes qui... disons que ce n'est pas un gentleman. J'étais offensé pour vous.

— Qu'a-t-il dit ?

— Il a eu l'outrecuidance de prétendre que vous alliez l'épouser. Comme si vous vous abaisseriez à cela ! dit-il avec un rire méprisant. Un bâtard de bohémien, sans manières ni éducation.

Une bouffée de colère submergea Amelia. Elle regarda droit dans les yeux l'homme qu'elle avait un jour aimé si désespérément. Il était tout ce qu'une jeune femme rêvait de trouver chez son futur époux. Il n'y avait pas si longtemps, elle aurait pu comparer Cam Rohan et Christopher, et c'est ce dernier qu'elle aurait trouvé supérieur. Mais elle n'était plus cette femme-là… Et Christopher n'était pas le prince charmant qu'elle avait vu en lui.

— Je ne considérerais pas cela comme m'abaisser, répliqua-t-elle. M. Rohan est un gentleman, et il est très estimé par ses amis.

— Ils le trouvent assez divertissant en société, mais il ne sera jamais leur égal. Et il ne sera *jamais* un gentleman. Tout le monde l'a compris, ma chère, y compris Rohan.

— Je ne le comprends ni ne l'accepte, répliqua-t-elle, indignée. Il ne suffit pas d'avoir de bonnes manières pour être un gentleman.

Christopher l'observa un instant en silence.

— Très bien, nous ne parlerons pas de lui, puisque cela vous irrite. Mais n'oubliez jamais que les bohémiens sont renommés pour leur charme et leur duplicité. Ils ont pour principe de ne rechercher que leur propre plaisir, sans se soucier de leurs responsabilités ou des conséquences. Votre loyauté envers lui est mal placée, Amelia. J'espère que vous ne lui avez confié aucune des affaires de votre famille.

— J'apprécie votre sollicitude, répondit-elle, pressée qu'il parte à la recherche de son frère. Mais les affaires de ma famille resteront entre les mains de Leo et de moi-même.

— Rohan ne reviendra donc pas de Londres ? Vos relations avec lui ont pris fin ?

— Il reviendra, admit-elle à contrecœur, avec des personnes à même d'évaluer l'étendue des travaux de remise en état de Ramsay House.

— Ah...

Son ton était juste assez condescendant pour lui faire grincer des dents. Christopher secoua la tête, puis observa un long silence.

— Et vous n'accepterez que *ses* conseils en la matière ? finit-il par demander. Ou serai-je autorisé à vous faire des recommandations sur un sujet que je maîtrise plutôt bien et lui pas du tout ?

— Vos recommandations seront les bienvenues, bien sûr.

— Je peux donc me rendre à Ramsay House pour procéder de mon côté à quelques évaluations professionnelles ?

— Si vous voulez. C'est très gentil de votre part. Encore que... je ne voudrais pas, continua-t-elle après une hésitation, que vous gaspilliez trop de temps là-bas.

— Le temps que je passe à votre service est bien utilisé, assura-t-il.

Il s'inclina pour lui effleurer les lèvres des siennes avant qu'elle ait le temps de s'écarter.

— Christopher, je suis bien plus inquiète pour mon frère que pour la maison...

— Évidemment, dit-il d'un ton rassurant. Je vais m'enquérir de lui, et si je glane la moindre information, je vous en ferai part aussitôt.

— Merci, murmura-t-elle.

Mais elle savait déjà qu'il ne mettrait guère d'ardeur à rechercher Leo. Le désespoir s'insinua en elle, impossible à combattre.

Amelia se réveilla le lendemain matin, le cœur battant à tout rompre. Elle venait de faire un cauchemar : Leo flottait sur le ventre à la surface d'une mare, et lorsqu'elle avait nagé vers lui et tenté de le ramener vers la berge, il avait commencé à couler. Elle ne parvenait pas à le maintenir à flot... À mesure qu'il s'enfonçait dans les eaux noires, il l'entraînait avec elle... Elle suffoquait, elle ne parvenait plus à respirer, elle ne voyait plus rien…

Tremblant de tous ses membres, elle sortit du lit et enfila sa robe de chambre et ses pantoufles. Il était encore tôt, rien ne bougeait dans la maison. Elle se dirigea vers la porte et s'arrêta, la main sur la poignée, en proie à une peur paralysante. Elle ne voulait pas quitter la chambre. Elle craignait de découvrir que Merripen était mort durant la nuit… craignait aussi que son frère n'ait été victime d'une tragédie… Et, par-dessus tout, elle craignait de n'être pas capable d'accepter le pire, si le pire survenait. Elle avait l'impression qu'elle n'en aurait pas la force.

Seule la pensée de ses sœurs parvint à la convaincre de tourner la poignée.

Elle se hâta dans le couloir, poussa la porte entrouverte de la chambre de Merripen et s'approcha du lit. La lueur incertaine de l'aube trouait à peine l'obscurité, mais elle suffit à Amelia pour constater qu'il y avait deux personnes dans le lit. Merripen était allongé sur le côté, son corps amaigri mollement abandonné. À côté de lui, elle distingua la silhouette mince de Winnifred, tout habillée, les pieds dissimulés sous les jupes de sa robe d'intérieur. Bien qu'il fût impossible à une créature aussi délicate de protéger un homme de cette taille, le corps de Winnifred s'incurvait comme pour l'abriter.

Amelia les contempla, émerveillée. Ce tableau lui en apprenait plus que n'importe quels mots. Leur position traduisait le désir et la retenue, même dans le sommeil.

Elle se rendit soudain compte que les yeux de sa sœur étaient ouverts – ils brillaient légèrement dans l'obscurité. Winnifred n'émit pas un son, n'esquissa pas un geste. Le visage grave, elle semblait absorber chaque seconde passée auprès de Merripen.

Submergée par la compassion et par le chagrin, Amelia arracha son regard à celui de sa sœur, et battit en retraite.

En sortant, elle faillit heurter Poppy qui arrivait, silhouette fantomatique dans son peignoir blanc.

— Comment est-il ? demanda-t-elle.

La gorge serrée, Amelia articula avec peine :

— Pas bien. Il dort. Allons mettre une bouilloire sur le feu.

Toutes les deux se dirigèrent vers l'escalier.

— Amelia, j'ai rêvé de Leo toute la nuit. Des rêves horribles.

— Moi aussi.

— Tu crois qu'il... qu'il aurait pu attenter à ses jours ?

— J'espère que non, de tout mon cœur. Mais je pense que c'est possible.

— Oui, murmura Poppy, c'est ce que je pense aussi. Pauvre Beatrix, ajouta-t-elle avec un soupir.

— Pourquoi dis-tu cela ?

— Elle est si jeune pour avoir perdu tant de proches... Père, mère, et maintenant, peut-être Merripen et Leo.

— Nous n'avons pas encore perdu Merripen et Leo.

— Au point où nous en sommes, ce serait un miracle que nous les gardions tous les deux.

— Toi qui es toujours si joyeuse le matin...

Amelia lui prit la main et la serra. Essayant d'ignorer sa propre détresse, elle déclara d'un ton ferme :

— Ne renonce pas encore, Poppy. Nous garderons espoir aussi longtemps que nous le pourrons.

Elles avaient atteint le bas de l'escalier.

— Amelia, commença Poppy d'un ton vaguement irrité, cela ne t'arrive jamais d'avoir envie de te jeter sur le sol et de pleurer ?

« Si, songea Amelia. À cet instant précis, pour dire la vérité. » Mais les larmes étaient un luxe qu'elle ne pouvait s'offrir.

— Non, bien sûr que non. Pleurer n'a jamais résolu quoi que ce soit.

— Tu n'as jamais souhaité t'appuyer sur l'épaule de quelqu'un ?

— Je n'en ai pas besoin. J'ai deux épaules, et elles sont solides.

— C'est idiot. Tu ne peux pas t'appuyer sur ta propre épaule.

— Poppy, si tu as envie de commencer la journée en te chamaillant…

Amelia s'interrompit et tendit l'oreille. Elle n'avait pas rêvé, c'était bien le martèlement de sabots de chevaux et le crissement du gravier sous les roues d'une voiture qu'elle avait entendus.

— Sapristi, qui peut venir à cette heure ?

— Le médecin, suggéra Poppy.

— Non, je n'ai encore envoyé personne le chercher.

— Peut-être que lord Westcliff est revenu.

— Il n'y a aucune raison. Surtout à une heure aussi matinale…

On frappa à la porte, et le son résonna dans le hall.

Les deux sœurs se regardèrent, embarrassées.

— Nous ne pouvons répondre, dit Amelia. Nous sommes en tenue de nuit.

Une servante arriva d'un pas pressé, s'essuyant les mains sur son tablier. Après avoir déverrouillé la porte massive, elle la tira et esquissa une révérence.

— Remontons, murmura Amelia en entraînant Poppy vers l'escalier.

Mais alors qu'elle jetait un coup d'œil par-dessus son épaule, la vue d'une haute silhouette masculine lui fit battre le cœur. Elle s'immobilisa, le pied sur la première marche, le regard fixe, jusqu'à ce qu'une paire d'yeux ambrés se tourne dans sa direction.

Cam !

Le cheveu en bataille, les vêtements chiffonnés, il ressemblait à un hors-la-loi en fuite. Un sourire fleurit sur ses lèvres tandis qu'il la dévisageait avec intensité.

— On dirait que je ne peux pas rester loin de toi, fit-il.

Sans réfléchir, elle se précipita vers lui, trébuchant presque dans sa hâte.

— Cam…

Il la rattrapa avec un rire rauque. Il sentait la terre mouillée, l'humidité, les feuilles. Le froid de son manteau s'insinua à travers la mince étoffe de sa robe de chambre. La sentant trembler, Cam écarta les pans son manteau et l'attira contre son corps délicieusement chaud. Parcourue de frissons incoercibles, Amelia avait vaguement conscience des domestiques qui traversaient le hall et de la présence de sa sœur, non loin. Elle se donnait en spectacle. Elle aurait dû repousser Cam et essayer de se ressaisir. Mais elle ne pouvait s'y résoudre. Pas encore.

— Tu… tu as dû voyager toute la nuit, s'entendit-elle balbutier.

— Il le fallait, répondit-il en lui effleurant les cheveux de ses lèvres. J'ai laissé quelques affaires en suspens, mais j'avais le sentiment que tu avais peut-être besoin de moi. Dis-moi ce qui s'est passé, mon cœur.

Amelia ouvrit la bouche mais, à sa profonde humiliation, le seul son qu'elle réussit à produire fut une espèce de croassement désespéré. Elle secoua la tête, puis, incapable de se contenir, éclata en sanglots. Et plus elle s'efforçait de se retenir, pire c'était.

Cam resserra son étreinte. Il ne paraissait pas le moins du monde embarrassé par ce consternant déluge de larmes. S'emparant d'une des mains d'Amelia, il la plaqua sur son cœur jusqu'à ce qu'elle sente son battement puissant et régulier. Alors que le monde se désintégrait autour d'elle, Cam était solide et réel.

— Tout va bien, l'entendit-elle murmurer. Je suis là.

Alarmée par son manque de retenue, Amelia tenta maladroitement de s'écarter, mais il la pressa davantage contre lui.

— Non, ne te sauve pas, murmura-t-il. Je te tiens.

Puis, voyant que Poppy battait en retraite, il lui adressa un sourire rassurant.

— Ne vous inquiétez pas, petite sœur.

— Amelia ne pleure presque jamais.

— Ça va passer, assura Cam en caressant le dos d'Amelia. Elle a simplement besoin…

Comme il s'interrompait, Poppy acheva :

— … d'une épaule sur laquelle s'appuyer.

— Oui.

Cam entraîna Amelia vers l'escalier, et fit signe à Poppy de s'asseoir près d'eux. Amelia blottie sur les genoux, il sortit un mouchoir de sa poche, et lui essuya les yeux et le nez. Quand il devint évident que les mots qu'elle bredouillait demeuraient incompréhensibles, il la fit taire gentiment et la tint serrée contre lui, le visage enfoui au creux de son épaule, et la laissa pleurer tout son soûl. En proie à un soulagement sans nom, Amelia se laissa bercer comme une enfant.

Lorsque ses hoquets s'espacèrent et qu'elle commença à se calmer, Cam interrogea Poppy, qui lui parla de l'état préoccupant de Merripen, de la disparition de Leo et même de l'argenterie manquante.

Ayant enfin recouvré le contrôle d'elle-même, Amelia s'éclaircit la voix. Elle releva la tête et cligna des yeux.

— Ça va mieux ? demanda Cam en lui tendant le mouchoir.

Amelia hocha la tête et se moucha docilement.

— Je suis désolée, murmura-t-elle d'une voix étouffée. Je n'aurais pas dû me transformer en fontaine. C'est terminé, maintenant.

Cam la dévisagea d'un regard pénétrant. Ce fut d'une voix extrêmement douce qu'il répondit :

— Tu n'as pas à être désolée. Tu n'as pas à en avoir terminé non plus.

Elle comprit que quoi qu'elle fasse ou dise, il l'accepterait, de même qu'il aurait accepté qu'elle pleure plus longuement encore. Et il la réconforterait. À cette pensée, ses yeux se mouillèrent de nouveau. Elle glissa la main jusqu'à l'ouverture de sa chemise, qui révélait un peu de peau bronzée, et crispa les doigts sur la patte de boutonnage.

— Tu crois que Leo pourrait être mort ? chuchota-t-elle.

Il ne lui offrit pas de faux espoirs, ni ne proféra de promesses vides. Il se contenta de caresser sa joue humide.

— Quoi qu'il arrive, nous l'affronterons ensemble.

— Cam… Voudrais-tu faire quelque chose pour moi ?

— Tout ce que tu veux.

— Pourrais-tu trouver cette plante que Merripen a donnée à Winnifred et à Leo quand ils ont eu la scarlatine ?

Il s'écarta légèrement pour la regarder.

— De la belladone ? Mais cela n'aurait pas d'effet dans le cas de Merripen, mon cœur.

— C'est pourtant de la fièvre…

— Causée par une plaie infectée. C'est la source de la fièvre qu'il faut traiter.

Il referma la main sur la nuque d'Amelia et la massa doucement, les yeux rivés sur le sol, comme perdu dans ses pensées. Ses cils épais jetaient une ombre sur ses yeux noisette.

— Allons le voir, finit-il par dire.

— Vous pensez pouvoir l'aider ? demanda Poppy en sautant sur ses pieds.

— Ou alors, mes efforts l'achèveront rapidement. Ce qui, au point où il en est, lui sera peut-être indifférent.

Il reposa Amelia sur le sol avec précaution et, tandis qu'ils gagnaient l'étage, posa la main au creux de ses reins, lui apportant le soutien léger mais solide dont elle avait désespérément besoin.

Alors qu'ils approchaient de la chambre de Merripen, Amelia songea brusquement que Winnifred pouvait être encore à l'intérieur.

— Attendez, fit-elle, accélérant le pas. Laissez-moi entrer d'abord.

Cam et Poppy restèrent à côté de la porte.

Entrouvrant celle-ci avec précaution, Amelia constata que Merripen était seul dans le lit, couché sur le côté. Elle ouvrit alors la porte en grand, et fit signe à Cam et à Poppy d'entrer.

Quand il prit conscience qu'on pénétrait dans sa chambre, Merripen eut un sursaut et regarda les intrus, les yeux plissés. Dès qu'il aperçut Cam, une grimace hargneuse lui contracta les traits.

— Fiche le camp ! dit-il d'une voix éraillée.

Cam lui sourit avec affabilité.

— Tu t'es montré aussi charmant avec le médecin ? Je parie qu'il s'est mis en quatre pour te venir en aide.

— Ne m'approche pas.

— Cela te surprendra peut-être, mais la liste des choses que je préférerais regarder plutôt que ta carcasse pourrissante est très longue. Pour ta famille, toutefois, je suis disposé à le faire. Tourne-toi.

Merripen roula sur le ventre et marmonna quelque chose en romani qui paraissait extrêmement grossier.

— Toi-même, répondit Cam d'un ton égal.

Ayant relevé la chemise de Merripen, il écarta le pansement qui lui recouvrait l'épaule. Le visage dénué d'expression, il examina l'horrible plaie suintante.

— À quelle fréquence est-elle nettoyée ? demanda-t-il à Amelia.

— Deux fois par jour.

— Nous allons essayer quatre fois par jour. Et lui appliquer un cataplasme.

Cam s'éloigna du lit, et fit signe à Amelia de le suivre. Il s'immobilisa sur le seuil de la pièce, inclina la tête et lui chuchota à l'oreille :

— Il faut que je me procure différents ingrédients. Pendant mon absence, donne-lui quelque chose qui le fera dormir. Sinon, il ne pourra pas le supporter.

— Supporter quoi ? Que vas-tu mettre dans ce cataplasme ?

— Plusieurs choses, dont de l'*apis mellifica*.

— Qu'est-ce que c'est ?

— Du venin d'abeille. Extrait d'abeilles écrasées, pour être précis, et que l'on fait tremper dans une base d'eau et d'alcool.

Perplexe, Amelia secoua la tête.

— Mais où vas-tu trouver des…

Elle s'interrompit et le fixa d'un air horrifié.

— Dans l'essaim de Ramsay House ? Com… comment vas-tu attraper les abeilles ?

— Avec beaucoup de précautions, répondit-il, les coins de sa bouche se retroussant sur un sourire amusé.

— Tu veux que… que je t'aide ? proposa-t-elle non sans mal.

Connaissant la terreur que lui inspiraient ces insectes, Cam prit son visage entre ses mains et lui appliqua un baiser ferme sur les lèvres.

— Pas avec les abeilles, mon cœur. Reste ici et donne du sirop de morphine à Merripen. Beaucoup.

— Il refusera. Il déteste la morphine. Il voudra se montrer stoïque.

— Crois-moi, aucun de nous ne voudra qu'il soit éveillé au moment où j'appliquerai le cataplasme. Et surtout pas lui. Si les Roms appellent ce traitement « la foudre blanche », c'est pour une bonne raison. Personne ne peut se montrer stoïque avec ça. Alors, fais ce qu'il faut pour qu'il soit inconscient, *monisha*. Je reviens bientôt.

— Tu crois que la foudre blanche sera efficace ? souffla-t-elle.

— Je l'ignore, avoua Cam, avant de jeter un regard au grand corps souffrant qui gisait sur le lit. Mais sans elle, je doute qu'il en ait pour longtemps.

Après le départ de Cam, Amelia s'entretint avec ses sœurs. De l'avis de toutes, Winnifred était la plus à même de réussir à faire avaler la morphine à Merripen. Et ce fut Winnifred elle-même qui déclara sans ciller qu'elles allaient devoir employer la ruse. Car elles auraient beau le supplier, il refuserait de prendre la drogue volontairement.

— Je lui mentirai si nécessaire, ajouta Winnifred, laissant ses sœurs sans voix. Il me fait confiance. Il me croira, quoi que je lui dise.

À leur connaissance, Winnifred n'avait jamais proféré un mensonge de sa vie, pas même lorsqu'elle était enfant.

— Tu crois vraiment que tu y arriveras ? demanda Beatrix, plutôt impressionnée.

— Pour lui sauver la vie, oui.

Une fine ligne se creusa entre les sourcils délicats de Winnifred, et des taches rose pâle apparurent sur ses pommettes.

— Je pense… je pense qu'un péché commis dans ces circonstances a des chances d'être pardonné.

— Je le pense aussi, se hâta d'acquiescer Amelia.

— Il aime le thé à la menthe, reprit Winnifred. Nous allons préparer une infusion très forte et y ajouter beaucoup de sucre. Cela permettra de dissimuler le goût du médicament.

Aucun thé ne fut jamais préparé avec un soin aussi scrupuleux. Penchées sur l'infusion, les sœurs Hathaway ressemblaient à de jeunes sorcières. Finalement, elles versèrent la mixture filtrée et sucrée dans une théière en porcelaine, qui fut placée sur un plateau à côté d'une tasse et de sa soucoupe.

Winnifred porta le tout jusqu'à la chambre de Merripen. Elle s'arrêta tandis qu'Amelia ouvrait la porte.

— Veux-tu que je vienne avec toi ? chuchota cette dernière.

Winnifred secoua la tête.

— Non, je me débrouillerai. Ferme la porte, s'il te plaît. Et veille à ce que personne ne nous dérange.

Elle pénétra dans la chambre, le dos très droit.

Au bruit des pas de Winnifred, Merripen ouvrit les yeux. La douleur de la plaie suppurante était constante. Il sentait le poison se répandre dans ses veines et infecter le moindre petit vaisseau. Par instants, cela provoquait une espèce d'euphorie sombre et déconcertante. Merripen se sentait alors flotter hors de son corps amaigri jusqu'aux limites de la chambre. Quand Winnifred arrivait, il réintégrait son lit de souffrance avec joie, simplement pour sentir ses mains sur lui, son souffle sur son visage.

La silhouette de Winnifred tremblait tel un mirage devant lui. Sa peau apparaissait fraîche et lumineuse, alors que la fièvre et les miasmes torturaient son propre corps.

— Je t'ai apporté quelque chose.

— Je… rien, je ne veux… rien.

— Si, insista-t-elle en le rejoignant sur le lit. Cela va t'aider à te sentir mieux… Allez, relève-toi un peu, que je passe le bras autour de toi.

Il y eut le contact délicieux d'un bras féminin contre lui, sous lui. Terrassé par une douleur atroce, Merripen serra les dents quand il se redressa pour répondre à la demande de Winnifred. Sous ses paupières fermées, la lumière et l'obscurité se succédèrent en tournoyant, et il lutta pour rester conscient.

Quand il put de nouveau ouvrir les yeux, sa tête reposait contre le doux renflement de la poitrine de Winnifred. Elle avait un bras autour de lui et, de sa main libre, pressait une tasse contre ses lèvres.

Le rebord de porcelaine tinta contre ses dents. Il eut un mouvement de recul quand un liquide au goût âcre brûla ses lèvres crevassées.

— Non…

— Si, bois. Pour moi, murmura-t-elle tendrement en avançant de nouveau la tasse.

Il se sentait trop nauséeux. Il avait peur de ne pas réussir à le garder. Mais pour la satisfaire, il but une gorgée.

— Qu'est-ce que c'est ? s'enquit-il avec une grimace.

— Du thé à la menthe.

Le regard angélique de Winnifred croisa les siens sans ciller, et son beau visage conserva une expression neutre quand elle expliqua :

— Tu dois boire toute cette tasse, et une autre si tu le peux. Tu iras mieux ensuite.

Il sut aussitôt qu'elle mentait. Rien ne pouvait améliorer son état. Et rien ne parvenait à dissimuler le goût amer de la morphine dans le thé. Winnifred agissait de manière étrange, mais Merripen sentit que c'était délibéré, et la pensée lui vint qu'elle lui donnait volontairement une dose excessive de drogue. Son esprit épuisé essaya d'en comprendre la raison. Il parvint à la conclusion que Winnifred voulait peut-être lui épargner de souffrir davantage, sachant qu'il ne supporterait pas les heures et les jours à venir. Le tuer avec de la morphine était un ultime acte de bonté.

Mourir dans ses bras… être blotti contre elle à l'instant où il abandonnerait son âme torturée aux ténèbres… la sentir, la voir, l'entendre une dernière fois avant que tout s'éteigne. S'il y avait eu des larmes en lui, il aurait pleuré de gratitude.

Il but lentement, avec effort. Il accepta même la tasse suivante jusqu'à ce que sa gorge refuse de fonctionner. Avec un frisson, il tourna alors le visage contre la poitrine de Winnifred. Il avait des vertiges, et des étincelles tournoyaient autour de lui telles des étoiles filantes.

Winnifred posa la tasse sur la table de nuit, lui caressa les cheveux et pressa sa joue humide contre son front.

— Chante pour moi, chuchota Merripen alors qu'une obscurité aveuglante l'enveloppait.

Winnifred continua de lui caresser les cheveux tout en fredonnant une berceuse. Il posa les doigts sur sa gorge, cherchant la précieuse vibration de sa voix, et les étincelles s'évanouirent comme il se perdait en elle, son destin. Enfin.

Amelia s'assit sur le sol, près de la porte, les doigts croisés. Elle entendit les tendres murmures de Winnifred, quelques mots croassants de Merripen, un long silence… Puis, de nouveau, la voix de Winnifred. Elle chantait doucement, et cela semblait si juste, si sincère, qu'Amelia sentit une paix fragile s'insinuer en elle. Finalement, la voix angélique se tut, et le silence retomba.

Au bout d'une heure, à bout de patience, Amelia se releva et étira ses membres engourdis. Elle ouvrit la porte avec précaution.

Penchée sur le lit, Winnifred bordait le corps inerte de Merripen.

— Il l'a pris ? chuchota Amelia en s'approchant d'elle.

Sa sœur paraissait lasse et tendue.

— La plus grande partie.

— Tu as dû lui mentir ?

Un hochement de tête timide.

— C'est la chose la plus facile que j'aie jamais faite. Tu vois, je ne suis pas une sainte, finalement.

— Si, tu l'es, répliqua Amelia en l'étreignant avec force. Tu es une sainte.

Même les serviteurs pourtant stylés de lord Westcliff furent enclins à protester lorsque Cam apporta deux pots pleins d'abeilles vivantes dans la cuisine. Les servantes s'enfuirent en criant, la gouvernante se retira dans sa chambre pour écrire sur-le-champ une lettre indignée au comte et à la comtesse, et le valet de chambre confia au major-dome que si lord Westcliff attendait de lui qu'il s'occupe de ce genre d'invité, il envisagerait sérieusement de changer de maison.

Seule à oser s'aventurer dans la cuisine, Beatrix resta au côté de Cam et l'aida à ébouillanter, filtrer, mélanger… Pour raconter plus tard à ses sœurs dégoûtées qu'elle s'était vraiment bien amusée à écraser les abeilles.

Finalement, Cam apporta ce qui ressemblait à un brouet de sorcier dans la chambre de Merripen. Amelia s'y trouvait déjà. Elle avait disposé sur un plateau des couteaux propres, des ciseaux, des pinces, de l'eau fraîche et une pile de bandages.

À leur profond mécontentement, on ordonna à Poppy et à Beatrix de quitter la pièce, et Winnifred referma la porte derrière elles. Elle prit un tablier des mains d'Amelia, le noua autour de sa taille mince et s'approcha du lit.

— Son pouls est lent et faible, annonça-t-elle d'une voix tendue, après avoir posé les doigts sur la gorge de Merripen. C'est la morphine.

— Le venin d'abeille stimule le cœur, expliqua Cam tout en remontant ses manches de chemise. Croyez-moi, il va s'emballer dans une minute ou deux.

— J'enlève le pansement ? demanda Amelia.

Cam acquiesça d'un signe de tête.

— Et sa chemise, aussi.

Pendant qu'il se savonnait les mains au-dessus d'une cuvette, Winnifred et Amelia débarrassèrent Merripen de sa chemise. Il demeura prostré, sans la moindre réaction. Son dos était encore puissamment musclé, mais il avait perdu tellement de poids que l'on voyait ses côtes pointer sous sa peau basanée.

Winnifred mit de côté la chemise chiffonnée tandis qu'Amelia commençait à soulever le pansement avec précaution. Notant une marque curieuse sur l'épaule opposée de Merripen, elle interrompit son geste. Elle se pencha davantage, observa de près ce qui s'avéra être un dessin à l'encre noire. Un frisson la parcourut.

— Un tatouage, articula-t-elle, stupéfaite.

— Oui, je l'ai remarqué il y a quelques jours, dit Winnifred en revenant vers le lit. C'est bizarre qu'il n'en ait jamais parlé, non ? Finalement, ce n'est pas étonnant qu'il n'ait cessé de dessiner des *pookas* et d'inventer des histoires à leur sujet quand il était plus jeune. Ça doit avoir un rapport avec…

— Qu'avez-vous dit ?

Bien que calme, la voix de Cam était si vibrante qu'il aurait tout aussi bien pu avoir crié.

— Merripen à un tatouage de *pooka* sur l'épaule, répondit Winnifred, qui lui adressa un regard interrogateur comme il s'approchait du lit en trois enjambées. Nous ne connaissions pas son existence jusqu'à maintenant. C'est un dessin vraiment unique. Jamais je n'en ai vu…

Elle s'interrompit avec un cri étouffé lorsque Cam posa l'avant-bras à côté de l'épaule de Merripen.

Les chevaux ailés, noirs aux yeux jaunes, étaient identiques.

Amelia leva la tête. Le visage de Cam était dépourvu de toute expression.

— Qu'est-ce que cela signifie ? souffla-t-elle.

Il semblait incapable de détacher les yeux du tatouage de Merripen.

— Je l'ignore.

— As-tu jamais connu quelqu'un d'autre qui…

— Non, coupa-t-il en reculant. Doux Jésus.

Lentement, il contourna le lit, les yeux fixés sur le corps immobile de Merripen comme si celui-ci était une espèce de créature exotique jamais vue auparavant. Puis il s'empara d'une paire de ciseaux sur le plateau.

Instinctivement, Winnifred se rapprocha de Merripen.

— Tout va bien, petite sœur, murmura Cam. Je vais juste couper la peau morte.

Il se pencha sur la blessure et se concentra sur sa tâche. Après l'avoir regardé débrider et nettoyer la plaie durant une minute, Winnifred s'avança vers la chaise la plus proche et s'y laissa choir abruptement, comme si ses genoux venaient de céder sous elle.

Amelia demeura au côté de Cam, luttant contre la nausée. Ce dernier opérait avec autant de détachement que s'il réparait le mécanisme compliqué d'une horloge. À sa demande, Amelia alla chercher la jatte contenant le cataplasme liquide. Il s'en dégageait une odeur âpre, mais curieusement sucrée.

— Prends garde de ne pas t'éclabousser les yeux, l'avertit Cam tout en rinçant la blessure avec une solution saline.

— Ça a une odeur de fruit.

— C'est le venin.

Après avoir découpé un carré de toile, il le plongea dans la jatte, l'en retira avec précaution et le posa, dégoulinant, sur la blessure. Bien que profondément endormi, Merripen sursauta violemment et gémit.

— Du calme, *chal*.

Cam posa la main sur son dos pour l'empêcher de bouger. Quand il fut certain que Merripen avait retrouvé son calme, il maintint la compresse sur la brûlure avec un bandage serré.

— Nous la remplacerons chaque fois que nous nettoierons la plaie. Ne renverse pas la jatte, Amelia. Je détesterais d'avoir à retourner chercher des abeilles.

— Comment saurons-nous que c'est efficace ? interrogea-t-elle.

— La fièvre devrait baisser progressivement, et demain, à la même heure, une jolie croûte devrait commencer à se former.

Il posa un instant les doigts sur le cou de Merripen.

— Son pouls est plus fort, annonça-t-il à Winnifred.

— Et la douleur ? s'enquit-elle, anxieuse.

— Elle devrait s'atténuer rapidement.

Il ajouta en souriant :

— *Pro medicina est dolor, dolorem qui necat.*

— « La douleur qui tue la douleur agit comme remède », traduisit Winnifred.

— Il n'y a qu'un bohémien pour penser cela, déclara Amelia.

Avec un grand sourire, il posa les mains sur ses épaules.

— Tu es responsable, à présent, mon cœur. Je pars quelque temps.

— Tout de suite ? s'écria-t-elle, déconcertée. Et… où vas-tu ?

L'expression de Cam changea.

— Chercher ton frère.

Amelia lui adressa un regard où la reconnaissance le disputait à l'inquiétude.

— Tu devrais peut-être te reposer d'abord. Tu as voyagé toute la nuit. Le retrouver risque de prendre un certain temps.

— J'en doute, répliqua-t-il, une lueur narquoise dans le regard. Ton frère n'est pas du genre à effacer ses traces.

20

Environ six heures après le début de ses recherches, Cam frappait à la porte d'une grosse demeure campagnarde. Un ragot entendu à la taverne l'avait mené à quelqu'un qui avait aperçu Ramsay, lequel s'était rendu avec un compagnon dans un autre établissement, où des oreilles indiscrètes avaient surpris leur conversation... et ainsi de suite, jusqu'à cette maison.

Cette belle construction de style Tudor, dont la date, *1620*, était gravée au-dessus de la porte, se trouvait à environ quatre lieues de Stony Cross Park. D'après les renseignements que Cam avait pu glaner, elle appartenait autrefois à une famille noble du Hampshire, mais avait été vendue pour des raisons financières à un négociant londonien. Elle servait de repaire aux fils débauchés du marchand et à leurs amis.

Que Leo ait été attiré par une telle compagnie n'avait rien de bien surprenant.

La porte s'ouvrit sur un majordome aux yeux globuleux. Il eut une moue méprisante en découvrant Cam sur le perron.

— Les gens de votre espèce ne sont pas les bienvenus dans cette maison, lâcha-t-il sans détour.

— Cela tombe bien, je n'ai pas l'intention de m'attarder. Je suis venu chercher lord Ramsay.

— Il n'y a pas de Ramsay ici.

Comme le majordome commençait à refermer la porte, Cam la retint de la main.

— Grand, les yeux clairs, le teint rougeaud. Empestant l'alcool, sans doute…

— Je n'ai vu personne correspondant à cette description.

— Dans ce cas, laissez-moi m'entretenir avec votre maître.

— Il n'est pas là.

— Écoutez, riposta Cam avec irritation, je suis ici au nom de la famille de lord Ramsay. Ils veulent qu'il rentre, Dieu seul sait pourquoi. Remettez-le-moi, et je vous laisse tranquille.

— S'ils le veulent, répliqua le majordome d'un ton glacial, qu'ils envoient un domestique convenable. Pas un sale bohémien.

Cam se pinça l'arête du nez de sa main libre et soupira.

— Il y a deux manières de régler ceci : la manière douce ou la manière forte. Sincèrement, je préférerais ne pas avoir à faire d'efforts inutiles. Tout ce que je vous demande, c'est de me donner cinq minutes pour trouver ce crétin et vous en débarrasser.

— Hors d'ici !

Après une seconde tentative, tout aussi vaine, pour refermer la porte, le majordome attrapa une clochette d'argent sur une console de l'entrée. Quelques secondes plus tard, deux valets de pied costauds apparaissaient.

— Débarrassez-moi de cette vermine, ordonna le majordome.

Cam eut à peine le temps d'enlever son manteau que le premier valet de pied se rua sur lui. En deux temps trois mouvements, Cam lui décocha un crochet du droit dans la mâchoire, le fit culbuter et l'envoya à terre où il s'affala avec un gémissement.

Le second valet s'approcha plus prudemment que le premier.

— Vous êtes gaucher ou droitier? interrogea Cam.

L'homme le fixa sans comprendre.

— Pourquoi vous voulez savoir ça? demanda-t-il.

— Je préférerais casser le bras dont vous vous servez le moins.

Les yeux exorbités, le valet battit en retraite en jetant au majordome un regard suppliant.

Ce dernier foudroya Cam du regard.

— Vous avez cinq minutes. Récupérez votre maître et partez.

— Ramsay n'est pas mon maître, marmonna Cam. C'est quelqu'un qui me les brise.

— Ça fait des jours qu'ils sont dans cette pièce, expliqua le valet de pied – qui s'appelait George – alors qu'ils gravissaient l'escalier. On leur porte à manger, il y a des putains qui vont et viennent, des bouteilles de vin vides partout… et tout le premier étage put l'opium. Je vous conseille de vous couvrir les yeux quand vous entrerez dans la pièce, monsieur.

— À cause de la fumée?

— À cause de ça, oui, et… eh bien, les choses qui se passent là-dedans feraient rougir le diable en personne.

— Je viens de Londres, répliqua Cam. Je ne rougis pas.

Même si George ne s'était pas proposé pour l'accompagner jusqu'à la salle d'iniquité, Cam l'aurait trouvée rien qu'à l'odeur.

La porte était entrouverte. Il la repoussa et pénétra dans la pièce enfumée. Il y avait là quatre hommes et deux femmes, tous jeunes, tous plus ou moins déshabillés. Même si une seule pipe à opium était visible, on aurait pu débattre du fait que la pièce tout entière jouait le rôle d'une gigantesque pipe, tant la fumée douceâtre était épaisse.

L'arrivée de Cam fut accueillie avec une remarquable indifférence. Trois des hommes gisaient sur des canapés capitonnés, le quatrième était recroquevillé sur des coussins, dans un coin. Leur peau était d'une pâleur cadavérique, et leurs yeux vitreux. Sur une table se trouvaient des cuillères, des épingles et un plat rempli de ce qui ressemblait à de la mélasse noire.

L'une des femmes, entièrement nue, s'apprêtait à porter une pipe à la bouche molle d'un des hommes.

— Regarde, dit-elle à l'autre femme en suspendant son geste, en voilà un nouveau.

Il y eut un gloussement ensommeillé.

— Ben, il tombe bien. Ils sont tous en berne. La seule chose un peu raide, ici, c'est c'te pipe. Pristi, qu'il est mignon! ajouta-t-elle après s'être tordu le cou pour regarder Cam.

— Oh, laisse-le-moi d'abord! fit la première. Viens là, chéri, continua-t-elle en se tapotant la cuisse d'un air aguicheur, j'vais t'donner une…

— Non, merci.

Cam commençait à se sentir légèrement incommodé par la fumée. Il alla à la fenêtre la plus proche et l'ouvrit. Une brise fraîche balaya la pièce, ce qui lui valut quelques jurons et protestations.

Ayant identifié Leo dans l'homme affalé dans le coin, Cam s'en approcha, l'attrapa par les cheveux pour lui relever la tête et scruta son visage bouffi.

— Vous n'avez pas inhalé suffisamment de fumée ces derniers temps? lui demanda-t-il.

Leo se renfrogna.

— Foutez le camp.

— On croirait entendre Merripen, répliqua Cam. Lequel, au cas où cela vous intéresserait, sera peut-être mort quand nous arriverons à Stony Cross Manor.

— Bon débarras.

— J'abonderais volontiers dans votre sens. Sauf qu'abonder dans votre sens signifierait probablement que je prends le mauvais parti dans la dispute.

Cam tenta de hisser Leo sur ses pieds, mais celui-ci se débattit.

— Redressez-vous, bon sang, siffla Cam en le mettant debout avec un grognement d'effort, où je vous tire dehors par les pieds.

Le gros corps mou de Leo oscilla contre lui.

— J'essaye de me redresser, protesta-t-il. C'est le sol qui penche.

Cam dut bander ses muscles pour le maintenir droit. Quand Leo eut enfin recouvré un semblant d'équilibre, il gagna la porte en titubant. Le valet de pied attendait de l'autre côté.

— Puis-je vous escorter jusqu'au rez-de-chaussée, milord ? s'enquit poliment George.

Leo répondit d'un hochement de tête maussade.

— Ferme donc cette fenêtre ! cria l'une des femmes comme une bourrasque d'automne balayait la pièce. On se les gèle ici !

Cam la regarda avec détachement. Il en avait trop vu, des filles comme elle, pour ressentir beaucoup de pitié. Elles étaient des milliers à Londres – des campagnardes au visage rond, juste assez mignonnes pour attirer l'attention d'hommes peu avares de promesses, qui les prenaient puis les rejetaient sans scrupules.

— Vous devriez essayer l'air frais, lui conseilla-t-il en attrapant un châle roulé en boule au pied d'un canapé. Ça éclaircit les idées.

— Et à quoi ça m'servirait ?

— Certes, fit-il avec un mince sourire, avant de draper le châle sur son corps frissonnant. Il n'empêche… vous devriez tout de même prendre quelques profondes inspirations. Et quitter cet endroit dès que vous en serez capable, ajouta-t-il en tapotant gentiment sa joue blafarde. Ne gâchez pas votre vie pour ce genre d'individus.

La femme leva ses yeux injectés de sang, et contempla, émerveillée, ce bel homme brun à la peau basané, aussi fringant qu'un prince des pirates avec ce diamant qui brillait à son oreille.

— Reviens ! cria-t-elle d'une voix plaintive quand il sortit.

Il fallut les efforts conjugués de Cam et de George pour charger un Leo grommelant et pro-testant dans la voiture.

— C'est comme de transporter cinq sacs de pommes de terre en une fois, déclara le valet de pied, essoufflé, en repoussant le pied de Leo à l'intérieur du véhicule.

— Les pommes de terre seraient moins bruyantes, fit remarquer Cam, avant de lui lancer un souverain en or.

George l'attrapa au vol et le gratifia d'un grand sourire.

— Merci, monsieur ! Et permettez-moi de vous dire que vous êtes un gentleman, monsieur. Même si vous êtes bohémien.

Le sourire de Cam se fit ironique tandis qu'il montait à son tour dans la voiture.

Ils avaient effectué à peu près la moitié du che-min lorsqu'il s'aperçut que le visage de Leo était passé du blanc au vert.

— Vous voulez qu'on fasse une halte ? s'enquit-il.

Leo secoua la tête d'un air morose.

— Non. Et je n'ai pas envie de parler.

— Vous me devez néanmoins une ou deux réponses. Parce que si je n'avais pas été obligé de parcourir la moitié du Hampshire pour vous retrouver, je pourrais être dans mon lit à l'heure qu'il est...

« Avec votre sœur », songea-t-il. Mais il ajouta :

— ... en train de dormir.

Leo tourna les yeux vers lui – ces yeux étrangement clairs, qui évoquaient un glaçon lorsque le crépuscule bleuté brille au travers. Cam avait déjà vu quelqu'un avec des yeux aussi étranges, mais il ne se souvenait plus qui ou quand. Le souvenir lointain flottait aux confins de sa mémoire.

— Que voulez-vous savoir ? marmonna Leo.

— Pourquoi détestez-vous Merripen à ce point ? Est-ce à cause de son caractère charmant ou de ses origines bohémiennes ? Ou encore parce qu'il a été recueilli par vos parents et élevé comme s'il était l'un de vous ?

— Rien de tout cela. J'en veux à Merripen parce qu'il m'a refusé la seule chose que je lui ai jamais demandée.

— Qui était ?

— De me laisser mourir.

Cam réfléchit un instant.

— Vous voulez dire, quand il vous a soigné alors que vous aviez la scarlatine ?

— Oui.

— Vous lui reprochez de vous avoir sauvé la vie ?

— Oui.

— Si cela peut vous consoler, dit Cam avec ironie, je suis certain qu'il s'en est mordu les doigts ensuite.

Le silence retomba entre eux. Cam s'adossa plus confortablement à la banquette et laissa son esprit vagabonder. Alors que le visage de Leo s'effaçait dans l'obscurité grandissante, ses yeux étranges étincelèrent soudain d'un éclat argenté... Et Cam se souvint.

C'était durant son enfance, alors qu'il vivait encore avec la tribu. Il y avait là un homme au visage hagard, aux yeux brillants et décolorés, dont l'âme était ravagée de chagrin à cause de la mort de sa fille. La grand-mère de Cam avait prévenu celui-ci qu'il devait garder ses distances avec l'homme.

— Il est *muladi*, avait-elle dit.

— Qu'est-ce que ça veut dire, mami ? avait demandé Cam en s'accrochant anxieusement à sa main aussi noueuse et rassurante que les grosses racines apparentes des vieux arbres.

— Hanté par une personne décédée. Il aimait trop sa fille. Tu ne dois pas t'approcher de lui.

Éprouvant de la pitié pour l'homme et inquiet pour lui-même, Cam avait demandé :

— Est-ce que je serai *muladi* quand tu mourras, mami ?

Il était certain de trop aimer sa grand-mère, mais il ne pouvait s'en empêcher.

Un sourire était apparu dans les yeux sombres, empreints de sagesse, de sa grand-mère.

— Non, Cam. Un *muladi* emprisonne l'esprit de la personne aimée dans l'entre-deux parce qu'il ne veut pas la laisser partir. Tu ne me ferais pas ça, n'est-ce pas, petit renard ?

— Non, mami.

L'homme s'était donné la mort peu de temps après. Ç'avait été à la fois un événement horrible et un soulagement pour la tribu tout entière.

Repensant à cette histoire en adulte et non plus en petit garçon, Cam fut saisi d'un frisson d'appréhension, accompagné d'un violent sentiment de pitié.

Comment supporter de laisser partir la femme aimée ? Comment cesser de la désirer ? Les coutures de votre cœur devaient se déchirer sous l'effet de la douleur... Bien sûr qu'on voulait la garder auprès de soi.

Ou la suivre.

Quand Cam pénétra dans le manoir, le frère prodigue à ses côtés, Amelia et Beatrix se précipitèrent vers eux. La première fronçait les sourcils, mais la seconde arborait un grand sourire.

Amelia ouvrit la bouche pour s'adresser à Leo, mais Cam accrocha son regard et secoua la tête. À sa grande surprise, elle obéit et ravala ses paroles, très certainement acerbes. Elle tendit la main pour prendre le manteau de Leo.

— Je m'en charge, dit-elle à mi-voix.

— Merci.

Tous deux évitaient de se regarder.

— Nous venons juste de terminer de dîner, marmonna Amelia. Le ragoût est encore chaud. En veux-tu un peu ?

Leo secoua la tête.

Sans remarquer la tension ambiante, Beatrix se jeta sur Leo et glissa les bras autour de sa taille épaisse.

— Tu as été absent si longtemps ! Il s'est passé un tas de choses… Merripen est malade, et j'ai aidé à préparer un cataplasme pour lui, et…

Elle s'interrompit et fit la grimace.

— Tu ne sens pas bon. Qu'est-ce que…

— Raconte-moi comment tu as préparé ce cataplasme, coupa Leo d'un ton bourru en se dirigeant dans l'escalier.

Beatrix lui emboîta le pas sans cesser un instant de bavarder.

Cam étudia Amelia avec attention. Ses cheveux cascadaient librement dans son dos, emmêlés, et ses traits étaient tirés. Elle avait besoin de se reposer.

— Je te remercie de l'avoir trouvé, murmura-t-elle. Où était-il ?

— Dans une maison particulière, avec quelques amis.

Elle se rapprocha de lui, le huma un peu timidement.

— Cette odeur… Vous en êtes tous les deux imprégnés…

— C'est la fumée d'opium. Ton frère s'est découvert un nouveau vice, plutôt coûteux.

— Nous ne pouvions déjà pas nous offrir les précédents.

Amelia avait froncé les sourcils, et son pied commença un staccato impatient sous ses jupes. Elle était si petite, si féroce et si adorable que Cam se retint à grand-peine de la prendre dans ses bras pour l'embrasser à perdre haleine.

— La seule raison pour laquelle je ne l'ai pas tué sur-le-champ, lâcha-t-elle, c'est qu'il paraissait trop abruti pour s'en apercevoir. Mais dès qu'il sera redevenu lui-même, je…

— Comment va Merripen ? l'interrompit Cam en laissant sa main courir doucement de son épaule à son coude.

Le tambourinement nerveux cessa.

— Il est encore fiévreux, mais il va mieux. Winnifred est avec lui. Nous avons changé son cataplasme… La blessure paraît un peu moins répugnante qu'avant. C'est bon signe ?

— Oui, c'est bon signe.

— Veux-tu que je te fasse porter quelque chose à manger ? demanda-t-elle après l'avoir enveloppé d'un regard soucieux.

Cam secoua la tête en souriant.

— Pas avant que j'aie fait une toilette complète.

Ils avaient à discuter de beaucoup de choses, mais cela pouvait attendre.

— Va te coucher, *monisha*… Tu as l'air lasse.

— Toi aussi, répliqua Amelia en se dressant sur la pointe des pieds.

Cam se tint tout à fait immobile quand elle pressa les lèvres sur sa joue. Elle parut hésiter longuement, puis demanda d'une voix incertaine :

— Tu viendras me voir, cette nuit ?

Cette invitation timide faillit avoir raison de lui. C'était une ouverture, le signe qu'elle l'acceptait, mais il ne voulait pas abuser d'elle alors qu'elle était si manifestement fatiguée.

— Non, répondit-il en l'attirant dans ses bras. Tu as besoin de sommeil plus que de mes tripotages et de mes caresses.

Elle rougit légèrement et s'appuya davantage contre lui.

— Tes tripotages et tes caresses ne me dérangent pas.

Cam s'esclaffa.

— Quel témoignage quant à mes talents amoureux!

— Viens me voir, chuchota-t-elle. Tu me tiendras dans tes bras pendant que nous dormirons.

— Mon cœur, répliqua-t-il en lui frôlant le front des lèvres, si je te tiens dans mes bras, je ne suis pas sûr de résister à l'envie de te faire l'amour. Nous dormirons donc dans des lits séparés. Juste cette nuit, ajouta-t-il avec un sourire.

Cam dut se savonner et se rincer entièrement trois fois de suite pour éliminer de sa peau et de ses cheveux la puanteur de l'opium. Après s'être soigneusement séché, il enfila un peignoir de soie noire et traversa le couloir obscur pour regagner sa chambre. La tempête faisait rage, dehors, et la pluie, chassée par un fort vent d'est, tambourinait contre les fenêtres et sur le toit, accompagnée par le grondement épisodique du tonnerre.

On avait remis du bois dans l'âtre, et un feu crépitant éclairait sa chambre. Cam plissa les yeux en distinguant une mince silhouette sous les couvertures.

Amelia leva la tête de l'oreiller.

— J'ai froid, dit-elle, comme si cela expliquait sa présence de manière parfaitement raisonnable.

— Mon lit n'est pas plus chaud que le tien.

Cam s'approcha d'elle lentement, s'efforçant de ne pas avoir des réflexes de prédateur, s'efforçant d'ignorer le feu que charriaient ses veines. Son corps s'était durci sous la soie noire, anticipant ce qui allait suivre. Il savait ce qu'elle voulait de lui... et il était plus que disposé à le lui procurer.

— Il serait plus chaud si tu étais dedans, riposta-t-elle.

S'asseyant près d'elle, Cam repoussa un peu les couvertures. La chevelure d'Amelia descendait en vagues sombres jusqu'aux hanches. Cam effleura l'une des mèches brillantes, en suivit les sinuosités jusqu'à la pointe d'un sein. Amelia prit une inspiration tremblante. Il se demanda si la rougeur de son visage s'était répandue jusqu'à la peau qu'il ne voyait pas.

Contenant son désir, Cam demeura immobile lorsqu'elle tendit une main hésitante vers lui et lui caressa les cheveux. Elle se dressa sur les genoux et, d'un geste impulsif, lui embrassa l'oreille – celle qui arborait un petit diamant.

— Tu ne ressembles à aucun des hommes que j'ai connus, murmura-t-elle. Tu n'es même pas quelqu'un dont j'aurais pu rêver. Tu sembles sorti d'un conte de fées écrit dans un langage que je ne connais même pas.

— Un prince, j'espère.

— Non, un dragon... un beau dragon malicieux. Comment quiconque pourrait-il mener une vie normale avec toi ? ajouta-t-elle d'un ton empreint de mélancolie.

Cam l'entoura de ses bras et la rallongea sur le matelas.

— Peut-être que tu auras une influence civilisatrice sur moi.

Il s'inclina sur la courbe de sa poitrine, et l'embrassa à travers la mousseline de sa chemise de nuit.

— Ou peut-être que tu finiras par développer un certain goût pour le dragon.

Il lui mordilla l'extrémité d'un sein jusqu'à ce que le tendre bourgeon se dresse sous sa langue.

— Je... je crois que c'est déjà fait, balbutia-t-elle.

Elle semblait si troublée qu'il ne put s'empêcher de rire.

— Dans ce cas, ne bouge plus, souffla-t-il, pendant que je crache le feu sur toi.

Les femmes avec qui il avait couché par le passé ne portaient jamais ce genre de chemise de nuit virginale. Avec ses plis compliqués, ses volants et ses dentelles, elle lui apparut comme la tenue la plus érotique qu'il ait jamais vue. Le cœur battant, il suivit les contours du corps d'Amelia sous la fine étoffe, se repaissant de son parfum, de sa chaleur. Puis il s'attaqua à la longue rangée de petits boutons qui fermaient le devant de sa chemise de nuit, tandis que les mains d'Amelia glissaient fébrilement sur son dos.

Il l'embrassa profondément, savourant la douceur de sa bouche. L'encolure de sa chemise de nuit s'ouvrit, dévoilant les globes d'albâtre de ses seins. Il repoussa le vêtement plus bas, jusqu'à ce que ses bras soient entravés, et s'empara de ce qu'il convoitait, une pointe rosée, qu'il fit durcir sous sa langue. Amelia émit un profond soupir, les yeux mi-clos, et se cambra vers lui.

La respiration de Cam s'accéléra à mesure qu'il exposait son ventre, ses hanches, la naissance de sa toison bouclée.

Les jambes d'Amelia se tendirent quand il la chevaucha. Il enleva la chevalière de son doigt – celle qu'elle avait refusée – et la lui présenta.

— Tu peux avoir ce que tu veux, dit-il. Mais, d'abord, passe ceci à ton doigt.

— Je ne peux pas, répondit Amelia, les yeux rivés sur la chevalière.

— Je ne te ferai l'amour que si tu la portes.

— Ne sois pas absurde.

— Ne sois pas obstinée.

Calant les avant-bras de chaque côté de sa tête, Cam embrassa sa bouche boudeuse.

— Juste pour cette nuit, chuchota-t-il. Porte ma bague, Amelia, et laisse-moi te donner du plaisir.

Il déposa une pluie de baisers sur sa gorge, tout en appuyant doucement le bassin contre elle. Au contact de son sexe tendu sous la soie noire, elle ne put retenir un cri étouffé.

Lentement, il fit remonter sa bouche jusqu'à son oreille.

— Je te pénétrerai, je t'emplirai, puis je te garderai immobile entre mes bras. Je ne bougerai pas. Je ne te laisserai pas bouger, non plus. J'attendrai jusqu'à te sentir palpiter autour de moi… J'accompagnerai le rythme profond de ton corps, cette douce pulsation… Je continuerai jusqu'à ce que tu pleures, que tu trembles et que tu me supplies de te donner davantage. Et je te le ferai, aussi longtemps que tu le souhaiteras. Prends ma bague, mon ange. Prends-moi, souffla-t-il avant de s'emparer de sa bouche avec fièvre.

Il se pressa contre son intimité, en sentit la moiteur s'infiltrer à travers la soie. Elle tendit la main, déplia les doigts… et le laissa lui glisser la bague à l'annulaire.

Cam acheva de la déshabiller et l'étendit sur son peignoir, l'extrême blancheur de sa peau ressortant de manière saisissante sur les plis chatoyants de la soie noire. Penché sur elle, il déposa de brûlants baisers sur son corps délicieux, les courbes et les creux de ce fascinant territoire féminin.

Enfin, la saisissant aux hanches, il l'embrassa entre les cuisses, son parfum intime provoquant une explosion en lui. Il la taquina, la lécha, la suça avec légèreté jusqu'à ce que, haletante, elle s'efforce de l'attirer sur elle.

Luttant pour conserver un semblant de maîtrise de soi, Cam entra en elle, profondément. Elle se tortilla, se cambra, et faillit le rendre fou.

— Mon cœur, attends, dit-il d'une voix tremblante. Ne bouge pas. S'il te plaît. Ne...

Un rire rauque lui échappa comme elle se pressait désespérément contre lui.

— Ne bouge plus, chuchota-t-il tout contre ses lèvres. Garde-moi en toi. Sens comme ton corps se resserre autour de moi.

Le souffle court, Amelia essaya de lui obéir. Ses muscles intimes se contractaient autour de son sexe rigide. Leurs deux corps tendus couverts d'une fine pellicule de sueur, Cam leur imposa à tous deux d'attendre, de se concentrer sur cette subtile pression si excitante. Enfin, il commença à se mouvoir en elle, veillant à la satisfaire. Et alors qu'il sombrait lentement dans le puits sans fond du plaisir, il fut submergé par un sentiment d'accomplissement qu'il n'avait jamais ressenti auparavant.

Le regard fixé sur le visage d'Amelia, qu'il tenait tendrement entre ses mains, il chuchota en romani : « Je suis à toi. » Il la vit fermer les yeux durant la délicieuse et brève cécité que procure la jouissance, sentit celle-ci se répercuter en lui, puis les vagues de feu déferlèrent jusqu'à l'embrasement final.

Ils demeurèrent un long moment immobiles, tels les survivants d'un naufrage abasourdis par la violence de la tempête. Quand Cam réussit à rassembler suffisamment d'énergie, il roula sur le côté et enfouit le visage dans le cou d'Amelia, là où la peau est chaude et humide.

Elle entreprit de tirer sur la bague.

— Elle est de nouveau coincée, constata-t-elle, l'air mécontent.

S'emparant de son poignet, Cam referma la bouche sur son doigt. Amelia tressaillit quand sa

langue tourna autour de l'anneau pour l'humidi-
fier. Doucement, il tira sur la bague avec les dents.
Puis il la remit à son propre doigt. Amelia fit jouer
ses doigts, puis le regarda d'un air incertain.

— Tu t'habitueras à la porter, assura-t-il en lui
caressant le ventre. Je te la laisserai quelques
minutes à la fois. Comme pour un cheval qu'on
habitue au harnais.

Son expression lui arracha un sourire.

Après avoir tiré les couvertures sur eux, Cam
continua de la caresser. Avec un soupir, Amelia se
lova contre lui.

— Au fait, murmura-t-il, la vaisselle a réintégré
l'argentier.

— Vraiment ? dit-elle d'une voix ensommeillée.
Comment... Qu'est-ce que...

— J'ai eu une petite discussion avec Beatrix pendant que nous écrasions les abeilles. Elle m'a expliqué son problème. Nous sommes parvenus à la
conclusion qu'elle devait trouver de nouvelles activités pour se tenir occupée. Pour commencer, je
vais lui apprendre à monter à cheval. Elle m'a dit
qu'elle connaissait à peine les rudiments.

— Nous n'avons pas vraiment eu le temps, avec
tous les prob... commença Amelia, sur la défensive.

— Chut... Je le sais, mon cœur. Tu as fait plus
que ta part pour essayer de maintenir ta famille à
flot. À présent, il est temps que tu sois un peu
aidée. Que quelqu'un veille sur toi, ajouta-t-il après
l'avoir embrassée doucement.

— Mais je ne veux pas que tu...

— Dors, chuchota Cam. Nous recommencerons
à nous disputer demain matin. Pour l'instant, mon
ange... fais de doux rêves.

Amelia dormit d'un sommeil de plomb. Elle rêva
qu'elle reposait dans le nid d'un dragon, blottie

334

sous son aile protectrice tandis qu'il crachait du feu sur quiconque osait s'approcher.

Elle eut vaguement conscience que Cam quittait le lit au milieu de la nuit et enfilait ses vêtements.

— Où vas-tu ? marmonna-t-elle.

— Voir Merripen.

Elle savait qu'elle aurait dû aller avec lui – elle était inquiète au sujet de Merripen –, mais quand elle voulut s'asseoir, elle vacilla d'épuisement.

Cam l'incita à se rallonger. Elle se rendormit aussitôt, et ne rouvrit un œil que lorsqu'il revint s'étendre à côté d'elle et la prit dans ses bras.

— Il va mieux ? chuchota-t-elle.

— Pas encore. Mais il n'est pas plus mal, ce qui est déjà encourageant. À présent, ferme les yeux…

Merripen s'éveilla dans une chambre plongée dans la pénombre. La seule lueur provenait d'une fente entre les rideaux tirés. À son intensité, il devina qu'il faisait grand jour.

Il avait atrocement mal à la tête, et sa langue, sèche et gonflée, semblait avoir doublé de volume. Ses os étaient douloureux, sa peau aussi, et même ses cils. En fait, par un renversement de situation inexplicable, tout son corps le faisait souffrir à l'exception de son épaule blessée, qui irradiait une chaleur presque agréable.

Il essaya de bouger. Aussitôt, quelqu'un s'approcha de lui.

C'était Winnifred. Fraîche, gracile, un esprit adorable qui éclairait les ténèbres. Sans un mot, elle s'assit à côté de lui, lui releva la tête et lui fit avaler de minuscules gorgées d'eau, jusqu'à ce que sa bouche soit suffisamment humectée pour qu'il puisse parler.

Ainsi donc, il n'était pas mort. Ce qui signifiait sans doute qu'il ne mourrait pas. Il n'était pas certain de s'en féliciter. Son habituelle vitalité, son appétit brut pour la vie avaient été remplacés par une écrasante mélancolie. Probablement les effets secondaires de la morphine.

Lui tenant toujours la tête, Winnifred passa les doigts dans ses cheveux en bataille. Au contact léger de ses ongles sur son crâne, des frissons de plaisir traversèrent son corps douloureux. Mais il était si mortifié de se sentir sale, faible et démuni, qu'il repoussa sa main avec irritation.

— Je dois être en enfer, marmonna-t-il.

Winnifred lui sourit avec une tendresse qu'il trouva insupportable.

— Si tu étais en enfer, tu ne m'y verrais pas, si?

— Dans mon enfer à moi… si.

Son sourire se fit perplexe, puis s'effaça, et elle reposa avec précaution sa tête sur l'oreiller.

Dans l'enfer de Merripen, Winnifred occuperait une place prépondérante. Les douleurs les plus profondes, les plus dévastatrices qu'il eût jamais ressenties, c'était à elle qu'il les devait : la souffrance atroce de désirer et de ne jamais avoir, d'aimer et de ne jamais connaître l'amour. Et, à présent, il semblait qu'il allait devoir continuer à supporter cela. Ç'aurait été suffisant pour qu'il la haïsse, s'il ne l'avait autant adorée.

S'inclinant sur lui, Winnifred commença à défaire son bandage.

— Non! dit Merripen durement en s'écartant d'elle.

Il était nu sous les couvertures, et il puait la sueur et les médicaments. Une énorme bête, dangereusement vulnérable, qui plus est. Si elle continuait de le toucher, de s'occuper de lui, ses défenses allaient être pulvérisées, et Dieu sait ce qu'il serait capable de dire ou de faire. Il fallait impérativement qu'elle s'éloigne de lui.

— Kev, murmura-t-elle d'une voix douce qui l'irrita davantage encore, je voudrais voir ta plaie.

Il est quasiment l'heure de changer le cataplasme. Si tu veux bien te coucher à plat ventre et me laisser…

Se coucher à plat ventre ! Comme si c'était possible, avec l'érection monumentale qui lui était venue dès qu'elle l'avait touché. Il n'était rien d'autre qu'un animal, à la désirer ainsi alors qu'il était malade, crasseux et encore drogué par la morphine… sachant que faire l'amour avec elle équivaudrait à signer son arrêt de mort. S'il avait été homme à prier, il aurait supplié le ciel impitoyable : Que Winnifred ne découvre jamais ce qu'il voulait et ce qu'il ressentait !

Un long moment s'écoula avant qu'elle ne demande d'une voix parfaitement normale :

— Qui veux-tu pour changer le cataplasme, dans ce cas ?

— N'importe qui, répondit Merripen sans rouvrir les yeux. N'importe qui sauf toi.

Le silence s'étira entre eux, pesant. Il n'avait pas la moindre idée de ce que pouvait penser Winnifred. Il dressa l'oreille en entendant le froissement de ses jupes. À la pensée du tissu qui caressait ses jambes fines, tous les poils de son corps se hérissèrent.

— Très bien, dit-elle d'un ton détaché. J'enverrai quelqu'un dès que possible.

La porte s'ouvrit, puis se referma. Merripen posa la main à plat, les doigts écartés, à l'endroit où elle s'était assise sur le matelas. Et il lutta pour refermer les portes de son cœur. Mais celui-ci contenait de trop nombreux secrets, et ne pourrait donc jamais être complètement clos.

Descendant le grand escalier à pas lents, Winnifred croisa Cam Rohan. Une crispation nerveuse lui contracta l'estomac. Elle s'était toujours sentie un peu gauche en présence d'hommes qu'elle connaissait mal, et elle ne savait pas vraiment comment se comporter avec celui-ci. Rohan avait acquis une position influente dans sa famille avec une rapidité étonnante. Il avait volé le cœur de sa sœur aînée avec une telle habileté qu'elle ne semblait même pas s'en être rendu compte.

Comme Merripen, Rohan était un mâle imposant et viril. Et, comme Merripen, c'était un Rom. Mais il semblait bien plus à l'aise avec ses origines, bien mieux dans sa peau. Il était serein et avenant, alors que Merripen était renfermé et bourru. Cependant, en dépit de son charme évident, on décelait en lui une subtile familiarité avec le danger, une connaissance de certains aspects de la vie auxquels les Hathaway, de par leur existence protégée, n'avaient jamais été exposés.

C'était un homme qui dissimulait des secrets… comme Merripen. La similitude de leur tatouage avait fait réfléchir Winnifred sur le lien qui pouvait les unir. Elle pensait en connaître la nature, même si aucun des deux hommes ne semblait s'en douter.

Elle s'arrêta avec un sourire timide quand il arriva à sa hauteur.

— Monsieur Rohan, le salua-t-elle.

— Mademoiselle Winnifred.

Rohan la scruta de ce regard doré si troublant. Encore bouleversée par son échange avec Merripen, Winnifred se sentit rougir.

— Je devine qu'il est réveillé, reprit Rohan, déchiffrant son expression avec une acuité gênante.

— Il est en colère contre moi parce que je l'ai trompé pour qu'il prenne de la morphine.

— Je pense qu'il vous pardonnerait n'importe quoi, répliqua Rohan.

Winnifred posa la main sur la rampe et regarda dans le vide d'un air absent. Curieusement, elle avait l'impression de vouloir parler avec cet homme si amical, d'en éprouver le besoin, sans avoir pourtant la moindre idée de ce qu'elle voulait dire.

Apparemment peu pressé, Rohan attendit dans un silence cordial. Winnifred appréciait sa compagnie. Étant habituée depuis longtemps à la brusquerie de Merripen et à l'intempérance destructrice de Leo, elle trouvait plutôt agréable de se trouver en présence d'un homme aussi pondéré.

— Vous avez sauvé la vie de Merripen, finit-elle par dire. Il va guérir.

Rohan la dévisagea intensément.

— Vous êtes très attachée à lui.

— Oh, oui, nous le sommes toutes ! répliqua Winnifred un peu trop rapidement, avant de s'interrompre.

Les mots se rassemblaient et voletaient en elle comme s'ils avaient des ailes. Les retenir lui demandait un effort épuisant. Des larmes de frustration et de désespoir lui montèrent soudain aux yeux quand elle pensa à l'homme gisant là-haut, et à la distance infranchissable qui toujours, toujours, les séparait.

— Je veux guérir, moi aussi, laissa-t-elle échapper. Je veux… Je veux…

Elle se tut. Seigneur, que devait-il penser d'elle ? Furieuse contre elle-même d'avoir perdu son sang-froid, elle se passa la main sur le visage, puis se frotta les tempes.

Mais Rohan sembla comprendre. Et, Dieu merci, son regard n'exprimait aucune pitié.

— Je pense que vous guérirez, petite sœur, dit-il, et sa voix reflétait une telle honnêteté qu'elle en fut immensément réconfortée.

Winnifred secoua la tête et avoua :

— Je le désire si fort que j'ai peur d'espérer.

— N'ayez jamais peur d'espérer, dit Rohan avec douceur. C'est la seule façon de commencer.

21

Amelia ne s'expliquait pas comment elle avait pu dormir jusqu'au début de l'après-midi. Elle finit par en attribuer la responsabilité à Cam, dont la simple présence dans la maison suffisait à l'apaiser. C'était comme si son esprit s'en remettait à lui et que, libérée de ses craintes et ses soucis, elle pouvait dormir comme une enfant.

Cela ne lui plaisait pas.

Elle ne voulait pas dépendre de lui, et pourtant, elle paraissait incapable de s'en abstenir.

Après avoir revêtu une élégante robe chocolat, bordée de velours rose, elle alla voir Merripen, dont l'humeur revêche ne réussit pas à ternir la joie qu'elle éprouvait à le savoir sauvé.

Quand elle descendit au rez-de-chaussée, la gouvernante l'informa que deux messieurs venaient d'arriver de Londres, et que M. Rohan les avait accueillis dans la bibliothèque. L'un d'entre eux, devina Amelia, devait être l'entrepreneur que Cam avait fait venir. Curieuse, elle se rendit à la bibliothèque et s'arrêta sur le seuil.

Les voix masculines se turent. Trois hommes se tenaient autour de la table, deux assis, le dernier appuyé nonchalamment contre elle. Un autre – Leo – était avachi dans un fauteuil, un peu à l'écart. À l'entrée d'Amelia, les messieurs se levèrent, à l'exception de Leo qui se contenta de changer de position dans son fauteuil, comme si la courtoisie exigeait un trop grand effort pour qu'il s'en soucie.

Cam était vêtu avec son élégance décontractée habituelle : il portait des habits bien coupés, mais pas de cravate. S'approchant d'Amelia, il s'empara d'une de ses mains, la porta à ses lèvres et baisa le dos de ses doigts en un geste de propriétaire très peu discret.

— Mademoiselle Hathaway, la salua-t-il poliment, alors même qu'une étincelle impudente dansait dans ses yeux. Vous arrivez à point nommé. Ces messieurs sont là pour discuter de la restauration du domaine Ramsay. Permettez-moi de vous les présenter.

Amelia échangea des salutations avec les deux hommes : John Dashiell, le maître bâtisseur, qui devait approcher les quarante ans, et son assistant, Francis Barksby. Dashiell s'était acquis une brillante réputation en tant que constructeur de l'hôtel Rutledge, quelques années plus tôt, si bien qu'il était très demandé dans toute l'Angleterre pour des projets aussi bien publics que privés. Son frère et lui avaient fondé une entreprise prospère, dont l'originalité consistait à employer elle-même tous ses sous-traitants, plutôt qu'à engager des ouvriers et des artisans extérieurs. En gardant ainsi tous ses employés sous le même toit, Dashiell exerçait un contrôle bien plus efficace sur la mise en œuvre de ses projets.

C'était un homme solidement bâti, au visage rude mais plaisant, et au sourire facile. On l'imaginait aisément dans ses jeunes années, un marteau à la main, quand il était apprenti chez un charpentier.

— Enchanté, mademoiselle Hathaway. J'ai été désolé d'apprendre que Ramsay House avait brûlé, mais très heureux que tout le monde s'en soit sorti vivant. Beaucoup de familles n'ont pas cette chance.

Amelia hocha la tête.

— Je vous remercie, monsieur. Nous nous réjouissons de profiter de votre expérience et de vos compétences, et de voir avec vous ce qui peut être entrepris pour notre maison.

— Je ferai de mon mieux, promit-il.

— Monsieur Dashiell, employez-vous un architecte dans votre entreprise ?

— Il se trouve que mon frère possède une bonne maîtrise du dessin architectural. Mais il a beaucoup de travail à Londres. Nous recherchons un second architecte pour prendre en charge le surplus.

Il jeta un coup d'œil en direction de Leo, puis reporta son regard sur Amelia.

— J'espère persuader lord Ramsay de nous accompagner jusqu'au domaine. Je serais très heureux d'avoir son opinion.

— J'ai renoncé à donner mon opinion, déclara Leo. Rares sont les personnes à être d'accord avec moi et, le cas échéant, cela prouve leur manque de jugement.

Il n'empêche que, par un équivalent verbal du tour de passe-passe, Cam se débrouilla pour que Leo se rende avec eux à Ramsay House. En fin d'après-midi, Cam décrivit la visite à Amelia – la manière dont Leo avait marmonné et boudé la plus grande partie de la visite tandis que M. Dashiell prenait des notes et dessinait des croquis ; et les moments où il n'avait pu s'empêcher de faire des commentaires sur sa détestation des fioritures et des pâtisseries baroques, et sur l'importance de la symétrie et des proportions à respecter dans la reconstruction de la maison.

— As-tu informé M. Dashiell que M. Frost se trouvait actuellement dans le Hampshire ? s'enquit Amelia.

Ils remontaient lentement le chemin qui menait dans le bois, alors que le crépuscule rougissait le ciel. Un vent frais faisait voleter les feuilles mortes. Cam avait ajusté son pas à celui d'Amelia et, après lui avoir enlevé un de ses gants, qu'il avait fourré dans sa poche, tenait sa main nue dans la sienne.

— Non, répondit-il, je n'en ai pas parlé. Pourquoi l'aurais-je fait ?

— Eh bien, M. Frost est un excellent architecte, et en tant qu'ami de la famille, il a proposé de nous faire bénéficier de son expérience…

— Ce n'est pas un ami de la famille, l'interrompit Cam sèchement. Et nous n'avons pas besoin de son expérience. Il est hors de question qu'il ait quoi que ce soit à voir avec Ramsay House.

— Il souhaite racheter sa conduite passée. Il s'est montré très gentil en offrant ses services si nous avions besoin…

— Quand ?

Déconcertée par son ton, brutal et incisif, Amelia cligna des paupières.

— Quand quoi ?

Cam s'arrêta, la fit pivoter face à lui, le visage dur.

— Quand a-t-il offert ses maudits services ?

— Il est venu me voir pendant que tu étais à Londres.

Ne l'ayant jamais vu en colère jusqu'à cet instant, Amelia lui repoussa les mains, mal à l'aise. Il lui serrait les épaules un peu trop fort à son goût.

— Tout ce qu'il voulait, reprit-elle, c'était proposer son aide.

— Si tu crois que c'est tout ce qu'il voulait, tu es plus naïve que je ne le pensais.

— Je ne suis certainement pas naïve, protesta-t-elle, indignée. Et il n'y a aucune raison d'être jaloux. Rien d'inconvenant n'a été dit ou fait.

— Tu étais seule dans la pièce avec lui? demanda-t-il, une flamme dangereuse dans le regard.

Sa véhémence stupéfia Amelia. Jamais aucun homme ne l'avait considérée avec une fureur aussi possessive. Elle ne savait trop si elle en était flattée, irritée ou alarmée. Peut-être les trois à la fois.

— Oui, nous étions seuls, avec la porte ouverte. Rien que de très convenable.

— Pour des *gadjé*, peut-être. Pas pour des bohémiens.

Il la souleva jusqu'à ce qu'elle ne repose plus que précairement sur la pointe des pieds.

— Il est hors de question que tu passes du temps seule avec lui ou avec n'importe quel homme, à l'exception de ton frère et de Merripen. Sauf si je t'en donne la permission.

Amelia en resta quelques instants bouche bée.

— La *permission*?

— Hors de question, répéta-t-il, inflexible.

Amelia fut à son tour prise de colère. Toutefois, elle réussit à garder une voix égale.

— Voilà précisément pourquoi je ne t'épouserai pas, vois-tu. Je ne me laisserai pas dicter mes faits et gestes. Je ne supporterai pas…

Cam s'inclina et la fit taire d'un baiser, enfouissant les doigts dans ses cheveux quand elle essaya de détourner la tête. Il écrasa sa bouche sous la sienne, puis franchit le barrage de ses lèvres pour insinuer la langue dans sa bouche. Une vague choquante de plaisir submergea Amelia, sapant sa volonté. Comme elle n'avait aucun espoir de se dégager, elle s'efforça de rester froide et immobile sous son assaut passionné. Lorsqu'il prit conscience de son absence de réaction, il releva la tête et la fixa, furibond.

En réponse, Amelia le foudroya du regard.

— Ce n'est pas ta maison, et je ne suis pas ta…

Il l'embrassa de nouveau, les mains en coupe autour de son visage, se concentrant sur sa bouche jusqu'à ce qu'elle en frissonne de la tête aux pieds. Elle laissa échapper un gémissement, s'amollit contre lui. Marmonnant en romani, il l'entraîna vers un gros hêtre à l'écorce grise noueuse et craquelée par le temps. Ses branches, alourdies par leur propre poids, touchaient presque le sol avant de se redresser, l'arbre évoquant un géant paresseux reposant sur ses coudes.

Cam dénoua les rubans du bonnet d'Amelia et le jeta au loin. Puis il s'empara de sa bouche, sa langue se mêlant à la sienne avec une délicieuse exigence, la repoussa vers le tronc, à l'endroit où une énorme branche s'en écartait, et, d'un genou planté entre ses jambes, la maintint contre ce siège improvisé. À chaque baiser, Cam trouvait un nouvel angle, faisant l'amour à sa bouche avec une sensualité éhontée.

— Cam, non, murmura Amelia lorsqu'il fit descendre ses lèvres le long de sa gorge.

Sans prêter attention à ses protestations, il déboutonna son corsage avec une rudesse qui lui arracha un petit cri. Inclinant la tête, il happa la pointe d'un sein qu'il réchauffa entre ses lèvres.

— Pas ici, réussit-elle à balbutier.

— Ici, répliqua-t-il d'une voix rauque. Là où nous ne sommes pas différents de n'importe quelle créature sauvage vivant dans les bois.

Lui agrippant la main, il la plaqua sans douceur sur le renflement dur de son sexe. Elle ferma à demi les yeux en sentant sa chaleur à travers le tissu de son pantalon. Et se rendit compte qu'elle le désirait si fort qu'elle en tremblait. Ses doigts impatients caressèrent le relief bombé tandis qu'il retroussait vivement ses jupes.

Il tira sur les cordons de sa culotte, qui tomba sur ses genoux, puis glissa la main entre ses cuisses, lui prodiguant des caresses insupportablement intimes. Un bras passé autour d'elle, il l'embrassait avec fièvre, chuchotait des mots sans suite contre sa bouche.

Une bourrasque agita les branches au-dessus de leurs têtes, et des feuilles tombèrent en tourbillonnant. Cam fit soudain pivoter Amelia face à l'énorme branche du hêtre. Et tandis qu'elle crispait les mains sur l'écorce grossière, il releva la masse de ses jupes, les rassembla à la hauteur de sa taille et l'empoigna aux hanches.

Lorsque l'extrémité de son sexe frôla sa fente humide, elle ne put s'empêcher de creuser les reins en une invite flagrante à venir en elle. Il utilisa alors son sexe pour la taquiner, tour à tour frottant, caressant, la pénétrant brièvement puis se retirant, jusqu'à ce que l'écorce de l'arbre devienne moite sous sa paume nue et qu'elle frémisse de la tête aux pieds. Elle n'osait émettre un son, de crainte de s'entendre crier comme l'une de ces créatures sauvages auxquelles il avait fait allusion. Un gémissement lui échappa pourtant lorsqu'il finit par s'introduire en elle d'une poussée fluide, l'emplissant de manière exquise.

La main glissée entre ses cuisses, Cam commença à aller et venir en rythme, ses coups de reins allant crescendo jusqu'à ce qu'Amelia se convulse et que l'extase l'emporte. Se retirant avec un gémissement, il plaqua son sexe palpitant contre ses reins et laissa jaillir sa semence.

Amelia demeura courbée passivement, les jambes tellement tremblantes qu'elle doutait de pouvoir regagner le manoir. Après avoir rabattu ses jupes, Cam la redressa lentement, la fit pivoter et l'enlaça. Il marmonna quelques paroles incompréhensibles contre ses cheveux. Une autre formule magique pour se l'attacher, songea-t-elle vaguement, la joue pressée contre son torse dur.

346

— Tu parles en romani, murmura-t-elle.

— Amelia, je... commença-t-il, revenant à l'anglais.

Il se tut, comme s'il ne parvenait pas à trouver les mots justes.

— Je ne peux pas m'empêcher d'être jaloux, reprit-il, pas plus que je ne peux m'empêcher d'être à demi bohémien. Mais j'essaierai de ne pas être autoritaire. Dis simplement que tu seras ma femme.

— S'il te plaît, laisse-moi te répondre plus tard, murmura Amelia, qui n'avait pas vraiment repris ses esprits. Quand j'aurai les idées plus claires.

— Tu réfléchis trop, observa-t-il avant de déposer un baiser sur son crâne. Je ne peux pas te promettre une vie parfaite, mais je peux te promettre que, quoi qu'il arrive, je te donnerai tout ce que j'ai. Nous serons ensemble. Toi en moi... moi en toi.

Il resserra son étreinte et ajouta dans un soupir :

— Très bien. Tu me donneras ta réponse plus tard. Mais rappelle-toi... la patience n'est pas le fort du dragon.

M. Dashiell et son assistant restèrent une journée supplémentaire dans le Hampshire, à dessiner d'autres croquis de Ramsay House et à relever les plans des terrains environnants. À l'invitation de Dashiell, Amelia les accompagna, ravie d'avoir l'occasion de les regarder travailler.

Cam, lui, fut obligé de rester au manoir pour y recevoir un régisseur, M. Gérald Pym. Ce dernier était envoyé par le cabinet de Portsmouth en charge du domaine Ramsay depuis très longtemps. Ils avaient dépêché Pym en urgence après avoir eu connaissance de l'incendie afin qu'il évalue la situation et dresse un premier état des lieux. Les deux hommes devaient discuter des métayages, des réparations et de l'exploitation des terres, ainsi que des contrats avec John Dashiell. Il leur faudrait prendre des décisions rapides pour tenter de retenir les derniers métayers encore présents. Il était à espérer que, à plus ou moins court terme, grâce à une gestion rigoureuse, de nouveaux métayers seraient intéressés par une installation sur les terres du domaine, procurant ainsi aux Hathaway le revenu supplémentaire dont ils avaient cruellement besoin.

Tout cela dépendait, évidemment, de l'espérance de vie de Leo.

Rencontrer M. Pym relevant de la responsabilité du lord Ramsay en titre, Cam avait insisté pour que Leo assiste à l'entretien. Non parce qu'il avait quoi que ce soit de sensé à proposer, mais simplement à titre symbolique.

— De plus, avait déclaré Cam à Amelia, si je dois m'ennuyer à mourir avec des problèmes de *gadjé*, il n'y a pas de raison pour que Leo soit épargné.

Il l'avait ensuite enveloppée d'un regard de propriétaire, s'attardant sur la cape noire bordée de fourrure qu'elle portait sur une robe de lainage vert.

— Je ne devrais pas te laisser accompagner Dashiell et Barksby, ajouta-t-il. Tu seras la seule femme présente. Je n'aime pas cela.

— Oh, c'est sans risque. Ce sont tous deux des gentlemen, et moi, je suis…

— Prise, coupa-t-il avec brusquerie. Par moi.

Le pouls d'Amelia s'emballa.

— Oui, je sais, admit-elle sans le regarder.

Cette petite concession sembla lui plaire. Après avoir repoussé la porte du pied, il glissa des mains fureteuses sous sa cape tout en l'embrassant comme s'il pouvait s'approprier son souffle. Des baisers tour à tour emportés et exigeants, ou taquins et charmeurs, des baisers à enflammer le ciel et à faire pâlir les étoiles.

Il finit par la lâcher et lui glissa deux mots à l'oreille avant de la laisser partir – deux mots qui la firent rougir violemment.

— Ce soir…

Tout en contournant le bâtiment ravagé par les flammes, Amelia s'entretenait avec animation avec John Dashiell. Après l'avoir interrogé sur ses réalisations passées, ses projets, ses ambitions, elle lui demanda s'il était difficile de travailler avec son propre frère.

— Nous nous heurtons assez souvent, hélas, avoua Dashiell, les yeux plissés pour se protéger du soleil. Nous détestons tous les deux céder un pouce de terrain. Je l'accuse d'avoir ses petites manies, et lui me taxe d'arrogance. Le pire, c'est que nous avons raison tous les deux.

— Mais le travail finit par se faire, commenta Amelia en riant.

— Oui, nous sommes acculés au compromis par la nécessité de payer les factures. Tenez, prenez mon bras. Le terrain est inégal.

Sous sa main gantée, le bras sur lequel elle s'appuya était solide et ferme. Elle éprouva une brusque bouffée de sympathie pour cet homme.

— Je suis vraiment heureuse que vous soyez venu dans le Hampshire, monsieur Dashiell. Je sais que lord Ramsay apprécie les efforts que vous faites pour nous.

— Vraiment ?

— Oh, oui. Je suis sûre qu'il vous l'aurait dit lui-même s'il avait été moins accablé de soucis.

— En fait, j'avais déjà rencontré lord Ramsay, il y a deux ans. Mais il ne semble pas se le rappeler. Il était encore en apprentissage chez Rowland Temple, et il m'avait beaucoup impressionné à l'époque... C'était un jeune homme avenant, débordant de projets.

Amelia baissa les yeux.

— Je suis certaine qu'il a beaucoup changé depuis que vous l'avez vu.

— On dirait un tout autre homme.

— Il ne s'est toujours pas remis de la mort de sa fiancée. Quelquefois, confia-t-elle dans un murmure, j'ai peur qu'il ne s'en remette jamais.

Dashiell s'arrêta et se tourna pour lui faire face.

— C'est le prix de l'amour, je le crains, dit-il, une lueur de compassion dans le regard. La souffrance qu'inflige sa perte... Je ne suis pas convaincu que cela en vaille la peine. Si l'on doit aimer, peut-être faudrait-il le faire avec modération.

Cela semblait raisonnable. Toutefois, quand Amelia ouvrit la bouche pour acquiescer, les mots refusèrent de sortir. Elle ne réussit à émettre qu'un petit rire incertain.

— De la modération dans l'amour, reprit-elle, songeuse. Ce n'est pas une notion propre à inspirer les poètes, n'est-ce pas ?

— La manière de voir le monde d'un poète n'est pas vraiment compatible avec une vie confortable, vous ne croyez pas ? Imaginez que chacun soit à la merci de ses passions, et que nous nous arrachions tous les cheveux sous l'emprise de l'amour...

— Ou que nous chevauchions au clair de lune... que nous réalisions nos rêves...

— Exactement. Ce serait courir au désastre.

— Ou au grand amour, répliqua-t-elle, priant pour qu'il n'ait pas remarqué son léger enrouement.

— Voilà bien des propos de femme.

Amelia s'esclaffa.

— Eh oui, monsieur Dashiell. J'avoue que je ne suis pas immunisée contre l'idée du grand amour. J'espère que cela ne me rabaisse pas à vos yeux.

350

— Pas le moins du monde. En fait, continua-t-il sur le ton de la confidence, je souhaiterais pouvoir vous rendre visite durant les travaux à Ramsay House. Je serais enchanté de jouir de la compagnie d'une femme aussi jolie et charmante, dotée qui plus est d'un naturel raisonnable.

— Je vous remercie, fit Amelia en rougissant.

Mais alors qu'elle regardait l'élégant gentleman qui lui faisait face, un visage séduisant, aux yeux dorés, à la bouche sensuelle d'ange déchu s'imposa à elle – celui d'un être exotique, imprévisible, qui ne serait jamais complètement apprivoisé.

Toi en moi, moi en toi…

— Je serais également ravie de profiter de votre compagnie, monsieur. Je me dois cependant de vous informer, s'entendit-elle ajouter en rougissant de plus belle, que je suis très proche de M. Rohan.

Dieu merci, son compagnon saisit aussitôt ce qu'elle voulait dire. Il ne sembla pas surpris.

— Je craignais que ce ne fût le cas. Je n'ai pu m'empêcher de remarquer les égards que M. Rohan avait pour vous. Il donne l'impression de vous vouloir tout à lui. On peut difficilement le lui reprocher, ajouta-t-il avec un sourire attristé.

Flattée, mais ne sachant que répondre, Amelia reporta son attention sur la maison. Elle n'était pas accoutumée à entendre des hommes parler d'elle en ces termes. Son regard suivit la ligne irrégulière du toit. La maison semblait si abîmée, si fatiguée, ses fenêtres évoquant des blessures dans le flanc d'un animal à terre… C'est alors qu'elle remarqua un mouvement derrière l'une d'elles, un miroitement semblable à celui d'un rayon de lune dans l'ombre.

Un visage…

Elle dut tressaillir visiblement, car M. Dashiell la scruta un instant, puis suivit la direction de son regard.

— Qu'y a-t-il ? demanda-t-il aussitôt.

— J'ai cru…

Elle se surprit à s'accrocher à sa manche telle une enfant effrayée. Le chaos régnait dans ses pensées.

— J'ai cru voir quelqu'un à la fenêtre.

— Peut-être était-ce Barksby.

Mais M. Barksby apparaissait justement au coin de la maison, or, le visage était à une fenêtre du premier étage.

— Voulez-vous que j'aille jeter un coup d'œil ? proposa M. Dashiell en la considérant d'un œil inquiet.

— Non, se hâta de dire Amelia, qui réussit à esquisser un faible sourire et lâcha sa manche. Ce doit être un rideau qui a bougé. Je suis certaine qu'il n'y a personne là-bas.

Après le départ de Dashiell et de Barksby pour Londres, Cam retourna dans le bureau en compagnie de M. Pym afin de discuter des quelques questions restées en suspens. Ayant eu son content de problèmes d'intendance, Leo renonça à faire semblant de s'intéresser aux dossiers de M. Pym et se réfugia dans sa chambre. Bien que Cam eût assuré à Amelia, non sans ironie, qu'elle était la bienvenue si elle voulait se joindre à eux, elle s'était empressée de décliner l'invitation. Elle doutait de sa capacité à supporter de meilleure grâce que son frère ces discussions ennuyeuses au possible.

De plus, elle voulait voir Winnifred.

Sa sœur était installée au premier étage, dans le petit salon privé des Westcliff. Blottie dans un canapé, Winnifred avait un livre sur les genoux, mais ne semblait pas le lire. Elle leva les yeux avec un soulagement évident à l'entrée d'Amelia.

— J'ai attendu toute la journée de pouvoir te parler, lui dit-elle d'emblée en ramenant les pieds vers elle pour lui faire une place. Tu semblais tellement bizarre après ta visite à Ramsay House. Était-ce de revoir la maison ? Cela t'a rendue mélancolique ?… Où est-ce à cause de M. Dashiell, qui a essayé de flirter avec toi ?

— Dieu du ciel ! s'écria Amelia en riant, déconcerté. D'où t'est venue l'idée qu'il voudrait flirter avec moi ?

Souriant à son tour, Winnifred haussa légèrement les épaules.

— Il semblait être sous le charme.

— Pfff !

Le sourire de Winnifred s'élargit, et elle ressembla alors à la petite fille malicieuse qu'elle était avant sa scarlatine.

— Tu ne fais « Pfff ! » que parce que tu mènes M. Rohan par le bout du nez.

Amelia écarquilla les yeux, puis regarda vivement autour d'elle, de peur que quelqu'un ait pu les entendre.

— Chut, Winnifred ! Je ne mène personne par le bout du nez. Franchement… Je n'arrive pas à croire que…

— Regarde la réalité en face, rétorqua sa sœur, qui paraissait beaucoup s'amuser de son embarras. Tu es devenue une femme irrésistible.

Amelia leva les yeux au ciel.

— Continue de te moquer de moi, et je ne te raconterai pas ce qui est arrivé pendant la visite de Ramsay House.

— Quoi donc ? Oh, dis-le-moi, Amelia ! Je m'ennuie tellement que je me dessèche sur pied.

— J'ai l'impression d'être un peu dérangée, commença Amelia, qui éprouvait quelques difficultés à s'exprimer d'un ton détaché. Figure-toi que, alors que je marchais en compagnie de M. Dashiel, j'ai aperçu un visage à l'une des fenêtres de l'étage.

— Il y avait quelqu'un à l'intérieur ? s'étonna Winnifred en prenant la main glacée de sa sœur dans la sienne.

— Pas quelqu'un. C'était… c'était Laura.

— Oh !

— Je sais que c'est difficile à croire…

— Non. Rappelle-toi, nous avons vu son visage sur la plaque de la lanterne magique, la nuit de l'incendie. En outre…

Winnifred hésita. Elle caressa le dos de la main d'Amelia.

— Ayant approché une fois la mort de très près, je ne trouve pas difficile de croire à de telles apparitions.

Un silence tendu tomba sur elles. Amelia luttait pour raisonner de manière rationnelle, pour arriver à comprendre l'impossible.

— Alors, finit-elle par articuler, tu crois que Laura hante Leo ?

— Si c'est le cas, murmura Winnifred, c'est sûrement par amour.

— Je crois que cela le rend fou.

Comme Winnifred gardait le silence, ne tentait pas de la contredire, Amelia lâcha, au désespoir :

— Comment pouvons-nous empêcher cela ?

— Nous ne le pouvons pas. Seul Leo en est capable.

Agacé, Amelia dégagea sa main.

— Pardonne-moi si j'ai du mal à me montrer fataliste. Mais il faut faire quelque chose.

— Tu peux t'en charger, rétorqua Winnifred avec froideur. Si tu es prête à prendre le risque de le pousser à bout.

Amelia bondit du canapé et la foudroya du regard. À quoi diable Winnifred s'attendait-elle de sa part ? Qu'elle reste assise passivement pendant que Leo se détruisait à petit feu ?

La colère qui l'assaillait reflua pour céder la place à une immense lassitude. Soudain, elle était fatiguée de tout et de tous. Fatiguée de réfléchir, de s'inquiéter, de craindre, sans rien obtenir d'autre qu'une singulière ingratitude de la part de son frère et de ses sœurs.

— Allez tous au diable ! lâcha-t-elle d'une voix rauque, et elle quitta la pièce avant que des paroles plus dures n'aient été échangées.

Renonçant à dîner, Amelia se rendit dans sa chambre et s'étendit sur son lit, tout habillée. Elle garda les yeux fixés au plafond jusqu'à ce que le soleil commence à décliner et la pièce à s'assombrir. Elle ferma les yeux alors que l'air devenait froid. Quand elle les rouvrit, la pénombre avait envahi la chambre. Elle sentit un mouvement non loin d'elle. Sursautant, elle tendit la main. Ses doigts frôlèrent un bras musclé, un poignet solide.

— Cam... souffla-t-elle.

Elle se détendit complètement quand elle sentit l'anneau d'or poli à la base de son pouce.

Cam ne prononça pas un mot. Il commença à lui ôter ses vêtements un par un, et elle s'abandonna entre ses mains dans un silence presque irréel. Le poids oppressant dans sa poitrine s'allégea à mesure que les sensations s'épanouissaient en elle.

Cam se pencha sur elle, sombre et splendide, s'empara de sa bouche, et l'embrassa avec passion. Elle lui tendit les bras et il la recouvrit de son corps. Sa bouche brûlante se promena sur ses épaules et sa gorge, puis il lui caressa le ventre, dessina des cercles d'une douceur sublime autour de son nombril. Il ne l'avait pas encore pénétrée, mais elle éprouvait déjà en elle la délicieuse pulsation du plaisir. *Toi en moi...*

Quand elle voulut l'enlacer, il résista avec un rire léger, et lui plaqua les bras le long des flancs. Sa bouche descendit sur elle, la taquinant, la suçant, et elle sentit une exquise humidité sourdre entre ses cuisses. Il y porta la langue, fouaillant de la pointe jusqu'à trouver l'endroit sensible qui palpitait de manière exquise. Ses biceps saillirent quand il glissa les bras sous elle. Amelia se débattit un peu, non pour protester mais pour le supplier de la combler.

Étourdie et douloureuse, elle sentit qu'il la soulevait dans l'obscurité. Il l'installa à califourchon sur lui, la prit aux hanches et commença à imprimer un mouvement de va-et-vient doux et régulier. Elle se mit à haleter, le ventre mordu par une vague de…

Un coup frappé à la porte fit voler en éclats ce pur moment de volupté.

— Ô mon Dieu… chuchota Amelia, pétrifiée.

Un nouveau coup, plus insistant cette fois, et la voix étouffée de Poppy.

— Poppy, répondit Amelia d'une voix faible, ça ne peut pas attendre ?

— Non.

Amelia s'écarta de Cam, tout son corps protestant violemment contre cette interruption brutale de leurs ébats. Cam roula sur le côté en proférant un juron.

Amelia traversa la chambre en chancelant comme si elle se trouvait sur le pont d'un bateau malmené par la tempête. À tâtons, elle dénicha sa robe de chambre, l'enfila et attacha quelques boutons au hasard.

Elle entrouvrit la porte de quelques centimètres.

— Qu'y a-t-il, Poppy ? On est en pleine nuit.

— Je sais, répondit sa sœur d'une voix anxieuse.

Elle paraissait avoir du mal à soutenir son regard.

— Et je ne t'aurais pas dérangée si… C'est juste que… Je ne savais pas quoi faire. J'ai fait un mauvais rêve. Un cauchemar horrible au sujet de Leo, et il semblait si réel que je n'ai pas pu me rendormir avant de m'être assurée qu'il allait bien. Alors, je suis allée dans sa chambre et… il est parti.

Amelia secoua la tête avec exaspération.

— Qu'il aille se faire pendre ! Nous le chercherons demain matin. Je ne pense pas que quiconque ait envie de se lancer à ses trousses avec ce froid. Il s'est probablement rendu à la taverne du village et, dans ce cas…

— J'ai trouvé ça dans sa chambre, l'interrompit Poppy en lui tendant un bout de papier.

Les sourcils froncés, Amelia déchiffra les quelques lignes.

Je suis désolé.
Je ne m'attends pas que vous compreniez.
Ce sera mieux pour vous toutes.

Un peu plus bas :

J'espère qu'un jour

Et, tout en bas, de nouveau :

Je suis désolé.

Il n'y avait pas de signature. Elle n'était pas nécessaire.

— Va te recoucher, Poppy, ordonna Amelia, surprise par le calme de sa propre voix

— Mais cette note… Je pense que ça signifie…

— Je sais ce que cela signifie. Retourne dans ton lit, ma chérie. Tout ira bien.

— Tu vas essayer de le retrouver ?

— Oui, je le retrouverai.

Le sang-froid de façade d'Amelia s'évanouit à l'instant où elle referma la porte. Cam enfilait déjà ses vêtements à la hâte. Elle alluma la lampe sur la table de nuit et, dès qu'il eut passé ses bottes, elle lui tendit le billet d'une main tremblante.

— Ce n'est pas une menace en l'air, murmura-t-elle, suffoquant presque. Il a l'intention de le faire. Peut-être a-t-il déjà...

— Où est-il le plus susceptible d'aller ? coupa Cam. Quelque part sur le domaine ?

Amelia se remémora le visage spectral de Laura à la fenêtre.

— Il est à Ramsay House, répondit-elle en claquant des dents. Emmène-moi là-bas. S'il te plaît.

— Bien sûr. Mais d'abord, il faudrait peut-être que tu t'habilles.

Il lui adressa un sourire rassurant.

— Je suis là pour t'aider, lui rappela-t-il en lui caressant la joue.

— Après ça, tout homme désireux de se marier dans la famille Hathaway mériterait d'être enfermé dans une institution, marmonna-t-elle.

— Le mariage est une institution, répliqua-t-il, avant de ramasser sa robe sur le sol.

Ils galopèrent jusqu'à Ramsay House à une vitesse presque effrayante. Le froid mordant, les ténèbres qui se précipitaient à leur rencontre, cette sensation d'être projetée en avant de manière incontrôlable, tout contribuait à donner à Amelia une impression de cauchemar. Heureusement, elle sentait dans son dos le corps puissant de Cam, dont l'un des bras la maintenait solidement en selle. Elle appréhendait ce qu'elle allait trouver à Ramsay House. Si le pire était déjà arrivé, elle n'aurait d'autre choix que de l'accepter. Mais elle n'était pas seule. Elle était avec l'homme qui semblait lire jusqu'au tréfonds de son âme.

Quand ils arrivèrent en vue de la maison, ils repérèrent un cheval en train d'arracher quelques brins d'herbe sur le sol pelé. Au moins Leo était-il bien là, ce qui signifiait qu'ils n'auraient pas à battre la campagne pour le retrouver.

Cam aida Amelia à descendre de cheval et lui prit la main. Elle eut un geste de recul quand il fit mine de l'entraîner vers la porte d'entrée.

— Peut-être, commença-t-elle, devrais-tu attendre ici pendant que je…

— C'est hors de question.

— Il sera peut-être mieux disposé si je l'approche seule, juste au début…

— Il n'est pas dans son état normal. Je ne veux pas que tu l'affrontes sans moi.

— C'est mon frère.

— Et toi, tu es ma *romni*.

— Qu'est-ce que c'est ?

— Je te l'expliquerai plus tard.

Cam lui plaqua un bref baiser sur les lèvres et, lui passant le bras autour de la taille, pénétra avec elle dans la maison. Il y régnait un calme de mausolée. L'air glacial sentait la fumée et la poussière. Ils explorèrent le rez-de-chaussée en silence, mais ne trouvèrent pas trace de Leo. La pénombre était épaisse, pourtant, Cam se déplaçait de pièce en pièce avec l'assurance d'un chat.

Un bruit résonna au-dessus de leurs têtes – le craquement d'un parquet. Amelia frissonna brièvement, puis, soulagée, se hâta vers l'escalier. Cam la retint d'une main ferme. Comprenant qu'elle devait se montrer plus circonspecte, elle s'avança plus lentement.

Arrivés au pied de l'escalier, Cam passa devant elle et testa chaque marche avant de lui permettre de le suivre. Des gravats crissaient sous leurs pieds. Plus ils montaient, plus l'air devenait froid, au point qu'Amelia avait l'impression qu'on lui enfonçait des aiguilles de glace dans la chair. C'était un froid surnaturel, trop âpre, trop effroyable pour provenir d'une source naturelle. Amelia serra plus fort la main de Cam et resta aussi près que possible de lui.

Une faible lueur tremblotante émanait d'une des pièces à l'extrémité du couloir. Amelia laissa échapper un gémissement de détresse.

— La chambre aux abeilles…

— Les abeilles ne volent pas la nuit, murmura Cam. Mais si tu préfères attendre ici…

— Non.

Rassemblant son courage, Amelia carra les épaules et suivit Cam dans le couloir. C'était bien de Leo, ce vaurien, d'aller se terrer dans un endroit dont elle avait une peur bleue.

Ils s'arrêtèrent sur le seuil. Cam lui masquant en grande partie la vue, Amelia pencha la tête de côté. Et nc put retenir une exclamation étouffée.

Ce n'était pas Leo, mais… Christopher Frost. Une lampe posée à ses pieds auréolait sa silhouette d'un halo doré. Il se tenait devant un trou béant, ouvert dans le mur qui abritait la colonie d'abeilles. Les insectes étaient certes engourdis, mais loin d'être calmes, et le battement des millions d'ailes produisait un vrombissement inquiétant. L'odeur du bois en décomposition et du miel fermenté empuantissait l'atmosphère. Les ombres projetées par le vacillement de la lampe s'étalaient sur le sol, pareilles à des flaques d'encre.

En entendant la brusque inhalation d'Amelia, Christopher pivota et tira quelque chose de sa poche. Un pistolet.

Tous trois demeurèrent figés sur place.

— Christopher… finit par murmurer Amelia, abasourdie. Que faites-vous ici ?

— Recule, Amelia, lui intima Cam en s'efforçant de la repousser derrière lui.

Mais comme elle n'avait pas plus envie de voir Cam exposé au pistolet qu'elle-même, elle passa sous son bras et se planta près de lui.

— Vous êtes venus pour ça, vous aussi, à ce que je vois, fit Christopher, dont le regard alla de Cam à Amelia.

Il semblait étonnamment calme. Le pistolet ne tremblait pas dans sa main. Il ne le rabaissa pas.

— Venus pour quoi ? demanda Amelia qui, déconcertée, fixa le trou rectangulaire, haut de cinq pieds environ. Pourquoi avez-vous fait cette ouverture dans le mur ?

— C'est un panneau coulissant, expliqua Cam sans quitter Christopher des yeux. Conçu pour dissimuler une cachette secrète.

Étonnée que les deux hommes paraissent connaître quelque chose sur Ramsay House qu'elle-même ignorait, Amelia demanda :

— Pour cacher quoi ?

— Elle a été conçue il y a très longtemps, répondit Christopher, afin de permettre aux prêtres catholiques persécutés de se cacher.

Décontenancée, Amelia tenta de remettre de l'ordre dans son esprit. Elle avait lu des articles au sujet de cachettes de ce genre. Plusieurs siècles auparavant, suivant les lois alors en usage en Angleterre, les catholiques étaient pourchassés et exécutés. Certains d'entre eux en avaient réchappé en se dissimulant chez des particuliers sympathisants. Elle n'aurait cependant jamais imaginé qu'un tel endroit existât à Ramsay House.

— Comment saviez-vous que…

Ayant du mal à parler, elle désigna d'un geste la cavité dans le mur.

— Elle est mentionnée dans les carnets personnels de l'architecte, William Bissel. Lesquels sont maintenant en possession de Rowland Temple.

Et voilà qu'après deux siècles, cette cachette était découverte… colonisée par un énorme essaim d'abeilles.

— Pourquoi M. Temple vous en a-t-il parlé ? Qu'espérez-vous trouver ?

Christopher lui adressa un regard de mépris amusé.

— Vous jouez les ignorantes ou n'en avez-vous vraiment aucune idée ?

— Je crois deviner, déclara Cam. Cela a probablement à voir avec la légende locale concernant un trésor caché à Ramsay House.

Il haussa vaguement les épaules comme tous deux lui jetaient un regard étonné.

— Westcliff y a fait allusion, un jour, en passant.

— Un trésor ? Ici ? s'exclama Amelia, qui fronça les sourcils, mécontente. Pourquoi personne ne m'en a-t-il parlé ?

— C'est une simple rumeur, sans aucun fondement. De plus, les origines de ce supposé trésor ne sont d'ordinaire pas mentionnées dans la bonne société, répondit Cam.

Il lança un regard froid à Christopher.

— Baissez donc cette arme. Nous n'avons pas l'intention de nous en mêler.

— Mais bien sûr que si ! contra Amelia d'un ton irrité. Si jamais il y a un trésor à Ramsay House, il appartient à Leo. Et pourquoi ne mentionne-t-on pas ses origines ?

Ce fut Frost qui répondit, le pistolet toujours braqué sur Cam.

— Parce qu'il est composé de souvenirs et de bijoux offerts, au XVIe siècle, par le roi Jacques Ier à son amour. Quelqu'un de la famille Ramsay.

— Le roi avait une liaison avec lady Ramsay ?

— Avec lord Ramsay, en fait.

— Oh… Ainsi, reprit-elle en se frottant les bras dans l'espoir vain de les réchauffer, vous pensez que le trésor est là, dans l'une des cachettes de Bissel ? Et depuis le début, vous essayiez de le trouver. Vos protestations d'amitié, vos regrets de m'avoir abandonnée, ce n'était qu'une mascarade ! Et tout cela pour une vague chimère…

— Il ne s'agissait pas d'une mascarade, répliqua Christopher, son regard méprisant empreint d'une vague pitié. Je voulais sincèrement renouer avec vous, jusqu'à ce que je comprenne que vous vous étiez amourachée de ce bohémien. Je n'accepte pas les marchandises souillées.

Furieuse, Amelia tenta de se jeter sur lui, toutes griffes dehors.

— Vous n'êtes pas digne de lui lécher les bottes ! cria-t-elle, se débattant quand Cam la tira en arrière.

— Laisse, cela n'en vaut pas la peine, marmonna ce dernier, le bras refermé autour d'elle comme un étau. Calme-toi.

Amelia obéit, mais elle n'en continua pas moins à foudroyer Christopher du regard.

— Quand bien même le trésor se trouverait ici, vous ne pourriez pas le retirer, lui lança-t-elle. Le mur contient un essaim d'au moins deux cent mille abeilles.

— C'est justement là que votre arrivée inopinée devient intéressante…

Christopher pointa le pistolet droit sur la poitrine d'Amelia, mais c'est à Cam qu'il s'adressa.

— Vous allez aller le chercher à ma place… ou je lui mets une balle dans le corps.

— Ne bouge pas, dit Amelia à Cam en s'accrochant des deux mains à son bras. Il bluffe.

— Êtes-vous prêt à risquer sa vie sur cette hypothèse, Rohan ? demanda Christopher, d'une voix presque hésitante.

Amelia lutta pour retenir Cam, qui essayait de se dégager de son étreinte.

— N'y va pas !

— Du calme, *monisha*.

Il la prit par les épaules et la secoua légèrement.

— Tais-toi, s'il te plaît. Cela ne m'aide pas, dit-il, puis il se tourna vers Christopher. Laissez-la partir. Je ferai tout ce que vous voudrez.

Christopher secoua la tête.

— Sa présence vous incitera à vous montrer coopératif. Allez là-bas, ordonna-t-il en désignant la cache de son pistolet, et commencez à chercher.

— Vous êtes devenu fou ! lança Amelia. Un prétendu trésor, un pistolet, des déambulations au beau milieu de la nuit…

Elle s'interrompit en apercevant un miroitement d'une blancheur argentée dans l'air. Une bourrasque glaciale balaya la chambre tandis que les ombres paraissaient s'épaissir et se figer.

Christopher ne parut pas remarquer la brusque chute de température, pas plus que le scintillement d'une blancheur translucide qui dansait entre eux.

— Immédiatement, Rohan !

— Cam…

— Chut…

Il caressa la joue d'Amelia et lui adressa un regard insondable.

— Mais les abeilles…

— Ce n'est rien.

Après avoir ramassé la lampe sur le sol, Cam l'emporta vers le panneau ouvert, l'introduisit dans la cavité et se pencha à l'intérieur. Les abeilles commencèrent à se poser et à grimper sur ses bras, ses épaules et sa tête. Amelia, qui le regardait fixement, vit son bras tressaillir et comprit qu'il avait été piqué. Elle avait de la peine à respirer, la panique lui comprimant la cage thoracique.

La voix de Cam leur parvint, un peu étouffée.

— Il n'y a rien ici, à part des abeilles et des rayons de miel.

— Il y a forcément quelque chose, aboya Christopher. Entrez dedans et cherchez.

— Non ! cria Amelia, outrée. Il va être piqué à mort.

Christopher la mit en joue tout en ordonnant à Cam :

— Allez-y !

Une multitude d'abeilles s'abattit sur Cam. Elles grouillaient à présent sur ses cheveux, son visage, sa nuque. Amelia avait l'impression de vivre un cauchemar éveillé.

— Il n'y a rien, confirma Cam, d'une voix qui semblait étonnamment calme.

À présent, la situation semblait procurer à Christopher une satisfaction perverse.

— Vous avez à peine regardé. Entrez dans ce trou et n'en ressortez pas sans le trésor.

Les larmes montèrent aux yeux d'Amelia.

— Vous êtes un monstre ! Il n'y a rien là-dedans et vous le savez très bien.

— Regardez-vous, ricana-t-il, en train de pleurer sur votre amant bohémien. Vous êtes tombée bien bas.

Avant qu'elle puisse répondre, un éclair de lumière bleutée fulgura silencieusement dans la pièce. Un souffle glacé éteignit la flamme de la lampe. Amelia cilla et s'essuya les yeux tout en tournant sur elle-même, stupéfaite, à la recherche de la source de cette lumière. Une brume tremblante les enveloppait, toute de froidure, de brillance et d'énergie brute. Amelia s'élança en trébuchant vers Cam, les bras tendus. Quand les abeilles s'élevèrent en une seule masse et regagnèrent leur ruche, leurs ailes étincelèrent sous la lumière bleue telle une pluie d'étincelles.

Amelia se jeta dans les bras de Cam, qui la serra contre lui.

— Es-tu blessé ? souffla-t-elle en lui palpant les bras et le dos de ses mains tremblantes.

— Non, juste une piqûre ou deux. Je...

Il s'interrompit abruptement.

Amelia pivota entre ses bras pour suivre la direction de son regard. Deux silhouettes floues, déformées par la lueur tremblotante, luttaient pour la possession du pistolet. Qui diable était-ce ? Qui d'autre était entré dans la pièce ? Amelia eut à peine le temps de se poser la question que Cam la projeta sur le sol.

— Ne te relève pas, lui recommanda-t-il avant de s'élancer vers les combattants.

Mais ils s'étaient déjà séparés. L'un des hommes roulait sur le sol, le pistolet à la main, l'autre courait vers la porte. Cam s'approcha de l'homme à terre, tandis que l'air crépitait comme si l'on venait de mettre à feu une multitude de soleils. L'autre homme s'enfuit. Et la porte claqua derrière lui… alors que personne ne l'avait touchée.

Abasourdie, Amelia se redressa en position assise. La lumière diffractée se résorba en une faible lueur bleue qui resta accrochée à la silhouette des deux hommes.

— Cam ? murmura-t-elle d'une voix incertaine.

Quand il lui répondit, ce fut d'une voix basse et tremblante :

— Tout va bien, mon cœur. Tu peux venir.

Elle les rejoignit et poussa un cri étouffé en reconnaissant le nouveau venu.

— Leo ! Que fais-tu… Comment as-tu…

Sa voix mourut quand elle vit le pistolet qu'il tenait à la main, posé mollement sur sa cuisse. Il avait un visage calme, et sa bouche esquissait un mince sourire ironique.

— J'allais justement te demander la même chose, dit-il. Que diable fais-tu ici ?

Amelia se laissa tomber sur le sol à côté de Cam, sans quitter son frère des yeux.

— Poppy a trouvé ton billet, répondit-elle dans un souffle. Nous sommes venus ici parce que nous

pensions que tu avais l'intention de… de mettre fin
à tes jours.

— C'était l'idée générale, répliqua Leo. Mais je suis
d'abord passé par la taverne pour y boire un verre.
Et quand je suis finalement arrivé ici, il y avait un
peu trop de monde à mon goût. Pour se suicider, on
aime quand même avoir un peu d'intimité.

Son attitude détachée irrita Amelia. Elle baissa
les yeux sur le pistolet dans sa main, puis revint à
son visage. Le fantôme était avec eux, songea-t-elle
en glissant la main vers la cuisse de Cam. L'air
glacé lui avait engourdi le visage, et elle éprouvait
des difficultés à articuler.

— M. Frost était à la recherche d'un trésor, dit-elle.

Son frère lui jeta un regard sceptique.

— Un trésor, dans ce tas de décombres ?

— Eh bien, vois-tu, M. Frost croyait…

— Non, laisse tomber. J'ai bien peur de ne porter
aucun intérêt à ce que croit Frost. Ce crétin…

Il baissa les yeux sur le pistolet et passa doucement le pouce sur le canon.

Amelia ne se serait pas attendue qu'un homme
envisageant de se suicider pût paraître aussi
détendu. Un homme détruit dans une maison
détruite… Tout, dans le corps de Leo, trahissait
une lassitude résignée.

— Il faut que vous l'emmeniez hors d'ici, dit-il
à Cam d'une voix posée.

— Leo…

Amelia se mit à trembler. Elle savait que s'ils le
laissaient ici, il se tuerait. Mais elle ne voyait absolument pas quoi dire, en tout cas rien qui ne parût
inepte, théâtral, absurde.

La bouche de son frère se tordit, comme s'il était
trop épuisé pour sourire.

— Je sais, dit-il doucement. Je sais ce que tu veux
et ce que tu ne veux pas. Je sais que tu souhaiterais
que j'aille mieux. Mais je ne vais pas mieux.

Son image se brouilla devant les yeux d'Amelia. Elle sentit les larmes rouler sur ses joues, laissant une traînée aussi froide que la glace.

— Je ne veux pas te perdre.

Leo ramena les genoux vers lui et posa le bras en travers, les doigts refermés sur la crosse du pistolet.

— Je ne suis pas ton frère, Amelia. Je ne le suis plus. J'ai changé quand Laura est morte.

— Je veux quand même que tu restes avec moi.

— Personne n'obtient ce qu'il veut, marmonna Leo. C'est fini.

Cam fixait sur son frère un regard intense. Un long silence douloureux s'abattit tandis qu'une bise mordante tournoyait autour d'eux.

— Je pourrais tenter de vous persuader de poser ce pistolet et de rentrer avec nous, commença Cam. De reporter votre décision d'une journée supplémentaire. Mais même si je parvenais à vous en empêcher cette fois… On ne peut pas obliger un homme à vivre quand il ne le veut pas.

— Exact, acquiesça Leo.

Amelia ouvrit la bouche pour émettre une protestation tremblante, mais Cam l'en empêcha de ses doigts pressés doucement sur ses lèvres. Il continuait de fixer Leo, non pas avec inquiétude, mais avec une espèce de contemplation détachée, comme s'il se concentrait sur une équation mathématique.

— Et personne ne peut être hanté sans l'avoir voulu, énonça-t-il d'une voix calme. Vous le savez, n'est-ce pas ?

Le froid dans la pièce s'intensifia davantage, si une telle chose était possible. Les fenêtres vibrèrent dans la quasi-pénombre. Alarmée par la tension dont la présence invisible les encerclait, Amelia se blottit contre Cam.

— Bien sûr, que je le sais, répondit Leo. J'aurais dû mourir en même temps qu'elle. Je n'ai jamais désiré lui survivre. Vous ne savez pas ce que c'est.

La perspective que cela va enfin finir est un sacré soulagement.

— Mais ce n'est pas ce qu'elle veut.

Une flamme hostile s'alluma dans les yeux pâles de Leo.

— Comment diable pourriez-vous le savoir?

— Si la situation était inversée, choisiriez-vous cela pour elle? demanda Cam en indiquant le pistolet. Je n'exigerais pas ce sacrifice de quelqu'un que j'aime.

— Vous ne savez pas de quoi vous parlez.

— Si. Je comprends. Et ce que je vous dis, c'est de cesser d'être égoïste. Vous avez trop de chagrin, mon *phral*. Vous l'avez obligée à revenir pour vous consoler. Vous devez la laisser partir. Pas pour vous, mais pour elle.

— Je ne peux pas!

Mais l'émotion commençait à lui crisper les traits. Une lumière bleue dansait dans la pièce, tandis qu'un souffle glacé soulevait, tels des doigts invisibles, les boucles de Leo.

— Permettez-lui de trouver la paix, reprit Cam avec moins de véhémence. Si vous mettez fin à votre existence, vous la condamnerez, tout comme vous-même, à une errance éternelle. C'est injuste pour elle.

Leo avait baissé la tête. Il la secoua en silence tout en serrant ses genoux contre lui dans une attitude qui rappela à Amelia le petit garçon qu'il avait été un jour. Et elle comprit son chagrin avec une acuité dont elle avait été incapable jusqu'à cet instant.

Qu'adviendrait-il si Cam lui était brusquement arraché? Elle ne pourrait plus jamais éprouver la douceur de ses cheveux entre ses doigts ou la caresse de ses lèvres sur les siennes. Tout ce qu'elle venait de découvrir, les promesses, les sourires, les larmes, les espérances, lui serait brutalement enlevé et ne connaîtrait pas de prolongement. Jamais. Le manque s'installerait pour toujours et rien ne pourrait le combler.

Avec une compassion douloureuse, elle regarda Cam s'approcher de son frère. Dissimulant son visage, Leo leva la main, les doigts écartés, en un geste de désespoir impuissant.

— Je ne peux pas la laisser partir, dit-il d'une voix étranglée.

Une vitre se brisa avec fracas au moment même où un souffle d'air froid les frappait. Une énergie inconnue crépita à travers toute la pièce, puis de minuscules lueurs surgirent tout autour d'eux.

— Vous pouvez le faire pour elle, assura Cam en entourant les épaules de Leo comme il l'aurait fait pour consoler un enfant perdu. Vous le pouvez.

Leo commença à sangloter, en proie à une détresse pleine de colère.

— Oh, Dieu, gémit-il. Laura, ne me quitte pas !

Mais tandis qu'il pleurait, l'atmosphère sembla peu à peu s'apaiser, et la lumière bleue, tels les derniers feux d'une étoile mourante, commença à s'estomper. On entendit un léger frémissement d'ailes... quelques abeilles s'aventurèrent hors de la ruche, puis la regagnèrent pour la nuit.

Cam murmurait, à présent, un bras protecteur toujours refermé autour de Leo. Il s'exprimait en romani, et les mots – une promesse, un serment, offerts à un esprit évanescent – dérivaient dans l'atmosphère limpide.

Il ne resta plus alors que trois personnes assises dans l'obscurité, au milieu des éclats de verre, ainsi qu'un pistolet abandonné sur le sol.

— Elle est partie, dit Cam d'une voix douce. Elle est libre.

Leo hocha la tête, le visage toujours dissimulé. Il était durement affecté, mais néanmoins vivant. Brisé, mais susceptible de guérir.

Et réconcilié avec la vie, enfin.

22

Après avoir ramené Leo à Stony Cross Manor, Amelia et Cam le mirent au lit, puis se retrouvèrent devant la porte de sa chambre. Les émotions qui agitaient Amelia étaient si violentes, qu'elle devait lutter de toutes ses forces pour les contenir.

— Je vais dire à Poppy que tout va bien, chuchota-t-elle.

Cam acquiesça d'un signe de tête, silencieux et l'air un peu distrait. Leurs doigts se nouèrent brièvement.

Ils se séparèrent, et Amelia se rendit dans la chambre de sa sœur.

Poppy était dans son lit, couchée sur le côté, les yeux grands ouverts.

— Vous avez retrouvé Leo ? s'enquit-elle quand Amelia s'approcha.

— Oui, ma chérie.

— Il est… ?

— Sain et sauf. Je crois même…

Amelia s'assit sur le bord du matelas et lui sourit.

— Je crois qu'il va aller mieux, désormais.

— Il va redevenir le Leo d'avant ?

— Je ne sais pas.

— Amelia, fit Poppy en bâillant, est-ce que tu vas ronchonner si je te demande quelque chose ?

— Je suis trop fatiguée pour ronchonner. Alors, vas-y.

— Est-ce que tu vas te marier avec M. Rohan ?

La question emplit Amelia d'un plaisir étourdissant.

— Je le devrais ?

— Oh, oui ! Tu as été compromise, tu sais. En plus, il a une bonne influence sur toi. Tu ressembles beaucoup moins à un porc-épic quand il est dans les parages.

— Quelle charmante enfant, lança Amelia à la cantonade, avant d'adresser un grand sourire à sa sœur. Je te le dirai demain matin, ma chérie. Dors, à présent.

Amelia emprunta le couloir plongé dans l'obscurité, aussi nerveuse qu'une jeune mariée à l'idée de retrouver Cam. Il était temps pour elle de se montrer ouverte, honnête, confiante, comme elle ne l'avait jamais été, même dans leurs moments les plus intimes. Les battements de son cœur résonnaient dans tout son corps. Approchant de la chambre de Cam, elle vit qu'un filet de lumière filtrait par la porte entrouverte.

Cam était assis sur le lit, encore tout habillé. La tête inclinée, les mains sur ses genoux, il paraissait plongé dans ses pensées. Il leva les yeux quand elle pénétra dans la chambre.

— Qu'y a-t-il, mon ange ? demanda-t-il comme elle refermait la porte.

— Je… je… balbutia Amelia en s'avançant d'un pas hésitant, j'ai peur que tu ne me laisses pas avoir ce que je veux.

Il eut un lent sourire qui lui coupa le souffle.

— Je ne t'ai encore jamais rien refusé. Ce n'est pas maintenant que je vais commencer.

Amelia s'immobilisa devant lui. Ses jupes s'écrasèrent contre ses genoux, et elle perçut l'odeur de sa peau, fraîche, un peu salée.

— J'ai une proposition à te faire. Une proposition très raisonnable. Vois-tu…

Elle s'interrompit pour s'éclaircir la voix.

— J'ai réfléchi à ton problème.

— Quel problème ? demanda Cam qui, tout en jouant avec les plis de sa jupe, la fixait d'un regard aigu.

— Cette chance que tu considères comme une malédiction. Je sais comment t'en débarrasser. Tu devrais te marier dans une famille qui souffre d'une grave malchance. Une famille accablée de problèmes. Ainsi, tu ne serais pas embarrassé d'avoir autant d'argent, parce qu'il partirait presque aussi vite qu'il entrerait.

— Très raisonnable, en effet.

Cam prit sa main tremblante et la pressa entre ses paumes tout en lui bloquant le pied avec le sien pour l'empêcher de tambouriner sur le sol.

— Mon cœur, chuchota-t-il, il n'y a pas lieu d'être nerveuse avec moi.

Rassemblant son courage, Amelia lâcha :

— Je veux ta bague. Je ne veux plus jamais l'enlever. Je veux être ta *romni* pour toujours – peu importe de quoi il s'agit, ajouta-t-elle avec un petit sourire contraint.

— Mon épouse. Ma femme.

Amelia se figea, la gorge nouée de bonheur, quand elle le sentit lui glisser la chevalière en or au doigt.

— Quand nous étions avec Leo, cette nuit, reprit-elle d'une voix enrouée, j'ai vraiment compris ce qu'il ressentait, ce que la perte de Laura signifiait pour lui. Il m'avait dit un jour que je ne pourrais comprendre que si j'avais aimé quelqu'un de cette manière. Il avait raison. Et ce soir, alors que je te regardais avec lui… j'ai su à quoi je penserais au tout dernier moment de mon existence.

Cam lui caressa doucement la phalange du pouce.

— Oui, mon ange ?

— Je penserais : « Oh, si je pouvais avoir juste un jour supplémentaire avec Cam ! Dans ces quelques heures, je ferais tenir toute une vie. »

— Ce ne sera pas nécessaire, assura-t-il avec douceur. Statistiquement, nous aurons au moins dix ou quinze mille jours à passer ensemble.

— Je ne veux pas être séparée de toi ne serait-ce qu'un seul d'entre eux.

Cam prit son petit visage sérieux entre ses mains et essuya les larmes qui lui mouillaient les joues. Il l'enveloppa d'un regard tendre.

— Allons-nous vivre dans le péché, mon cœur, ou accepteras-tu finalement de m'épouser ?

— Oui. Oui. Je t'épouserai. Encore que... je ne peux toujours pas promettre de t'obéir.

— Nous nous en débrouillerons, dit-il avec un petit rire. Si tu promets au moins de m'aimer.

Amelia lui agrippa les poignets. Elle perçut son pouls ferme et régulier sous ses doigts.

— Oh, je t'aime, crois-moi ! Tu es...

— Je t'aime, moi aussi.

— ... ma destinée. Tu es tout ce que j'ai...

Elle en aurait dit davantage s'il n'avait attiré sa tête vers la sienne pour l'embrasser avec passion.

Ils se déshabillèrent en hâte, tirant sur les vêtements l'un de l'autre, consumés de désir. Quand, enfin, ils furent nus, l'impatience de Cam reflua. Ses mains glissèrent sur le corps d'Amelia avec une lenteur délibérée, chaque caresse faisant courir des frissons délicieux à la surface de sa peau. Son expression était une beauté austère quand il la fit rouler sur le dos.

Dans un gémissement, Amelia murmura son prénom, et s'abandonna tout entière quand il s'agenouilla entre ses jambes. Il referma les mains sur ses hanches, les souleva et les posa sur ses cuisses. Les yeux étincelants d'un feu démoniaque, il la contempla, puis entreprit de la caresser, jouant avec les plis délicats de sa féminité et le petit bourgeon sensible qu'ils protégeaient.

Elle tendit les bras vers lui, avide de sentir son poids sur elle. Mais il se déroba, et elle ne put que gémir et se cambrer quand il l'emplit de ses doigts, son pouce traçant des cercles affolants, les muscles de ses cuisses fermes sous ses hanches. Elle se mit à haleter, les mains crispées sur les draps.

Quand il retira les doigts, elle fut parcourue d'un long tremblement, son corps palpitant en vain autour du vide. C'est alors qu'il s'introduisit en elle, l'emplissant complètement. Elle s'arc-bouta contre lui, poussa un cri étouffé quand il fit mine de se retirer.

— Ne me taquine pas, murmura-t-elle, éperdue de désir. Je n'en peux plus.

— Mon cœur… Il faudra que tu t'y fasses, j'en ai peur.

— Pour… pourquoi ? balbutia-t-elle, le souffle coupé comme il laissait seulement l'extrémité de son sexe en elle.

— Parce que je n'aime rien tant que te taquiner.

Il mit une éternité avant de venir de nouveau en elle, chaque caresse si délicieuse, si impitoyable, si savante que l'orgasme l'avait déjà terrassée – deux fois – quand il l'eut pénétrée jusqu'à la garde.

— Reste en moi, l'implora-t-elle d'une voix rauque comme il commençait à la pilonner doucement. Reste, reste…

Les mots se perdirent dans un long gémissement.

Cam s'inclina sur elle, balayant de son souffle chaud son visage et sa gorge. Les yeux plongés dans les siens, il glissa les mains sous sa tête et captura ses lèvres. Étouffant un gémissement véhément dans la douceur soyeuse de sa bouche, il se répandit en elle.

Après être retombé sur terre, il l'attira contre son flanc et se mit à tracer des dessins paresseux sur son dos et ses épaules. La tête reposant sur son torse, Amelia savourait le mouvement doux qui accompagnait sa respiration.

— Après le mariage, murmura-t-il, il se peut que je t'emmène avec moi quelque temps.

— Où ? souffla-t-elle avant de presser les lèvres sur sa poitrine.

— À la recherche de ma tribu.

— Tu as déjà trouvé ta tribu, répliqua-t-elle en drapant une jambe sur les siennes. Elle s'appelle les Hathaway.

Un rire roula dans sa gorge.

— Ma tribu bohémienne, dans ce cas. Trop d'années se sont écoulées. J'aimerais savoir si ma grand-mère est toujours vivante... Et j'ai quelques questions à poser, ajouta-t-il après une pause.

— À quel sujet ?

— Ceci, répondit-il en indiquant son tatouage.

Songeant à celui, identique, de Merripen, et à cette coïncidence étrange, inimaginable, Amelia murmura :

— Quel genre de lien pourrait-il y avoir entre Merripen et toi, crois-tu ?

— Je n'en ai aucune idée. Et pour dire la vérité, poursuivit-il avec un sourire contrit, j'ai presque peur de le découvrir.

— Quel qu'il soit, déclara-t-elle, nous ferons confiance au destin.

Le sourire de Cam s'élargit.

— Parce que tu crois au destin, maintenant ?

— Et à la chance, ajouta Amelia. Grâce à toi.

— Cela me rappelle...

Après l'avoir fait basculer sur le matelas, il s'appuya sur le coude et fixa sur elle ses yeux d'ambre chaud.

— J'ai quelque chose à te montrer. Ne bouge pas… je l'apporte ici.

— Ça ne peut pas attendre ? protesta Amelia.

— Non. Je reviens dans quelques minutes. Ne t'endors pas.

Il quitta le lit et enfila ses vêtements à la hâte. Amelia le contempla avec un plaisir possessif.

Pour éviter de succomber au sommeil pendant son absence, elle alla jusqu'à la table de toilette et se rafraîchit à l'aide d'un linge trempé dans l'eau froide. Elle regagna vivement le lit, s'adossa aux oreillers et coinça le drap sous ses bras.

Aussi silencieux qu'un chat, Cam revint chargé d'un objet qui avait à peu près la taille et la forme d'un coffret à pantoufles. Amelia l'examina avec curiosité quand Cam l'eut posé à côté d'elle. En bois orné d'argent terni et piqué, il dégageait une odeur forte, à la fois acide et sucrée. Passant les doigts sur le couvercle, elle découvrit que la surface en était légèrement poisseuse.

— Heureusement, il était enveloppé dans de la toile enduite, commenta Cam. Sinon il aurait mariné dans le miel fermenté.

Amelia cligna des yeux, étonnée.

— Ne me dis pas qu'il s'agit du trésor que cherchait Christopher Frost ?

— Je l'ai trouvé quand je suis allé chercher des abeilles pour préparer le cataplasme de Merripen. Je l'avais rapporté pour toi. Je voulais t'en parler plus tôt, ajouta-t-il d'un air un peu penaud, mais ça m'est sorti de l'esprit.

Amelia réprima un rire. Quel autre homme aurait pu oublier un coffret susceptible de contenir un trésor ? Aux yeux de Cam, il n'avait sans doute guère plus d'importance que s'il était rempli de noisettes.

— Il n'y a que toi pour aller chercher du venin d'abeilles et revenir avec un trésor caché, fit-elle remarquer.

Elle souleva le coffret, le secoua doucement, et sentit bouger à l'intérieur des objets d'un certain poids.

— Flûte, il est verrouillé! s'exclama-t-elle après avoir tenté de l'ouvrir.

Elle porta la main à sa chevelure en désordre et finit par y dénicher une épingle qu'elle tendit à Cam.

— D'où tiens-tu que je sais forcer une serrure? demanda-t-il, une étincelle espiègle dans le regard.

— J'ai une confiance totale dans tes talents criminels. Ouvre-le, s'il te plaît.

Obligeamment, il tordit l'épingle et l'inséra dans la vieille serrure.

— Pourquoi n'as-tu pas dit à M. Frost que tu avais déjà trouvé le trésor? s'étonna-t-elle. Cela t'aurait peut-être évité cette plongée parmi les abeilles.

— J'estimais qu'il revenait à ta famille. Frost n'avait aucun droit sur lui.

À peine une minute plus tard, la serrure céda.

Le cœur battant d'excitation, Amelia souleva le couvercle. Il y avait là une liasse de lettres, une demi-douzaine, peut-être, attachées avec une fine mèche de cheveux tressés. Avec précaution, elle s'empara du paquet, tira la lettre qui se trouvait sur le dessus et déplia le vieux parchemin jauni.

C'était effectivement une lettre d'amour du roi, signée simplement, *James*. Scandaleuse, ardente, joliment écrite, elle. Elle n'était pas censée tomber un jour sous les yeux de quiconque, et semblait bien trop intime pour qu'Amelia la lise. Embarrassée, elle replia le papier cassant et le posa à l'écart.

Entre-temps, Cam avait commencé à sortir les objets contenus dans le coffret pour les déposer sur les genoux d'Amelia: un rubis non serti d'au moins un pouce de diamètre, deux bracelets en diamants, plusieurs rangs de grosses perles noires, une broche constituée d'un saphir ovale de la taille d'un souverain, sous lequel pendait un diamant en forme de larme, et tout un assortiment de bagues ornées de pierres précieuses.

— Je n'en crois pas mes yeux, murmura Amelia en glissant les doigts dans le tas rutilant. Il doit y avoir assez pour reconstruire deux fois Ramsay House.

— Pas tout à fait, corrigea Cam en jetant un regard de connaisseur sur les bijoux, mais pas loin.

Amelia fronça les sourcils.

— Cam… ?

— Hmm ?

Semblant avoir perdu tout intérêt pour le trésor, il jouait d'un air absorbé avec une mèche de la chevelure d'Amelia.

— Cela t'ennuierait-il si nous n'en disions rien à Leo jusqu'à ce que… eh bien, jusqu'à ce qu'il soit un peu plus rationnel ? Autrement, je crains qu'il ne s'en aille faire quelque chose d'irresponsable.

— Je dirais qu'il s'agit d'une crainte justifiée, déclara-t-il en ramassant les bijoux à pleines poignées pour les remettre dans le coffret. Oui, nous attendrons qu'il soit prêt.

— Penses-tu qu'il va changer ? risqua-t-elle. Qu'il ira mieux ?

Percevant son inquiétude, Cam l'enlaça et l'attira contre lui.

— Comme disent les bohémiens : « Aucune roulotte ne garde les mêmes roues à jamais. »

Le drap glissa entre eux. Amelia frissonna en sentant l'air froid sur son dos nu.

— Viens dans le lit, souffla-t-elle. J'ai besoin que tu me réchauffes.

Cam se débarrassa de sa chemise, et rit doucement comme Amelia s'attaquait aux boutons de son pantalon d'une main impatiente.

— Qu'est-il arrivé à ma prude *gadji* ?

— J'ai bien peur…

Elle introduisit la main par l'ouverture et caressa son sexe déjà rigide.

— … que ta fréquentation assidue ne m'ait dévergondée.

— Bien, c'est ce que j'espérais.

Il ferma à demi les paupières et sa voix se fit un peu haletante tandis qu'il murmurait :

— Amelia, si nous avons des enfants… cela ne t'ennuiera pas qu'ils soient en partie bohémiens ?

— Non, si cela ne t'ennuie pas qu'ils soient en partie Hathaway.

Il émit un grognement amusé et acheva de se déshabiller.

— Et moi qui voyais la vie sur les routes comme un défi ! Tu sais, plus d'un homme serait terrifié à l'idée de s'occuper de ta famille.

— Tu as raison. C'est d'ailleurs pourquoi je ne comprends pas que tu sois prêt à t'en charger volontairement.

Il jeta à son corps nu un regard franchement lascif quand il la rejoignit entre les draps.

— Crois-moi, il y a des compensations.

— Et ta liberté ? hasarda Amelia en se blottissant contre lui. Tu ne regrettes pas de la perdre ?

— Non, mon ange.

Cam tendit la main pour éteindre la lampe. Une obscurité veloutée les enveloppa.

— Je l'ai finalement trouvée, continua-t-il. Ici même, avec toi.

Découvrez les prochaines nouveautés
de nos différentes collections J'ai lu pour elle

AVENTURES
& PASSIONS

Le 2 février :
La famille Huxtable — 3. Le temps de l'amour
❧ **Mary Balogh**

INÉDIT

Margaret Huxtable a trente ans, et elle est bien décidée à faire ce qui s'impose : se marier. Elle se rend donc à Londres pleine d'espoir… et déchante vite. À peine arrivée, elle retrouve Crispin Dew, celui qui avait rompu leurs fiançailles secrètes des années auparavant. Puis, voilà qu'elle se jette littéralement dans les bras du comte de Sherringford au passé sulfureux…

La chronique des Bridgerton — 8. Gregory ❧
Julia Quinn

INÉDIT

Lorsqu'il aperçoit Hermione Watson, Gregory Bridgerton en est sûr : c'est la femme de sa vie… sauf que la demoiselle en aime un autre. Sa meilleure amie, Lucinda, propose alors à Gregory de l'aider à faire sa conquête. Voici le dernier tome de cette série magnifique.

Passé trouble ❧ **Elizabeth Thornton**

Il y a trois ans, Jessica a été témoin du meurtre de son père, et le choc a été si terrible qu'elle a perdu la mémoire. Elle ne peut se souvenir des détails de la scène et l'assassin court toujours. Se pourrait-il qu'il s'agisse de lord Dundas ? Non, c'est absurde : s'il avait commis ce forfait pour agrandir son domaine, il n'aurait pas accepté de louer le manoir à Jessica pour un prix aussi dérisoire… Mais, alors, pourquoi est-elle aussi troublée en sa présence ?

Le 16 février :
Prédestinés ❧ **Kathleen Givens**

INÉDIT

Leur histoire a commencé par un mensonge, lorsque Neil MacCurrie, chef Highlander et opposant à la Couronne, fut arrêté comme espion dans la demeure de son ennemi. Eileen Ronley a alors vu son cœur s'enflammer pour ce mystérieux étranger, et a tout risqué pour lui éviter une mort certaine. Lorsqu'ils se retrouvent à la Cour, l'ancienne prophétie qui unit leurs destins les menace : Neil doit choisir entre sa loyauté à son clan… et l'amour d'une femme.

La rivière de la passion ❧ **Kathleen E. Woodiwiss**

1747. Une file de prisonniers enchaînés s'apprête à débarquer et les acheteurs se pressent sur le quai. L'idée d'acheter un être humain a toujours paru révoltante à Gage Thornton. Mais il est veuf depuis peu et ne peut s'occuper seul de son fils de deux ans. Il est sur le point de renoncer lorsque son regard se pose sur une captive à l'éclatante crinière rousse. Malgré les loques dont elle est vêtue, il émane d'elle une indéniable distinction. Et une troublante sensualité…

Le chevalier servant ⊲ **Virginia Henley**

Orpheline dès son plus jeune âge, Rosamond Mareshall a été placée sous la tutelle d'Aliénor de Montfort, sœur du roi Henri III Plantagenêt et épouse de Simon de Montfort. À douze ans, on la fiance à Rodger de Leyburn, intendant du prince Edouard, que ce dernier entend récompenser en lui faisant épouser une riche héritière. Cinq ans plus tard, tout a changé.

Passion
intense

Quand l'amour vous plonge dans un monde de sensualité

Le 16 février :
Liaisons sulfureuses — 2. Secrets
Lisa Marie Rice

INÉDIT

Le monde de Charity est complètement bouleversé depuis que le très riche et très séduisant Nicholas Ames est entré dans sa vie. Puissant et sensuel, cet homme sait combler ses moindres désirs.
Mais Nicholas n'est pas celui qu'il prétend être. En réalité, c'est un agent secret prêt à tout pour sa mission – même à tuer. Et aujourd'hui, sa mission, c'est Charity…
La jeune femme pourra-t-elle faire fondre son cœur de glace ?

Les combattants du feu — 2. ⊲ **Jo Davis**

INÉDIT

Zack combat des incendies et sauve des vies, mais il est très timide et réservé. Du moins, jusqu'à ce qu'il rencontre une danseuse exotique, Corinne, qui réveille son désir endormi…
Hélas, les deux amants se trouvent bientôt dans la ligne de mire de deux ennemis acharnés. Leur passion pourra-t-elle survivre au milieu des combats ?

> **2 romans tous les 2 mois**
> **aux alentours du 15 de chaque mois.**

Et toujours la reine du roman sentimental :

Barbara
Cartland

Le 16 février :
Un amour éperdu
Une douce inconnue
Les larmes de l'amour